われらが〈無意識〉なる韓国

Yomota Inuhiko

四方田犬彦

作品社

われらが〈無意識〉なる韓国／目次

われらが〈無意識〉なる韓国

玄界灘を渡る

かまびすしい売り声の飛び交う魚市場《チャガルチ》を抜けて、土砂降りの雨のなかを埠頭にそって歩いていくと、フェリーの切符売り場に出た。出航にはまだ充分に時間があったが、カウンターの前にはすでに何百人という人が並び、おびただしい風呂敷包みや段ボールをわきに置きながら、お喋りに興じている。大方は中年の女性だった。いちように大柄で、髪にきついパーマを当て、両膝を大きく拡げて床に坐り、大声で笑ったり、隣りの相手に相槌を打ったりしていた。世のなかにはもう怖いものなどないといった調子だった。行列の他の客はといえば、日焼けした顔の単独の中年男たちがぽつりぽつり。地方都市の視察団らしき一行。それに若干の学生グループと、おそらく「一日10ドル」とか表紙にある英文ガイドブックをリュックの底に忍ばせているであろう西洋人のカップルが一組。気のせいか、彼らは心細げに見えた。

入船が始まった。女たちは両手にいっぱいの荷物を抱えながら、恐ろしい速度で走り出した。出国管理と税関チェックを軽々と擦り抜け、一目散にタラップを踏んでいく。割り込みをした、しないで、争う声が聞こえる。勝手のわからないわたしは行列から遅れてしまい、船のなかに入ったのはだいぶ後になってからだった。

船内は五つの等級に分かれている。個室にバス・トイレのついた特等から、部屋の仕切りも何もない二等Bという、もっとも安い席までだ。視察団はたぶん特等だろう。船の一番奥に設けられた二等Bの大広間にようやく辿り着いたときには、もうあらかたの場所は女たちによって占められていた。

「あじょし、よぎよ、とろせよ！」あちらこちらから声がする。こっちにお出でよと、何人かがわたしにむかって手を振っていた。その好意に応じて空いている場所に荷物を置くと、すかさず隣にいた女性が、「チケト」といった。船内で酒類を購入するさいの、割り当て制限を示すチケットのことだった。そんなもの、もらってないよと答えると、改札のところで配っていたはずだ、それをもらってきてくれと、彼女は強く主張した。みあんねよ。あじゅま、てっそよ。ぴごねよ。悪いけどくたくたなんだ、おばさん。わたしが応えるやいなや、彼女はもう別の若者にむかって同じことを尋ねていた。

こうして船は出発した。窓には激しい雨が降りつけている。甲板のむこうは煙っていて何も見えない。もっとも船が港を発ったことに感傷どころか、関心を示す者さえいなかった。誰もが船内の免税店でオールドパーやヘネシーを買い揃えるのに懸命だったからだ。ひと仕事がすむと戦利品を抱えて戻って来た女たちは、それぞれのグループに応じて円陣を組み、もちこんだキムチや飯《めし》を船室の床に並べて、愉しそうに食事を始めた。船内にある食堂に足を向ける者など、誰もいなかった。

どこかで口喧嘩が始まった。花札《ファトゥ》を打つ音が、それに混じった。かっち、へよ！　いっしょにやらないの。試しに見せてもらった札は、日本とそっくり同じだったが、雨の光札だけが違う絵柄だった。京都のお公家さんの代わりに、白いパジ・チョゴリに黒い帽子の、李朝の両班《ヤンバン》が描かれている。韓国語のなかにときおり日本語が混ざる。そのうち少しずつ日本語が優勢となり、それでもいざという勝負の掛け声はやはり韓国語という感じになる。女たちは誰も真剣で幸せそうだった。それが十時の消灯となると、あっという間に静かになった。

やがてフェリーは深夜に目的地に到着した。ただ税関が開くのを待つため、沖合で待機していなければならなかった。

翌朝には誰もがけろりとした表情で日本語を喋っていた。もはやどこにも韓国語の気配はなかった。船が港に入るころになると、わたしはまた別のことを頼まれた。「兄ちゃん、千円やるさかい、この酒、税関まで運んでくれへんか。」見ると、彼女は抱えきれないほどの米袋と海苔の段ボールを抱えていた。

港はひどい湿気と暑さだった。ああ、運び屋のバアサン連中ですか。あれはすぐに仲買が待ってて、あれでけっこういい商売になるんですよ。新幹線の駅へ向かう途中で、タクシーの運転手が教えてくれた。

こうしてわたしは釜山から下関まで、一晩がかりで国境を越えた。わたしはこの航路が開設されて2年後に日本に留学した中学生、李光洙《イグワンス》のことを想った。初めて日本の地を踏んだ直後、下関の税関職員から辱めの言葉を浴びせられた李香蘭のことを、それから強制連行された名もなき朝鮮人たちと、植民地から私物のほとんどを持たず追放された日本人たちのことを想った。この海が「国境」と呼ばれることになってから50年、１９９５年夏のことである。

日本では「玄界灘」と書き、韓国では「玄海灘」と書く。日本語での発音は同じゲンカイナダだが、韓国語ではヒョンケタン、ヒョンヘタンと違いが出る。「玄海」とは単なる黒い海だが、「玄界」とは黒い境界だ。日本語で話しているかぎり、人はこの差異に気付かない。韓国語に切り替えた瞬間から、発音の違いが明確になる。語っている者の立場性が露わになってしまう。

関釜《かんぷ》連絡船は1905年に開設された。ロシアとの戦争に勝利した日本が、朝鮮を支配し、やがて満洲（中国東北部）へと軍事的に進出するための運輸機関として、それは国家的事業として始まった。

同じ年にソウルと釜山を繋ぐ京釜《けいふ》鉄道が全面開通し、ソウルから新義州へと延びる京義鉄道と連結した。連絡船の開通は、日本から朝鮮を抜け、満洲へと向かう軍事的経済的動脈が完成したことを意味していた。壱岐丸、高麗丸、新羅丸、金剛丸といった貨物船が数多くの旅客と貨物を運んだ。下関からは多くの日本軍兵士が、釜山からは、強制動員を含め、「内地」で労働に従事する朝鮮人労働者がこの航路を用いた。

日本が敗戦を迎え、朝鮮半島が植民地の軛《くびき》から解放されると、ひとたびこの航路は中断された。1952年に李承晩《イスンマン》大統領が「海洋主権宣言」を発し、広大な水域での主権行使を実行すると、それ以来玄界灘は、韓国が日本漁船を拿捕し漁民を抑留する危険領域と化した。「李ライン」と呼ばれたこの水域設定は、日本と韓国が1965年に国交を結ぶまで廃棄されることがなかった。関釜連絡船が民間の関釜フェリーとして再開されたのは、1970年のことである。

連絡船に乗って玄界灘を渡ってから、あっという間に25年が過ぎてしまった。その間、わたしはほぼ毎年のように韓国を訪れている。学会発表や観光で数日を過ごすときもあれば、ソウルの大学で教鞭を執るため、ときに長期滞在したこともある。もっともほとんどの場合、早朝に羽田空港から金浦空港まで飛び、昼にはソウルで食事をしているといった行程であり、わざわざ一晩をかけて船に乗るといった贅沢（?）は遠い昔の思い出になってしまった。

関釜フェリーは、今はどうなっているのだろうか。最近になって、久しぶりにこのフェリーに乗ったという人の話を聞くと、フェリーはガラ空きであるらしい。運び屋の中年女性たちは、すっかり姿を消してしまったようだ。

１９７０年代の日本と韓国の間には、大きな経済格差が横たわっていた。わたしの知り合いの在日韓国人の女性はその頃に韓国に嫁いだのだが、ありとあらゆる電化製品を日本からソウルに運び込んだため、家中が変圧器だらけになったという。こうした事情もあって、炊飯器や魔法瓶といった電化製品をはじめ、「先進国」日本の日常生活用品を海峡を越えて運ぶことには、それなりの意味があった。両国を自在に往還できる在日韓国人の女性が、もっぱら運び屋の役を担った。わたしがフェリーの二等船室で目撃したのは、彼女たちが帰路に就く際に免税の洋酒を買い漁っている光景である。

21世紀に入ると状況はすっかり変わってしまった。韓国はＩＭＦ危機を迎えたとはいえ、以前に比べて経済の発展をそれなりに実現し、日本はバブル経済が弾けて以来、不景気が続いている。二国間での経済格差などもはや遠い昔話となった。韓国では海外旅行が自由化され、ヴィザをもたずに気楽に日本観光をすることが可能となった。韓国人が無理をして日本製品を入手するという時代は過去のものとなった。今では逆に、日本に韓国の電化製品から衣服食材までが溢れんばかりに到来している。担ぎ屋の中年女性たちが姿を消してしまったのには、こうした事情があった。彼女たちに代ってフェリーを利用する主役となったのは、韓国人観光客である。

わたしがこの文章を書いているのは2020年である。日本と韓国の関係は、政治的にこれまでにないほど悪化している。日本が公式的には「通商」問題の拗《こじ》れから韓国を「ホワイト国」から除外し、韓国では日本製品不買運動が叫ばれてきた。こうした動向のなかで、日本へ向かう韓国人観光客は激減した。関釜フェリーはこうして在日の中年女性たちに続いて、第二の主役をも失おうとしている。

わたしが想い出しているのは、あの運び屋の女性たちの言葉だ。釜山の港を発つ直前まで、彼女たちは韓国語でお喋りをしていた。それが円陣を組んで花札を始めるうちに、会話のなかに少しずつ日本語が混じり出し、やがて日本語が優勢となって、そのなかにときおり韓国語が混じるという感じになった。翌朝になると、あたかも韓国語などなかったかのように、誰もが平然と日本語でお喋りをしていた。韓国から日本へと向かう船が深夜の何時の時点で国境を越えたのかはわからない。気が付くと海は韓国領から日本領へと移行していたのだ。言葉にしても同じで、韓国語と日本語の間には非連続の断絶はなく、ただ緩やかな移行だけがあった。いつの間にか変わっていたのだ。

日本と韓国の間には、そのどちらにも完璧に帰属せず、中間領域に留まりながらみずからの存在を享受しているものが少なからず存在している。朝鮮の両班が描かれた日本の花札。誰がそれを呑むのかも定かでない、イギリスの高価なウイスキー。そして円陣のなかで発せられる、気楽なお喋り。それを制度の名のもとに、分断線のどちらかの側へと強引に追いやってしまったとき、そのものの本質は損なわれて、ステレオタイプの認識だけが残される。環境と状況が微妙に変化すれば、すべてはたちどころに消滅してしまいかねない、それ自体としてはひどく脆弱であり、薄命である中間的なるもの。わたしが関釜フェリーのなかで立ち会ったのは、二つの言語《ラング》のいずれにも帰属することがなく、瞬間的に生じはしても、次の瞬間にはもう痕跡を留めることなく消えてしまう言語行使《パロール》だった。緩やかな移行、緩やかな波の跡よ。フェリーがいつしか境界を越えたように、言語もまた気が付かないうちに境界を越える。だが誰も越境の瞬間を見定めた者はいない。境界は深夜に通過するから見えないのではない。境界とは本来的に人為的な観念であり、あらゆる線引きは虚構のものなのだ。

人はこのようにして玄界灘を渡る。わたしは玄界灘を渡ったのだ。

（書き下ろし　2020年）

I

われらが〈無意識〉なる韓国

1

日本では誰もが韓国について語っている。韓国は嫌いだ。韓国は迷惑な隣人だ。韓国なんていらない。

韓国人についてはどうだろうか。韓国人は怒りを抑えられない。韓国人は怨恨の塊だ。韓国人は日本から出ていけ。

誰もが我先に語っている。週刊誌の頁を開くと、聞いたことのない名前の「韓国専門家」たちが、自信たっぷりに韓国人の本質について自説を披露している。いったいこの人たちは大丈夫なのか。彼らはハングルを読むことができるのだろうか。韓国人の友だちはいるのだろうか。どのくらい韓国の歴史を勉強したのだろうか。充分な体系的知識もないままに、どうして韓国人一般をそう簡単に結論付けることができるのか。けれども彼らにはそんな気遣いは眼中にない。声が大きければ大きいほどいいのだ。誰もがまるで熱に浮かされたかのように唾を飛ばして、韓国について語っている。

インドの精神科医であり文化研究家であるアシス・ナンディがいっている。植民地主義において、苦痛と屈辱を体験するのは植民地化を強いられた側である。だが最終的により深い道徳的堕落を体験するのは、植民地化を行なった側であると。わたしは今日の日本社会に蔓延している嫌韓感情とヘイトスピーチ、反韓国的なメディアの言説、そしてそれらすべての背景となっている政治権力のあり方を一言で説明するのは、ナンディの言葉であると思う。

韓国ではどうだろうか。たぶんほとんど同じ状況が起きているはずだ。日本人と一度も話したことのないような人たち、日本人の個人的な友だちが一人もいないような人たちが、韓国人どうしの間で、日本について侃々諤々の議論をしている。けれども本当のことはわからない。日本について入ってくる情報は、すでにその段階でメディアによって取捨選択され、誇張され、歪曲されているからだ。事態に対して冷静を保ち、声低く語っている日本人がいるように、韓国にも冷静に事態を見つめている人はいるはずだ。だがその声がなかなか届いてこない。声低く語る者は、いつでも扇動者のラウドスピーカーの前に敗北してしまう。

ファシズムとは（一般に信じられているような）語ることの禁止ではない。それは人をして過剰に語らせる装置だ。沈黙することは許されない。誰もが同じことを、しかも際限もなく語ることを強いられる。この見えない強制が暗黙の裡に築き上げてしまう共同体をファシズムという。日本と韓国で同時に生じているのは、言説のレベルにおけるファシズムに他ならない。人は自由意志のもとに語っているつもりで、実は見えない構造に要請されて、同じことをひたすら語ることを強いられているのである。

わたしが最初に就職したのは、朴正熙《パクチョンヒ》軍事政権下のソウルにおいてだった。１９７０年代の韓国人は驚くばかりに日本について無知だった。若者たちは、日本人もビートルズを聴くという事実をどうしても理解できないようだった。武橋洞《ムギョドン》の居酒屋で、わたしは４人の酔払いに絡まれた。日本人の足の指は２本しかないとは本当か。女は縦にではなく、横に裂けているとは本当か。そんなメチャクチャな話を誰がしたんだだと、わたしは尋ねた。子供のころ、国民学校《クンミンハッキョ》（と当時は呼んだ）の先生がそう教えたのだと、彼らは真面目に答えた。もっとも思いもかけない場所で生れて初めて日本人と会ってしまった体験は、彼らを興奮させ、同時にリラックスさせた。わたしはいくたびか、まったく初対面の酒場客から焼酎をふるまわれた。お前はいいヤツだ、とても日本人には見えないよ。

無知ということに関しては、おそらく事情は日本においても同様だった。いや、韓国風に無識《ムシク》というべきか。ソウルに発つ前に、わたしはさんざんに聞かされた。韓国は穢い。韓国は反日だ。韓国は危険だ。すべて無知が造り上げた、貧弱なステレオタイプの映像だった。わたしが幼少時からさまざまなところで聞かされてきた韓国人をめぐるイメージもまた、ソウルでは何の意味ももたないことが判明した。怖ろしく無知で、日本人に似ていて日本人ではない〈他者〉の映像を築き上げるため、日本人は虚構の差異を際立たせることに懸命だったのだ。

２０１９年、韓国をめぐる言説の、過剰なまでの氾濫のさなかにあって、わたしは何をすべきなのだろうか。時流に遅れないよう、衆人に倣って饒舌に身を投じるべきなのか。それとも少数の「善良なる」知識人の列に加わって、署名運動に名を連ねるべきなのか。どちらにしてもわたしは、敵か味方か、嫌韓か親韓かという不毛な二項対立のなかに組み込まれてしまうだろう。わたしは韓国で何が起こっているかについて、ここで具体的に何も語ることができない。正確な情報が入ってこないからだ。それを知るにはメディアを媒介にするのではなく、直接にソウルに赴き、しばらくの間逗留して、人々と話をするしかない。

2

わたしは過去に2度にわたってソウルに長期滞在している。東京では韓国映画連続上映を企画し、ETVで韓国文化講座を開講し、韓流ブームについて文化研究の論文を執筆し、あげくの果ては韓国学生のタメ口の語学教科書（?）まで執筆した。どうしてそんなことをしたか。理由は簡単で、日本人の先行世代における韓国をめぐる沈黙に疑問を抱いていたからだ。植民地支配は悪であったから自分は生涯、内面の朝鮮を封印したと堂々と言明してみせる知識人たちの「良心」。その善意の裏側に隠された知的怠惰と狭量を告発したかったからである。

もっとも彼らのなかには、わたしが韓国の映画や漫画、料理といった下位文化《サブカルチャー》を論じることを、歴史意識をもたない軽薄さだと呼んで、わざわざ罵倒するものもいた。「ソウルの大学生が英雄的に闘っているのに、娯楽映画の紹介に現《うつつ》を抜かすイイ気な日本人」と、わたしを大新聞社が発行するジャーナリズム週刊誌の誌面を借りて、名指しで罵倒してきた者もいた。わたしは悔しく思い、怒りを感じた。英雄的に闘っているソウルの大学生とは、誰のために英雄的に闘っているのだい?

日本人のためにではないよ。その大学生が闘争の休みの日にガールフレンドを連れてどんな映画を観に行くかだって、重要なことではないか。もし同じことをアメリカのロックカルチャーやフランスの現代思想について行なったとしたら、誰も（羨望こそすれ）わたしを非難しなかっただろう。こうした日本の「良心的」知識人の意識下にある韓国人蔑視を、わたしはいつも敏感に嗅ぎ取っていた。

わたしは若き日に韓国に滞在しなかったなら、どうなっていただろう。大好きな映画のことは別にして、批評家として書物を執筆する道を選ぶことはなかっただろう。きっと二流の退屈な英文学者になっていたはずだ。あるときからわたしには何か書くことに行き詰まると、そのたびごとに自分の原点である韓国との出会いに立ち戻るという習慣ができた。韓国人だったらどう考えるだろう。在日韓国人だったら、どのような意見をもつことだろう。わたしは今でも、こうして韓国に拘泥してきたことには意味があったと考えている。

武田泰淳と堀田善衞のことを思い出す。彼らは日本敗戦後もしばらく上海に留まった。わたしがソウルに渡ったのとほぼ同じくらいの年齢のときだ。武田はすでに中国文学者として『司馬遷』を著していたが、堀田はこの滞在体験を契機として、南京大虐殺をめぐる長編小説『時間』を1955年に刊行した。主人公は妻を見失い息子を虐殺された中国の知識人である。戦後になったとはいえ、かつて日本軍が緘口令を敷いていたこの事件について、彼はどのように情報を入手したのだろう。この作品は、日本文学のみならず、世界文学の文脈において、稀有な、勇気ある事件であった。

だが1972年に日中国交正常化が成立し、日本で中国ブームが生じたあたりで、武田と堀田は状況に対し微妙な齟齬を感じ始めた。二人は1973年には『私はもう中国を語らない』（朝日新聞社）という対談集を刊行すると、文字通り沈黙してしまった。武田はそれから3年後に病没し、堀田はゴヤ伝を書き終わるとスペインに居を移し、やがてモンテーニュの評伝に向かった。

わたしはこの二人の沈黙がひどく気になる。彼らはつい今しがたまで「中共という闇の洗脳王国」として脅威であった国が、ある日突然にパンダの国に衣装替えし、親密さ溢れる言説が過剰なまでに放出されるようになったとき、その違和感に耐えることができなくなったのだ。

それではわたしも『司馬遷』と『時間』の作者たちの顰に倣って、沈黙を選んだ方がいいのだろうか。現下の耐えられない無知と傲慢、偏見と悪意の洪水を断崖の上から眺め、茫然とした表情のもとに達観を決め込んだ方がいいのだろうか。いや、わたしは達観すべきではないと思う。諦念を抱くべきでもないと思う。今日では人が口にした言葉、書きつけた言葉は、瞬時にして忘れられてしまう。いくたびも、いくたびも、同じことを繰り返し語っておかないと、人の耳に届かない。だからわたしもまた過剰な饒舌に抗して、声低く、繰り返し語っておかなければいけない。

3

わたしは最初のソウル滞在を終えた後、その印象記を纏めるにあたって、『われらが〈他者〉なる韓国』（現在は平凡社ライブラリー）という題名を与えた。「わたし」ではなく「われら」であるのは、それがわたしが帰属している日本人という共同体全体の問題であるからだ。

もしわたしがもう一度、韓国について書物を刊行するならば、『われらが〈無意識〉なる韓国』

と名付けることだろう。けだしラカンが説くように、無意識とは他者の言説である。人は他者を鏡に見立て、他者の像のなかにみずからの抑圧された反映を認めることを通して、自分が自分であるという象徴的秩序の域に攀じ登ることができるのだ。その場合、他者とは、実は自分では気づいてはいないが、自分の内側深くに隠されてきた無意識であり、無意識の噴出は当然のことながら、自分にとっては忌むべき醜聞として現われる。わたしは別段、ラカン博士に忠誠を誓っているわけでもないし、ラカンを権威として売文稼業に精を出す気持ちもない。だが無意識とはつねに主体にとって脅威となる他者、異邦人として現われるというのは事実であり、その出現とは実のところ回帰なのである。ではこうした抽象的な論議が日韓問題にどう関係するのか。それを書き記しておきたい。

韓国人にとって日本とは、つねに日常の意識の上にある存在である。自衛隊の旭日旗から小学校の校歌まで、ユニクロからビールまで、日本は蚊や虻のように不愉快な羽音を立てて周囲を飛び回り、人を苛立たせてやまない。あらゆる日本的なるものが、眼前に強固に存在しているがゆえに不愉快の原因となる。だから土竜《もぐら》叩きのように、発見しだい退治し除去しなければならない。現政権は「親日派」狩りに懸命だ。しかしそれは原理として不可能である。食生活において、流行歌において、新派に代表されるメロドラマ的想像力において、日本文化はとうの昔に韓国文化の内側に、強固に構造化されているからだ。

しかしそのために、それがゆえに、韓国人は意識的に日本を否認する。その身振りを強調する。1990年代に著名な女性ニュースキャスターが、2年間の東京滞在の後に、『日本はない』（イルボヌン・オプタ）という書名のエッセイ集を刊行した（邦題は『悲しい日本人』）。日本に学ぶべきものがないというのではない。文字通り日本そのものが存在していないという主旨の書物である。『日本はない』はたちまちベストセラーとなり、作者を国会へと送り込んだ。2000年代に日本でも大流行した『冬のソナタ』では、あたかも日本が存在していないかのように物語が進行した。主人公の美男美女は、フランスで建築を勉強したり、アメリカで生まれたと信じ込んでいたりするが、そこに日本への言及はない。朝鮮王朝を舞台とした時代劇を別にすれば、韓流ドラマで描かれる現在の韓国に日本は登場しない。現実に韓国に旅行してみればただちにわかることだが、ソウルの街角には日本の記号が氾濫している。だが韓流ドラマではそれを意図的に排除することで、メロドラマに理想的な環境が整えられるのだ。この強い否認の身振りは、逆に韓国人の意識における日本への拘泥を示している。

日本はどうだろうか。日本文化のなかにも韓国文化が表面的な流行としてではなく、構造として存在していることは、地名の来歴を見ても、戦後の食生活の変化を見ても、否定できない事実である。だが誰もそれについて苛立った身振りに訴えないし、表立って韓国や朝鮮に言及などしない。それは韓国的なるものがすでに日本人の無意識の深いところに根を下ろしているためである。

「日本」という国号は自明のものではない。663年、白村江《ペクチョンガン》で日本の水軍が唐の水軍に大敗し、百済王が逃亡して王国が滅亡したことが契機となって、そのしばらく後から使用されることになった。新羅と唐の軍勢が海を渡って攻め入るのではないかという脅威のなかで、大和朝廷は唐に親書を送る時に、急ごしらえでこの国号を考案した。これまで他称として受け入れてきた「倭国」、つまり背が曲がった小人の国という国名を拒み、太陽の中心にあるという国号「日本」を採用し、それを披露した。その背後には唐軍が海を越えて攻めてくるのではないかという恐怖があり、それを心理的に否認するためにも、唐への従属と劣位を否定し、こうした誇大妄想的ともいえる自称を定立することが必要だったのである。

「日本」という国号が考案されたとき、はじめて日本人が成立した。これは日本人は侵略されることの恐怖を反転させて、自分たちが唐とは別の独立国家であるという自覚に到達できたといい直すこともできる。この事実は、日本が日本としての自己同一性を構築するために、朝鮮半島という媒介物が必要であったという心理的複合物の存在を意味している。ちなみに白村江での日本の敗北は唐側には記録が残っているが、韓国の歴史書『三国史記』（1145）の「百済本紀」第六には言及がない。なるほど「白江」の戦闘における百済の敗北は記されてはいるが、「倭軍」の関与については語られていない。日本にとっては国家存亡の危機と見なされた戦闘も、高麗の歴史編纂者の眼からすれば、記録するに値しない挿話にすぎなかった。

ともあれ白村江での大敗は、それまで国家意識を持たずに権力闘争に耽っていた大和の豪族たちに、中央集権的体制を構築することが急務であることを教えた。その結果、天皇の制度が改めて国家の中心に置かれることになった。敗戦は朝廷の権力者にとって巨大な傷痕として残った。彼らは唐を警戒する一方で、社会制度から風俗にいたるまでの一切を、この戦勝国を模倣することで体制を構築しようと努めた。唐に服属する周辺国家のことごとくが唐の律令を踏襲していたのに対し、別個に『大宝律令』を制定し、そのあたりから「日本」という国号を正式に用いるようになった。長安の条坊制を真似て藤原京、平城京、さらに平安京が建設された。8世紀に到り安禄山の乱で唐王朝に衰えが見えると、ただちに新羅征伐の議が諮《はか》られた。これは実現されなかったが、かつての雪辱を果たしたいという欲求がそこには明白に窺われる。

『古事記』『日本書紀』の成立は、現実の国際情勢において失地回復が困難であるという朝廷のルサンチマンに満ちた認識と多大に関係している。『日本書紀』によれば、仲哀天皇の后で母方に新羅王家の血を引く神功皇后は、新羅を征伐し、百済高句麗を服属させ、凱旋の途上で皇子を出産したとされる。彼女はさらに二度にわたり、新羅に派兵を行なった。この荒唐無稽の物語は、日本人の想像的空間にあって、「三韓征伐」こそが日本と天皇の制度を神話的に定位づける根拠であったことを示している。近現代にいたるまで日本人が朝鮮半島を侵略するさいに、この虚構物語への言及がつねになされてきたことを忘れてはならない。その意味で岸田秀が金両基《キムヤンギ》との対話（『日韓いがみあいの精神分析』中央公論社、1998）のなかで、「出エジプト記」をユダヤ民族の「隠蔽記憶」と見なしたフロイトに倣い、『古事記』『日本書紀』が白村江の敗北を隠蔽し、「日本」なるもののアイデンティティーを虚構のうちに成立させるために執筆された書物であると指摘していることは正しい。

それ以来、日本は政治的にも社会的にも不安定な状況に置かれるたびに、朝鮮半島への侵略を画策した。二度にわたる元寇の恐怖は鎌倉幕府を弱体化させたばかりでなく、朝鮮半島から到来する脅威の他者という像を、ふたたび日本人の無意識に刻みこんだ。その結果、日蓮に代表されるナショナリズムが抬頭した。この心理的痕跡は21世紀の現在にいたるまで続いており、北朝鮮による日本人拉致事件から「武装難民」の風評まで、メディアに格好の素材を提供している。

高麗や琉球と違って明との冊封関係の外側に位置してきた日本は、それゆえに東アジアの周縁にあって孤立したままに留まった。豊臣秀吉は日本を統一したものの、東アジアの地政学におけるこの孤立に苛立ち、朝鮮半島を経由して明に攻め入ろうという妄想にとり憑かれ、二度にわたってそれに挫折した。

幕末に西洋の軍艦が次々と到来し、軍事的に強い脅威を感じるに至ったとき、吉田松陰や佐藤信淵といった知識人は征韓論へ向おうとした。明治維新の直後、圧倒的な西洋列強を前に自己同一性の危機を感じていた日本では、鎖国政策を頑強に続ける朝鮮が日本政府の国書の受理を拒否したことに対する憤激から、朝鮮半島への派兵が建議された。西郷隆盛は即時の出兵には反対していたが、この建議をめぐって政府は二派に分裂し、結果的に西郷が下野して、反政府蜂起を起こした。日本の権力者たちはつい今しがた自国の鎖国を無理やりに開かせられたことの心理的代償として、これまで友好国として使節を歓迎していた隣国朝鮮に開国を強要せんとし、それが拗れて自国にあって西南戦争を引き起こしてしまったといえる。もっとも朝鮮征伐に反対した政府側は、この内戦が終わるとただちに江華島事件を引き起こし、それ以後、日清日露の戦争を通して、朝鮮半島の支配を確立しようと努めた。

1910年における日韓併合に到るまで、こうしたすべての政治的決断の背後には、「三韓征伐」を指揮した神功皇后の物語が神話的原型として控えていた。日本人はこの神話に導かれるままに朝鮮半島を侵略し、また侵略を夢想したのだ。それはとりもなおさず、日本人の集合的無意識の根底に朝鮮韓国が深くトラウマとして刻み込まれていることを示している。

ここで悪名の高い「日鮮同祖論」について簡単に言及しておくと、これは日本の韓国併合を促す目的で最初提唱され、次に朝鮮人の民族的自覚を毀損し、日本人への同化を勧めることを目的として喧伝された。金沢庄三郎の『日鮮同祖論』(1929)はその意味で、たとえ直接的に朝鮮の植民地化を推奨しなかったとしても、言語学が植民地統治のイデオロギーに奉仕したという点から、サイードの説く〈オリエンタリズム〉の網状組織の中でも了解されるべき書物である。その意味で金沢を、同時期に朝鮮の美学を日本のそれとは異なるものとして顕彰した柳宗悦とは、峻別して考えなければならない。柳は今日的観点に立てば、その朝鮮美学観に限界はあったにせよ、直接に行動せる知識人として朝鮮問題に正面から向きあい、伝統建築の光化門を破壊から守った。金沢に戻るならば、こうした同祖論の流行の背後には、朝鮮との連続性を神話的に強調し、無意識のうちに自分の側へと引き寄せようとする日本人の衝動が働いていた。日本はこの心理的複合に向かい合い、それを媒介とすることで、はじめて日本としてのみずからを確立することができたという歴史的事実を、日本人は忘れるべきではない。

先の天皇明仁（現在の上皇）は2001年の68歳の誕生日に際して、桓武天皇の生母が百済武寧王の子孫であったと発言した。これは日本ではあまり報道されることがなかったが、記憶されるべきである。これはそれまで言及が禁忌とされてきた天皇家の朝鮮半島との血縁的関連が、公の席で、しかも天皇みずからの口によって言及されたという事件である。自分の任務とは天皇という制度を存続させていくことだという強い自覚を、明仁は抱いていた。それは歴史学というより、むしろダーウィン的な意味での生物学的要請であるように思われる。ここにも日本の自己同一性の象徴的確認のため、韓国を鏡像として用いようという姿勢が窺われる。

今日の韓国にとって日本はたかだか意識の上での苛立ちであるかもしれない。だが日本にとって韓国とは、みずからの姿をより強固に確認するためかならずや参照しなければならない、無意識的な存在なのだ。現下の状況における嫌韓レイシズムを理解するためには、こうした日本的無意識のありようを見つめ直さなければならない。

4

わたしは2000年にソウルの大学に客員教授として招かれていたときに、毎週水曜日の正午に開催される「水曜集会」に何度か足を運んだことがあった。1992年に開始されたこの集会は、元従軍慰安婦に対する日本の謝罪を求める抗議運動であり、わたしが行ったときですでに400回を越えて行われていた。もはや大使館に向って生卵を投げつけるという抗議運動は行われていなかった。ただ集会会場としては日本大使館のすぐ前ではなく、鐘路《チョンノ》一街の新聞社のビルの近くが設定されていた。集会には数名の元慰安婦（誰もが「お婆《ハルモ》ちゃん《ニ》」と呼んでいた）を取り囲むように二、三十人の市民運動家が並び、「挺対協」（後の「正義連」）と呼ばれる団体がすべてを取り仕切っていた。彼らが元慰安婦を動かし管理している抑圧的存在のように、わたしには思えた。街路樹のそばにはいつも日本の公安刑事らしき人物がいて、懸命に参加者の人数（とりわけ日本人の）を数えてはメモしていた。

元慰安婦たちは集会の間中、ただ人形のようにそこに坐ったまま動かず、マイクを握ってラウドスピーカーで発言することはなかった。ソウルの冬は寒い。風荒ぶ街角で、彼女たちは無表情のまま じっと耐えていた。集会が終わると、近くの食堂で昼食となる。わたしも招かれて同席した。元慰安婦たちは先ほどの集会の時とはうってかわって表情豊かになり、卓に就くと互いに快活なお喋りを始めた。やがて理由がわかった。食事の後にバスで市場に出かけ、思い思いにお菓子を買うことが愉しみだったのである。日本の羊羹が食べたいが、ソウルの百貨店には美味しいものがないと一人がいった。そこでわたしは東京に短期帰国の際、虎屋をはじめ何軒かの和菓子屋を廻って「本物」の和菓子をリュックに詰めると、ふたたび水曜集会を訪れた。集会の後で彼女たちの住まう「ナヌムの家」まで随行し、リュックの中味を受け取ってもらった。

わたしの知っているかぎり、元慰安婦たちはそれぞれ明確な個性の持ち主だった。お喋り好きな人。卵を立てるという妙技を披露する人。ときどき隣村の知り合いのもとに無断外泊をし、家の管理者をハラハラさせる人。元慰安婦一般というものはない。どの人も独自の人格をもった個人であるというのが、当たり前といえば当たり前だが、わたしが受けた印象である。

帰国したわたしはあるフェミニストを自称する大学教授から、「ハルモニ」とは韓国語で慰安婦という意味なのだといわれた。わたしが黙っていると、彼女はわたしの語学的無知を笑いながら、家にまで行くという貴重な機会がありながら、わたしがどうして彼女たちに戦時下の受難をめぐっていろいろと質問をせず、ただ羊羹をいっしょに食べただけなのかと非難した。しかしいくら何でもそれは無理というものだ。どうして出会ってまもない人間が受難の当事者にむかって、思い出すのも辛い記憶を掘り返して語ってほしいと、羊羹を頬張りながらいうことができるのだろう。ここにも先に述べた無意識の構造が横たわっている。旧宗主国の女性が女性としての自己同一性を確認するために、かつての植民地の女性を媒介にしなければならないという構造のことだ。

5

ここで現在の日韓関係を拗《こじ》らせている問題のなかでも、とりわけ解決困難な暗礁に乗り上げてしまった感のあるこの慰安婦問題について、私見を述べておきたい。この問題の拗れが日本における嫌韓、韓国における反日の運動に油を注ぐ結果になっている。

従軍慰安婦問題は困難な構造をもっている。皮肉なことに、日本政府はこの問題に関しては、積極的に金を支払うことで封印を試みた。十億円を「和解・癒し」のために韓国に渡し、元慰安婦に補償金を分配するという方式で「決着」をつけようとした。韓国政府は一度はそれを受け容れ、財団を設立した。もっともこの決着は被害者である元慰安婦の頭越しに行なわれ、彼女たちの意向は反映されずに終わった。彼女たちのいくたりかは補償金を受けとったが、その本来の要求であった日本側の謝罪の言明は今回はなされなかった。韓国側のルサンヒマンは解消されず、世論の反撥も手伝って、文政権は財団を解散させてしまった。だがそれで問題が解決し、韓国側が抱いてきた宿年の〈恨《ハン》〉が解けたかというと、とてもそうとは思えない。この一連の経緯は、従軍慰安婦問題が金銭的にも政治的取引でもとうてい解決が期待できない、人間の実存に関わる深刻な性格をもっていることを、端的に物語っている。

日本は謝罪をするべきである。一般論ではこうなる。だが謝罪とは何なのか。過去に細川護熙首相をはじめ、少なからぬ日本の政治家が公式的に謝罪をしたにもかかわらず、韓国側が相も変わらず告発を続けているのはなぜか。多くの日本人が、この点を訝しく思っている。それは公式謝罪の直後に別の政治家が平然とそれを覆す発言をしたり、右翼系のメディアが慰安婦問題を否認する報道をしたりするからだろうか。いや、元慰安婦の受けた屈辱と悲惨を贖うためには、世俗の権力の走狗である総理大臣の謝罪では不充分であり、神聖な象徴的権威による謝罪が要請されているからだろうか。しかし、とわたしは空想する。もし天皇が善意とヒューマニティのもとに訪韓し、元慰安婦に面会して労《ねぎら》いの言葉をかけたとして、その結果実現するのは、日本の天皇制が元植民地においていまだに神聖権威として君臨しえたという事態でしかない。はたしてそれでよいのか。慰安婦問題における謝罪の効用を説く前にまず検討しておかなければならないのは、そもそも謝罪という行為がいったい何を意味しているか、またそれが成立しうるのはいかなる状況においてなのかをめぐる思索である。

謝罪とは赦しを乞うことである。だがそれは、相手側がそれを受け容れ、赦しを与えないかぎり成立しない。

日本は朝鮮半島を植民地化することで、そこに近代と資本主義を導入した。食糧の生産高を増やし、近代都市「京城」を建設した。だが同時に数多くのものを「内地」へ運び込んだ。食糧、兵士、軍隊における性的奉仕のための女性たち、苛酷な労働を強いられた労働者たち。植民統治下の朝鮮はそのすべてを日本に与えてきた。その日本が最後に、究極の場で、ふたたび韓国に与えてもらうことを期待するのが赦しであり、赦しが与えられた時にすべてが円満に解決すると考えるのは、少し虫が良すぎるのではないか。日本にはたして赦しを請願し期待する権利があるのだろうかというのが、わたしの抱いている疑問である。赦しとは求めて得られるものではない。恩寵のように天上から降り注ぐ何ものかであって、それが到来するまで人は待ち続けなければならないのだ。日本人に許されているのは韓国に赦しを性急に希《こいねが》うことではなく、まず教育制度において歴史的認識を明確化し、国民が慰安婦問題について共通了解を持ちうるように努めながら、韓国が赦しを与えてくれるまで待ち続けることである。それにはいかなる確実性もなければ保証もない。想像もつかないような歳月がおそらく必要とされるだろう。だが赦しが人智を越えた力によって到来するものである以上、待ち続けることだけが許されているのだ。

なんと困難なことよと、日本人は嘆息することだろう。だが韓国人の身になって考えてみよう。韓国人は日本人以上に困難な課題を突き付けられているのである。すなわち彼らは、絶対に赦してはいけないものを、それでも赦さなければならないのだ。この要請がいかに苛酷なものであるかを、日本人は想像しなければならない。たとえばあなたは自分の母親や妹を凌辱した卑劣漢を、どのようにすれば赦すことができるというのか。

従軍慰安婦を象徴したという少女像がまずソウルの日本大使館の傍に建てられ、その後、釜山をはじめ、韓国の津々浦々に、また世界のあちらこちらに建てられるようになったとき、わたしが最初に抱いたのは違和感であった。この像のどこが慰安婦なのか。これは3・1独立運動で拷問死した女学生、柳寛順《ユグワンスン》の記念像と、いったいどこが違うのか。わたしは他にも、水原にある羅蕙錫《ナヘソク》の記念像のことも思い出した。現実の従軍慰安婦の女性たちは、このような清楚な朝鮮服を着ることなど許されていなかった。彼女たちは慰安所において、きわめて屈辱的なことであるが、日本の着物や簡素な洋装を強要されていた。そうした事実を考えると、この少女像が韓国人の観念のなかで長きにわたって構築されてきた虚構の像であるという事実に、釈然としないものを感じた。いかなる場合にも、ステレオタイプは歴史と対立する。少女像は受け容れやすい形で映像を固定化することで、従軍慰安婦の悲惨なる現実を蔽い隠してしまうだろう。それが近い将来にポップアートのなかでキッチュとして扱われるようになったとしたら、誰が責任を取るというのか。そうした疑問を、わたしは最初に抱いたのである。

この感想を訂正しようと思ったのは、ある冬の夜の釜山の少女像に毛糸の帽子が被せられ、お供えものが並べられている写真を見たときである。朝鮮王朝が仏教を弾圧し、僧侶を賤民として貶めたこともあって、韓国には日本のお地蔵様に匹敵するものがない。そうか、これは日本でいうお地蔵様、ヨーロッパの街角でときおり見かけるマリア様の像に似たものに、これからゆっくりとなろうとしているのかもしれない。そう考えたとき、長い時間のなかで慰安婦の少女像がいずれは民俗学的対象へと転じていくという可能性に思いあたったのである。

それがどのくらい長い歳月になるのかは、わたしには見当がつかない。だがいつか、少女像はその建立の最初の動機と目的を離れ、いつもそこにある単なる少女像として扱われることになるだろう。それは歴史の怒りと告発の記号であることを忘れられ、思いもよらぬフォークロア的想像力のなかで「結晶作用」を受け、人々の願掛けの対象となるだろう。思うに、赦しを乞うために待ち続ける日本人にはじめて赦しが与えられるのは、その時であるかもしれない。日本人が街角に立つお地蔵様の来歴を朧げにしか記憶せず、やがてただ願掛けのために像にお供えをするようになったかのごとく、少女像もまた人々に慈しまれているうちに経年ゆえに細部の摩滅を体験し、民間信仰の対象となるだろう。このとこしえに長い時間を、日本人は待ち続けなければならない。

（『群像』２０１９年11月号）

他者としての日本、内面化された日本

日韓併合百年を振り返る

1

光州の日本文化研究所で講演をするのはこれが二回目です。一回目は2003年にセンターが開館したときで、日本映画と韓国映画を比較してお話した記憶があります。いわゆる「ヨン様」ブームの直前でした。その後も韓国映画はさらにどんどん伸展を続け、現在もし同じ主題で論じたとすればまったく違った風な話となるでしょう。けれども今回は単なる映画史という枠を離れ、より広い文脈のなかでお話をしたく思います。韓国が日本によって植民地化されたことが韓国人の文学者の内面にいかなる苦しみをもたらしたか。同時に日本の映画監督と文学者が独立後の韓国に滞在した体験を契機に、日本を他者として批判する視座をいかに構築してきたか。その例を2人ずつ取り上げ、日韓併合から1世紀を経た現在、日本人と韓国人の相互認識について考えてみたいと思っています。

わたしが最初に韓国を訪れたのは１９７９年、つまり朴正熙による維新体制の最後の年でした。大学院の修士課程を終えた段階で、最初に行く外国を韓国と決め、ソウルにある大学で日本語教師の職を得たわけです。アイルランドにおけるユートピア思想について研究していたわたしは、韓国の歴史についてほとんど何も知りませんでした。おそらく韓国の同年輩の学生の方が、はるかに日韓交渉史について鋭い認識を持っていたのかもしれません。

ソウルに到着し、日本語教授法の資格も欠いたまま「外国語学科」（「日本語学科」という名称が好ましくないというので、このような曖昧な表現がつけられていました）で学生たちと接しているうちに、わたしは日本と韓国の大学生の意識に横たわる、あまりに大きな違いにしばしば呆然としました。ある学生は、自分たち韓国の知識人が歴史の先頭に立たないかぎり、民族の歴史はどうなってしまうのですかと、強い矜持のもとに語りました。別の学生は、韓国はかならず日本を追い越す。なぜならばつねに隣に存在しているからで、追い越すまでは頑張るからだと宣言しました。さらに別の学生は、自分たちが安重根《アンジュングン》を英雄と見なすように、日本人であるあなたはどうして伊藤博文を英雄だと思わないのかと、詰問するかのように問うてきました。彼らはわたしとほぼ同じ年齢でした。なぜならば韓国には二年以上の徴兵制度があり、男子が大学を卒業するのが大体25歳から26歳になるからです。

わたしは彼らの強い民族意識に最初、ひどく当惑しました。というのも１９７０年代に東京で大学生活を送るということは、「民族」や「歴史」という語彙から限りなく離れて生きることを意味していたからです。とりわけわたしの場合、新左翼のセクト間の殺し合いによって同級生や同学年の者が次々と殺害されていく時期に当たっていたため、現実の政治運動に対して距離を置きたいという気持ちに促されていました。しかし韓国の学生は違っていました。彼らは軍役のさなか、禁書である日本の新左翼の文献を謄写版の翻訳で手にすると、それを便所のなかで隠れ読んで勉強していました。こうした体験の蓄積を通して、80年代に民主化運動が巻き起こったのだと、わたしは想像しています。

ここでわたしが知りたいのは、「運動圏」の学生、つまり日本でいうところの活動家たちの間に、日本で頻繁に生じた「内ゲバ」、つまりセクトの違いから同志殺しのような事実があったかという疑問です。何人かに尋ねてみると、韓国にそれはなかったが、ただ自傷行為や抗議の自殺はしばしば生じ、大学のキャンパスに焼香のための壇が設けられることが珍しくなかったとのことです。この違いは何に由来しているのか。闘争の性格の違いか、それとも道徳の、いや民族性の違いか。それについては、いずれ誰かに比較の研究をしていただきたいと思います。

わたしの韓国滞在はわずか1年で終わりました。釜山や馬山で生じた政治的騒乱がソウルに及ぶのを恐れた大学がみずから門を閉ざし、やがて大統領が暗殺されて全国に非常戒厳令が敷かれた時、わたしは東京に帰り、大学院の博士課程に戻ろうと決意したからです。1年ぶりの東京は、わたしの眼には何か巨大な砂糖菓子のように甘ったるく思えました。街角のどこにも土嚢が積まれてなければ、迷彩服の兵士もいない。いたるところに張りめぐらされた標語や反共ポスターもない。人々はあたかも歴史も民族も存在していないかのように、甘ったるい無防備な表情で街角を闊歩していました。それはわたしがソウルで毎日目にしていた韓国人の歩き方とはまったく異なっていました。

ソウルでは舗道が混雑していると、前方を行く人の肩を摑んで、先へ先へと急いで歩いていくのが普通だったからです。そしてほとんどの日本人が韓国に対し、まったく無関心でした。

けれども東京に戻ってからも、韓国はわたしに付き纏いました。というよりこの1年の滞在体験を咀嚼するために、わたしはひょっとしたら一生を費やすことになるかもしれないと、少しずつ考えるようになりました。わたしが帰国してまもなく、ここ光州では市民たちが民主化を要求して武装し、600人を超える人々が主に空挺部隊によって虐殺されました。東京で開かれた抗議集会で、キリスト教の教会関係者が隠し撮りしたというヴィデオを観たとき、わたしは強い動揺に見舞われました。というのもこの町は、わたしが前年のひと夏を休暇で過した町であったからです。わたしの心に浮かんだのは、まず光州出身の学生、旅館の主人や居酒屋の女将、バス停でたまたま道を尋ねた少女……そういった個人的に知った人たちは無事だろうかという懸念でした。

ヴィデオには軍隊による暴虐の数々が映し出されていました。その中でとりわけわたしに強い印象を与えたのは、抵抗する市民たちが犠牲者の遺体に太極旗を巻きつけ、その死に敬意を表している場面でした。白地の旗がしだいに血で赤く汚れてゆく。そうした遺体がいくつもいくつも並べられている……もし日本で同じような民主化抗争が起きたとして、はたして犠牲者は日の丸の旗で覆われることを望むでしょうか。いや、たとえ周囲に布がなくとも、それだけは止めてくれと、死の直前にいい残すことでしょう。日の丸には軍国主義時代の狂信的な記憶が今なおこびり付いていますそれに対し、太極旗は植民地下において長らく禁じられてきた旗であり、つねに権力への抵抗という形をとらざるをえなかった韓国民族主義の伝統に、深く根付いています。わたしは秘密裏に撮影され国外に持ち出された光州事件の映像を観ながら、事態の悲惨さに絶句するとともに、さらに韓国人から不意打ちを食らわされたような気持ちを抱きました。お前の国にはたして、国家権力に抗って死んだ者を弔うにふさわしい何物があるというのか。光州の死者たちはそうわたしに向って突きつけているように思えたのです。

それから30年が経過しました。わたしが東京の緊急集会で観ることのできたヴィデオは、現在では518民主抗争追慕塔の側にある地下の教育施設「歴史の門」で、ボタンを押せば簡単に見られるようになっています。1980年に生じた虐殺は国家によってその歴史的意義が顕彰され、死者たちは巨額の予算を投じて建設された広場の傍らにある美しい芝生の墓地で、国家に公認された英雄として眠りについています。政府主催の「壮麗」な式典が毎年5月になると行なわれています。この公共空間における儀礼の是非について、光州人ではないわたしは論評する資格をもちません。ただ日本人としてそれが、かつて爆心地付近に生じたスラム街を一掃し、平坦で匿名的な「平和公園」を築き上げた広島の都市計画と比較できるのではないかとだけ、感想を申し上げておきます。

一方わたしはといえば、その後、パレスチナやイスラエル、レバノンを訪問し、イスラエル映画における犠牲者の表象について研究をしました。それからコソヴォの難民キャンプに設けられた大学の仮設キャンパスで日本文化について講義をしたりして、現在にいたっています。旧満洲国のいくつかの都市を廻ったときには、韓国という国家が理念を形成するにあたって、この13年しか存続できなかった擬制の国家がいかに大きな役割を果たしたかという問題に突き当りました。わたしが最初にソウルで籍を置いた大学は、新京（長春）に設置された建国大学が解体されたあと、あたかもその衣鉢を継承せんとする意味から、同じ名前を与えられていました。植樹の日をはじめ、朴正熙政権時代に設けられたさまざまな儀礼は満洲国のそれを踏襲していました。いや、そもそもかつて満洲国の軍人であった朴正熙が、同じ満洲仲間の岸信介元首相とのパイプを通して交渉を重ね、国内での大規模な反対運動を非常戒厳令によって抑え込んで締結した条約が、1965年の日韓条約だったわけです。わたしはこうしていくたびも迂回を重ねながら、機会あるたびに韓国という問題を日本人の側から見つめ続けてきました。日本にとって他者である韓国とはいったい何なのか。またもし日本人であるわたしにとって日本そのものが他者に思えてくる瞬間があるとすれば、それはどのような時なのか。以下にその思考のいくつかを申し上げたいと思います。

2

今からちょうど一世紀前にあたる1910年の8月29日、新興の帝国主義国であった日本は「併合」という名のもとに大韓帝国を植民地化しました。もっとも具体的な国家の簒奪は、1905年に乙巳《いつし》保護条約が締結され、韓国の外交権が完全に奪われ、総督府が設置されたときにすでになされたと見るべきでしょう。日本は韓国に近代化をもたらしました。だが、それは両刃の剣でした。併合以前から鉄道を建設する一方で近代法の名の下に土地を接収し、近代教育を開始するのと裏腹に韓国人から母語を学ぶ機会を取り上げ、最後には彼らを日本兵に仕立てあげようとしました。1930年代も後半となると融和政策は後退し、「内鮮一体」という標語のもとに神社参拝と日本人風の姓名を強要し、労働者を内地へ誘いこむと、苛酷な条件のもとに労働を強要しました。いわゆる皇民化政策です。1919年に半島全域に及ぶ抵抗運動が生じた時にはこれを徹底して弾圧しました。個人的なことを申しますと、わたしはこの点に関し、支配者であった日本政府当局に、過去に収集した歴史資料のすべてを公開し、慰安婦問題と強制動員・軍属への早急なる謝罪と補償を要請するという呼びかけに参加しています。

第2次大戦において日本が敗北すると、韓国は植民地の頸木《くびき》から解放されました。とはいえ国土は二つに分断され、頑強な反共軍事政権の時代が長く続いたことは、誰もが知る通りです。成年男子は3年に近い軍役を義務付けられ、強烈なナショナリズムに基づく教育が施されてきました。日本と日本文化をめぐる歌舞音曲、そして映画は、民族感情において忌まわしき過去を想起させるという理由から禁止されました。これは同じ日本の植民地でありながら、解放後に国民党独裁のもとに置かれた台湾とはまったく対照的な事態であったといえます。台湾では民衆の圧倒的支持のもとに、日本映画は配給公開され続けました。それどころか蔣介石と日本の映画人の親密なる関係によって、国民党軍の全面協力のもとに70ミリ巨編の合作映画が1950年代から制作されていました。金大中政権になって日本映画の解禁がようやくなされるようになった韓国の特異性が、ここで大きく浮かび上ってきます。朴正熙は日本帝国の軍人として自己形成し、明治維新を真似て「精神維新」を唱えたのですが、日本文化が韓国にもたらされることに対してはきわめて複雑な愛憎を抱いていたと推測されます。

もっとも韓国においても、植民地化と時を同じくして日本から到来した「新派」メロドラマの演劇と映画だけは、どうしても公式的に禁じることはできませんでした。それはすでに韓国人の血肉と化していたのです。どうして禁じられなかったのか。おそらくそれは日本において新派が、日本の近代化の過程にあって歌舞伎の改革運動のなかで生じた大衆演劇の新ジャンルであったことに関係しています。そこにはアジアの前近代の演劇的伝統が、思いがけずも西洋近代の恋愛観と遭遇することで喚起された、ハイブリッドなメロドラマ的想像力があったからです。

日本が韓国を植民地としたとき、日本人にともなって近代もまた新派という形をとって大衆的な形で韓国に到来しました。１９１０年ごろ、日本から到来した劇団が『不如帰』や『己が罪』といった演目の上演を始めると、こうしたジャンルの演劇体験をもたなかった韓国の演劇人はそれを前衛劇だと受け止め、登場人物の名前を韓国風に変えて翻案していきました。尾崎紅葉の『金色夜叉』は『長恨夢』と改題され新聞に連載され、李慶孫《イギョンソン》によって１９２６年に映画化されいっそうの人気を呼びました。それは現在でも『李守一《イスイル》と沈順愛《シムスネ》』という題名のもとに、ときおり舞台で公演されています。知識人にとって近代とはトルストイであり、マルクスであり、ボードレールであったかもしれませんが、日本でも韓国でも、庶民にとって近代とは新派に描かれている階級違いの悲恋であり、偶然の行き違いから生じる恋愛の破綻であり、不幸にして複数の母親をもってしまった少年の行く末であったのです。新派を拒絶することは近代を拒絶することに等しかったのでした。

わたしが20年にわたって奉職している明治学院は19世紀の中ごろにアメリカ人宣教師によって原型が造られ、日本における英語教育の草分けともいえるキリスト教の教育機関でした。明治学院は大韓帝国時代から韓国人留学生を積極的に受け入れたことでも知られています。後に韓国文学において重要な位置を占めることになる李光洙《イグワンス》は14歳、金東仁《キムトンギン》は13歳、朱耀翰《チュヨウハン》においては12歳からその中等部で学んでいます。彼らを魅惑したのは日本の伝統文化などではなく、まずキリスト教の普遍主義であり、次にトルストイに始まる西洋近代文学でした。そしてここから文学への強い情熱が立ち上がってきたのです。

ちなみに明治学院は１９１９年にも韓国と秘密裡に関わっています。２月８日に留学生有志が決起して独立宣言書を発表したとき、これを世界中の王と皇帝、大統領に信書として送付するにあたって、明治学院のアメリカ人教員がこっそりとその英文を添削したことです。現在わたしは自分のゼミに来る韓国人留学生に、かならずこの話を紹介することにしています。

　韓国における近代文学がいつ始まったかについては、専門家によってさまざまな説があります。東京で新聞記者の研修を受けていた李人植《イインシク》が、１９０２年に『寡婦の夢』という短編小説を都新聞に発表したのをその嚆矢とする立場もあります。しかしこれは旧来の日本語である文語体で記され、異国情緒をもって日本人読者を悦ばす目的だけの物語でした。わたしはむしろ16歳の李光洙が明治学院の『白金学報』に発表した「愛か」という短編こそが、真に近代的人間の内面の苦しみを描いたという点で重要な意義をもっていると考えています。この作品をめぐってわたしは明治学院でシンポジウムを開催したことがあります。

「愛か」は１９０９年12月に発表されました。同級生の美貌の少年に魅せられた、韓国出身の主人公が、その気持を思い切って口にすることができず、愛の過剰に悩んで鉄道自殺を図ろうとするという短編です。ここに李光洙の同性愛への傾向を読み取ることもできるでしょうし、眩しいまでに近代化を突き進んでいる日本に対する羨望と、日本の側からの韓国への無関心という図式を読み取ることも困難ではありません。わたしがここで強調しておきたいのは、それが李光洙の母語である韓国語ではなく、習い覚えた日本語によって執筆されたという事実です。

　１９７９年に村上春樹が小説家としてデビューしたとき、作品の構想は日本語ではなくまず英語で書いたと発言して、旧世代の評論家たちを激怒させたことがありました。しかし言語と政治の関連という点で、李光洙の場合はそれと比較にならないほどに深刻な事態であるように、わたしには思えます。彼は三人称単数の代名詞を常用とせず、近代文学の蓄積をもたない韓国語では、どうしても恋愛の破綻をめぐる小説を執筆することができなかったのです。いやより明確にいうならば、恋愛の困難に煩悶する近代人の内面を描く言葉が、手元に日本語しかなかったというべきでしょうか。これは言葉を替えてみるならば、李光洙の近代人としての内面が、もっぱら日本語を媒介として形成されていたということを意味しています。

「愛か」が発表されたのは、ハルビンで安重根が伊藤博文を暗殺した、わずか一月後のことです。それから8ヵ月後、日本は大韓帝国を併合します。このとき李光洙が周囲に揶揄されて受けた動揺を想像すると、わたしは悲痛な感情に駆られます。李少年は1910年2月に学業を終えると、故郷定州の中学校に教師として赴任します。

ちなみにこの短編に登場する美貌の同級生の山崎俊夫は、李光洙とともにキリスト教文学を読みあった親密な仲であり、後に回想記風の小説『耶蘇降誕祭前夜』のなかで、李光洙との少年愛について言及しています。わたしはその後に「親日派」に転じ皇民化運動に積極的に関わった李光洙の軌跡をめぐって、韓国人が触れれば血の吹き出る傷のような気持ちを抱いていることを了解しています。同化というのは存在の続行が危機に陥ったとき、誰もが取りうる最終的な自衛の選択でした。しかし今回はそこまで話を進めません。ただ韓国人の手になる最初の近代文学が韓国語ではなく植民統治者の言語によって執筆されていたことの意味を、より深く考えてみたいと思います。

韓国人にとって近代文学にふさわしい内面なるものが、日本語と日本文学（翻訳を含めて）によって醸成されてきたとしたら、植民地であることから解放された時点で、韓国の知識人はこの問題にどう直面していかなければならなかったのでしょうか。「ミンチュチュイ」も「チュラク」も「ソスル」も「ヨンネ」も、文学を司る重要な観念のほとんどが、19世紀後半に日本人が西洋の言語から翻案してみせた「民主主義」「哲学」「小説」「恋愛」といった語彙の韓国語読みにすぎないとすれば、また小説にとってもっとも重要な三人称単数の「ク」「クニョ」が日本語の「彼」「彼女」の逐語訳であったとすれば、日本文化が明治以後に築き上げたパラダイムから、韓国文学はどのように解放されていかなければならなかったのでしょうか。おそらくは韓国でこの問題は大きな課題となっており、専門的な研究も多々あると推測します。わたしとしては、解放後の韓国の知識人を襲った困難にまず心を向けておきたいと考えています。

さて先に新派の例を、今は小説の例を出しました。すべて近代的なるものは日本というバイアスを経て韓国に流入し、韓国人の内面を築き上げるにいたった。しかしこの次元にまで論議を進めてしまうと、厳密にいって祖国解放後に「倭色追放」という運動を徹底させることは不可能となります。植民地時代の屈辱的痕跡をすべて清算して、純粋な民族文化に回帰したい。だがそれが同時に内面において醸成されてきた近代的なるものの放棄に通じかねない。ここに独立後の韓国の文化政策の論理的困難がありました。それゆえにこそ、世界のどこの国家にも例を見ない日本文化の排除と追放が執拗に、しかも声高く叫ばれたのではないかと、わたしは考えています。それはけっして原理的に達成できないがゆえに、さらに高い声を招くにいたったのです。

自分たちの内面は侵略者である日本を拒絶したい。だがこの内面こそひょっとして、日本の近代文化から導入されたものではないだろうか。韓国の知識人や芸術家がこの点において抱いていた深刻な苦悶に対し、植民する加害者であった日本人はまったく無関心でした。単にあの国は日本語が通じ、映画も文学もすべて日本の二番煎じであるところだ、くらいの認識しか抱いていなかったと思います。わたしは先に述べたように、慰安婦問題や強制連行問題に対し、日本国家の謝罪と教育の場における歴史的記憶の継承を強く望む者ですが、そうした歴史的暴虐行為とは別の次元において、韓国の知識人が抱え込んできた日本という問題の困難さに向かい合わないかぎり、日本の知識人はとうてい彼らとは対等の場所に立てないのではないかと考えています。そのためには日本人は、自分の近代的内面がいかに西洋によって構築され、さらにこの半世紀においては戦争の勝者であるアメリカによって重ね焼されてきたかという問題に、まず直面しなければならないでしょう。話は少し飛びますが、米軍基地によって国土を蹂躙され、アメリカの世界戦略に追従する外交方針しかもち得ない今日の日本にあって、ハリウッド映画とクラブミュージックに夢中な日本人の若者は、自分たちの内面がアメリカによって築き上げられているという事実を、歴史的にどう考えているのでしょうか。

少し話が難しくなったので、ここらで冗談をいれましょう。韓国人が血肉としてしまったがゆえにどうしても排除できなかった新派は、その後、驚くべき結果を生みました。それはグローバリゼーションの潮流に乗って、日本のみならずアジアのほぼ全域で熱狂的に受容されることになったのです。わたしがいいたいのは、TVの韓流ドラマのことです。ヨン様を通して日本人は、長い間等閑にしていた恋愛の内面を再発見したのです。わたしはこうしたメロドラマがもつ意味は真面目に考えるべきだと思っています。『冬のソナタ』と『宮廷女官チャングムの誓い』は知韓派の知識人の書いたいかなる啓蒙的論文に増して日本人大衆の保守的感性に訴え、日本人の韓国人観に決定的な革命をもたらしたのです。

3

日本が韓国を植民地化した原因とは何であったか。この問題については、さまざまな要因が多層的に重なり合ったとしか述べることができません。ある角度からすればそれは西欧列強に比較して恐ろしく遅れて開始された日本の資本主義が、その遅延と歪みを強引に解決するために外部への膨張政策を取らざるをえなかったと理解されます。別のナショナリストの立場からすれば、16世紀末の豊臣秀吉の挫折を回復するためだったということになります。もちろんこれは信じがたい、荒唐無稽な意見です。わたしは別に、ここに精神分析でいうところの反復強迫という考えを導入することを提案してみたいと思います。

シェイクスピアの悲劇『マクベス』に登場するマクベス夫人は、みずから示唆した殺人が無事に成功し夫が王となって以来、血で汚れた両手を洗うという仕草に取り付かれてしまいます。いくら洗っても洗っても、無意識のうちに巣食った罪障感から、彼女には両手が血塗れに見えて仕方がないのです。人間の深層心理にあってはこのように、ある出来事がトラウマと化したとき、それを解消しようとして同じ動作を繰り返し繰り返し行なうという仕組みがあり、それをフロイトは反復強迫と名付けました。

日本は19世紀の中ごろ、突然にアメリカから到来した黒船によって開港を迫られ、きわめて不本意な形ですが、2世紀半近くにわたって続いていた鎖国政策に終止符を打たなければなりませんでした。その後、西洋の近代文明が急激に押し寄せ、人心は一変しました。維新直後の新政権は欧米諸国との間に対等の外交条約を結ぶことができず、近代文明のなかにあって最下位の新参者の地位に甘んじていなければなりませんでした。「脱亜入欧」という掛け声だけは勇ましくとも、実質的には伝統的な価値観を切り捨ててしまった日本は、文化的なアイデンティティーの危機に見舞われていたといえます。精神分析学者の岸田秀はその間の事情を、日本は無意識の次元においてレイプされたと読んでいます。

この屈辱的な心理的フラストレーションを解決するのにもっとも簡単な方法とは、自分よりも遅れている隣人を見つけ出し、自分が欧米諸国にされたのとまったく同じことを、その隣人に体験させることでした。西洋近代の模倣を国是とするにいたった日本は、その悪弊である植民地主義をも模倣したのです。台湾を、北方領土を、そして韓国を植民地化せんとする欲望の背後には、こうした無意識的な反復強迫が働いていたのだと、わたしは見ています。ちなみに反復強迫という理論的概念が今日でも民族対立や国際紛争を理解するのに有効なのは、イスラエル国家の場合を考えてみれば容易に理解できるでしょう。長きにわたって差別され、アウシュヴィッツで大量虐殺の対象とされたユダヤ人は、今日のパレスチナにおいて同様の差別と虐殺を重ねることによって、不幸な心理的悪循環に陥っています。

では日本の韓国への植民地化は、欧米列強と同じようになされたのか。いや、けっしてそうではありません。イギリス人がインド人を統治したように、あるいはオランダ人がインドネシアから巨大な収益を引き出したようには、日本人は韓国を植民地支配しませんでした。そこには日本と朝鮮半島の間に固有の複雑な歴史的事情が絡んでおり、それは歴史を遡って神話的想像力の領域にも及んでいるものだからです。

　そもそも「日本」という国号はどのように考案されたのか。660年に唐と新羅の軍事同盟が百済を滅亡させます。大和の王朝は百済を支援するために派兵しますが、徹底した敗北に終わります。このとき大和の王国は唐・新羅の連合軍が攻め入ってくるのではないかという強い懸念を抱き、防衛意識の高揚から国家としての自覚が急速に高まります。他称である「倭」に代わって「日本」という国号が考案されたのは、まさにこの危機的な時期の直後に当たっています。そしてこの国号が制定されて始めて「日本人」という観念が誕生したのです。アイデンティティーというものは独自に孤立しては成立しません。それはつねに自分を見つめる他者の眼差しを必要とします。日本の場合、韓半島での軍事的緊張が契機となって、それが形成されることになったわけです。

　さらにここに文化的な影響の蓄積を考えてみなければなりません。日本はそれ以前の4世紀後半から頻繁に渡来人を受け入れ、文字はもとより最新の哲学とテクノロジーを学ぶことを通して、東アジアの文明圏に参加してきました。これはちょっと大袈裟な表現かもしれませんが、大和こそ百済や新羅、高句麗の文化的植民地であったといえるかもしれません。わたしは日本文化を考えるときに、19世紀の西洋からの影響よりも、この時期の朝鮮半島からの影響をはるかに重大なものだと見なしている者です。

　韓半島の文化的先進性をめぐる自覚は、その後も日本の知識人の間では千年以上も継続してきました。江戸時代の儒学者は李退渓《イテゲ》を篤く尊敬し、朝鮮通信使の一行が到来すると争って自作の漢詩文に序文を求めました。このような歴史的事情は、「未開の蛮族」に文明を教示することをもって植民地主義を正当化した欧米諸国には、とうてい考えられないことでした。にもかかわらず前近代の価値観を捨て、朝鮮王朝時にいたるまでの文化的恩恵を忘れた日本は、近代という病のもとに韓国を植民地化したのです。儒学的教養の矜持に生きる韓国の知識人にとってこれがいかに深刻な屈辱であったかは、容易に想像がつきます。韓国人が植民地化によって与えられたトラウマの深さは、自分たちに似た隣人によって統治されたという屈辱を抜きには了解することはできません。彼らにとってはむしろ蛸に似た火星人によって侵略された方が、よほど気が楽だったのかもしれません。

先に日本留学によって近代的内面を獲得した李光洙の例を挙げましたが、もう一人、今度はそれから半世紀ほど後の文学者の例を紹介しておきましょう。立原正秋（1926―80）という小説家のことです。

立原は日本の伝統的美学を徹底して問い詰めることで文学に向った日本の作家です。古都の鎌倉に住み、日本中世の美学の真髄を求めて散策をする。その作品のなかでは、優雅に着物を着こなした現代の男女が能楽や古磁器を鑑賞しつつ、悲恋に走る。その作品は次々と映画化されテレビドラマ化されて、評判を呼びました。本人もつねに着物姿であり、剣道の達人で、骨董と庭園に対して一家言を有している。日本料理の奥義をきわめた美食家としても著名である。彼は観光地化した京都には見るべきものはないと断言し、真に日本的なものは奈良にあると説きました。正直にいってわたしは長い間、この人物が苦手でした。周囲にいる少なからぬ心酔者に対しても、からかいの言葉を向けたことがあります。

ところが立原の死後十年ほどが経過し、その文学的後輩にあたる人物が書いた精細な伝記を読んだとき、わたしの彼に対する考えは１８０度変わりました。立原は実は慶尚北道安東に寺の雑役夫の倅として生まれた韓国人だったのです。彼は幼くして父親を失くすと、母親を頼って日本の軍港横須賀に移り、在日韓国人の集落で育ちました。戸籍名だけでも六度も改名し、真の出自については隠し続けました。しかし54歳で末期癌のとき弟子の高井有一に向って金胤奎《キムインギュ》という本名を告げ、何とか父親の足跡を訊ねてほしいと依頼しました。しかしすでに時遅く、彼は出自の実態を知らぬままに他界しました。

わたしは彼の伝記を読んだとき、初めていろいろな謎が解けたような気になりました。1970年代に韓国に留学した在日韓国人の学生たちがスパイ事件に巻き込まれて重刑を科せられたとき、普段はけっして政治的な行動をみせない立原が助命嘆願運動に深く関わったこと。在日韓国人の新人が文学賞を得て文壇にデビューすると、いつもの厳粛な表情を崩し、大手をふって歓迎したこと。わたしは立原未亡人が執筆した、美食家立原の料理レシピ集を読みました。イカの塩辛には大根の千切りを混ぜるとうまい。味噌はトウガラシを混ぜると味がよくなる。本当の贅沢とは、その味噌を山野の雑草につけて口にすることだ……。

わたしは読んでいて涙が零れそうになりました。韓国人ならただちにわかることですが、これはけっして特権的な美食ではない。韓国の民衆なら誰もが日常的に食べているものだったからです。12歳のとき故郷を後にした立原は、日本美学の体現者にして著名な作家となった後も、故郷の食べ物の記憶が忘れられず、それを家庭で夫人に教えていたのです。そして何も事情を知らない日本のメディアはその立原を、美食の帝王のように持ち上げていたのでした。彼が京都を拒み奈良を愛したのも納得がいきます。その名前からして渡来人の文化の痕跡が色濃く残る奈良に対し、京都とは日本が9世紀に唐や新羅との文化交流を廃止したときに完成を見た都市だったからです。

李光洙の生涯がある種の傷ましさを帯びているように、立原正秋の生涯にも傷ましさがついてまわります。彼は韓国人であることを捨て、いかなる日本人よりも日本人たろうと試みることで、自分のアイデンティティーを確立しようとしました。ただ若き日の李光洙が日本に西洋近代を求めそれに魅惑されたのと違って、立原は日本の伝統的美意識にナルシシズム的同一化を企てようとし、そのためにいかなる日本人よりも美学的に日本を実践しようと望みました。幼くして安東《アンドン》を出奔した立原が、山菜の味は別にしてどの程度にまで韓国の文化的伝統について知識を抱いていたかは疑問です。古代の朝鮮文化が日本に大きな影響を与えたことについて、おそらく漠然としたことは知っていたでしょうが、それを人前で美学として公言することはありませんでした。わたしは立原に韓国を訪問してもらいたかったと、心から思います。けれども彼は、自分が築き上げた文化的アイデンティティーに揺らぎが生じるのではないかと懸念し、訪韓を意図して避け、ただ小説のなかで登場人物に「韓国は美の国だ」という抽象的な言辞を吐かせるだけに留まったのでした。現在の日本では金石範から柳美里まで、実に多くの在日韓国人が作家として活躍し、日本語での文学を活性化しています。誰も立原正秋をその範疇において理解しようとする人はいません。彼はあるいはこれから時代遅れの作家として忘れ去られていくかもしれません。しかしそのあり方の歴史性は、日韓の植民地史のなかにあってけっして忘れられるべきではないと、わたしは考えています。

4

ここでわたしは、戦後日本の芸術家のなかで、韓国に滞在し韓国の文化と現実から大きく刺激を受け取ることで、帰国後に日本をめぐる大きな批判者となった二人の人物について語ってみようと思います。一人は映画監督の大島渚であり、もう一人は小説家の中上健次です。大島はもっぱら分断国家であり、軍事政権国家である韓国の現実に衝撃を受け、帰国すると国家権力とナショナリズム、戦後日本史の批判的な検討に入りました。中上はそれとは対照的に、パンソリからムーダンまで、韓国文化のなかで歴史的に差別され、現在なお前近代から続く賤民芸として強い力を放っているものに着目し、韓国の民衆のうちに眠る集合的無意識をなんとか見据えようと試みました。彼らの関心と方向は対照的なまでに異なっていました。しかしともに、自分たちの日本文化と社会に横たわる自明性を危機に陥らせる巨大な他者として、韓国を見つめ続けていた点で共通しています。またこの二人はいずれも32歳のときに、生まれて初めてパスポートを取って訪問した国が、アメリカでもフランスでもなくまず韓国であったという点でも、共通していました。

大島渚（1932―2013）は現代の日本を代表する映画監督の一人で、その作品の多くがすでに韓国でも上映されています。もっとも彼は黒澤明や溝口健二のように、欧米の観客が簡単に識別できるような、日本という観光主義的な記号をフィルムのなかに散らばらせるという類の監督ではなく、むしろ日本人が自然のものとして信じ込んできた日本の映像と観念に強烈な異化効果を施し、映像の背後に隠蔽されてきた政治と歴史を浮かび上がらせるといった傾向の作品を、これまで世に問うてきました。

大島が最初に韓国に渡ったのは1964年夏のことです。まだ日韓条約が締結されていなかった時期のことでした。彼は2ヵ月にわたりこの国交のない国に滞在し、多くの見聞を重ねました。実をいうとこの時期、2年間にわたって大島は、一般的な商業劇映画を撮ることができない不幸な状況に置かれていました。その間、彼は『忘れられた皇軍』という注目すべきドキュメンタリー作品を残しています。第2次世界大戦下において日本軍に参加し重傷を負って帰還した韓国人兵士たちが、日本政府からも韓国政府からもいかなる補償も与えられず、その存在を戦後日本史のなかで抹殺されていたことに抗議を突きつける内容のフィルムです。日本社会における巨大な矛盾としての在日韓国人。大島はこの主題に導かれ、ほとんど直感的にソウルへと向ったわけです。

金浦空港からソウルの街角に入ってゆく途中、大島は東京とは比較にならない雑然とした街角と道端に屯する人々を眺め、「ああ、ここは巨大な釜ヶ崎である」と直感し、一遍に気に入ってしまいます。釜ヶ崎とは大阪の中心にある細民街で、当時は屋台と露店が軒を並べ、多くの日雇い労働者が居住する地域でした。ちなみに大島は過去にこの地区に数ヵ月住み着いて、映画を撮ったことがありました。次に大島は子供たちに注目します。路上でのチューインガム売り、新聞売り、雨傘売り、靴磨き……そして朝鮮戦争が休戦となって11年後のソウルを、日本が戦争に負けて3，4年後の東京に喩えてみせます。

だがカメラを手に街角をゆく大島は、予期していなかった障害にぶつかります。韓国人たちは日本人に写真を撮られることを極度に警戒していたのです。とりわけ大島が街角の不潔さと貧困に関心を示すとき、人々は強い反撥を示します。この態度は、韓国は貧しい国だという国際的なステレオタイプの映像に、当時の韓国人がいかに傷ついていたかを語っています。もうひとつ忘れてはならないのが、大島が日本人であるという事実です。日本人にだけは自国の貧しさを報道されたくないという民族的矜持が、そこには窺われます。

知識人から映画監督、516軍事クーデターの中心近くにいた人物まで、大島はさまざまな人物に会います。彼らは一様に親切で礼儀正しく、流暢な日本語で大島の疑問に応えます。ただその言葉の端々に、日本に対する強烈な対抗意識と反日感情が宿っていることを、この繊細な映画監督はいち早く見抜きます。「政治家と商売人を除いた韓国人で、日本に対する正直な気持ちをいった者はまだ一人もいないでしょう」ある大学教授が雑談の席で漏らしたこの言葉に、大島は大きな衝撃を受けます。滞在のある時点から彼は、見聞きするすべてが「鋭いとげ」として自分に突き刺さってくるという印象をもつことになります。

韓国人のもつ国家意識の強烈さに、大島は圧倒されます。そしてそれが日本による植民地支配と、その後に続く国家の南北分断に由来していることを知ります。「現在の韓国で、国民に信頼される唯一の組織は軍隊である」という言葉を知り、たとえそれが事実であったとしても、なんと不幸な事実であろうと嘆息します。大島がこのとき想起したのは、第2次大戦直前の日本のことでした。漁村地帯を訪れた彼は、日本で悪名の高い李ラインについてさまざまな人の意見を聞き、自分なりの考えを纏めます。なるほど李ラインは国際法からして違法行為である。だが現実に漁業の装備と技術において日本よりはるかに遅れている韓国の漁民の権利を守るためには、これは仕方のないことだ。富める者が貧しき者の不法に耐えることでしか、日韓の真の友好は築くことができないのではないか。われわれ日本人は不法に耐えることで血を流す覚悟を持たねばならず、血を流すことではじめて「祖先が彼らに流させた血をあがなわなければならない。」

こうして滞在が続くうちに、大島はやがて韓国に住む一般の韓国人と日本における在日韓国人との間の大きな違いを理解するようになります。韓国人とは日本人がそうであるように、「普通の人たち」なのです。それに比べ在日韓国人はきわめて特殊な場所に歴史的に置かれてしまった少数派であり、彼らだけを見て韓国人一般を判断してはならないという認識です。1960年代にあって、偏見と差別が横行する情況のなかで、日本人がこうした認識に到達することは、きわめて稀なことでした。

2ヵ月の滞在を経て東京に戻った大島は、韓国で撮り貯めてきた写真をモンタージュして、翌年に『ユンボギの日記』を発表します。大邱に住む少年李《イ》潤福《ユンボク》の手記を原作とした作品です。とはいえ大島はそこに原作にない数々の歴史的言及を加えました。ユンボギは韓国の換喩となります。貧しい境遇から這い上がろうとする少年の真摯な眼差しのなかに、大島は強い期待を込めて韓国の未来を読み取ったのでした。わたしはかつて韓国版『ユンボギの日記』（金洙泳《キムスヨン》『あの空にも悲しみが』1965）と大島の作品を比較して上映したことがありました。前者がヴェテラン監督によるみごとなメロドラマであるとすれば、後者からは日本人に向けて、ユンボギを通して韓国の現実を直視し、他者として認識せよと呼びかけている強いメッセージが感じられました。

けれども大島の韓国体験が本格的に開花するのは、60年代に次々と撮られた寓話劇や喜劇においてです。『日本春歌考』（1967）のなかで彼は日本国家の神話的起源の無根拠性に正面から向かい合い、登場人物の一人に、日本国家と天皇制の起源は朝鮮半島にあるという言辞を吐かせています。これは天皇裕仁を映画で描くことが禁忌であった時代に、きわめて勇気のある行為でした。『絞死刑』（1968）は、在日韓国人で死刑判決を受けた少年が、刑の執行後に蘇生してしまうというグロテスクな喜劇です。少年は記憶を喪失しています。そこで日本国家を代表する刑務所長から検察事務官までさまざまな役人が彼に「在日朝鮮人」「朝鮮人」という言葉の意味を説明しようとするのですが、誰もそれを納得のいく言葉で説明することができません。このことは在日朝鮮・韓国人という存在自体が、歴史的に了解不可能な矛盾のもとに成立したことを意味しています。
最後に『帰って来たヨッパライ』(1968)は、ヴェトナムに送られることを拒否して日本に密航してきた韓国兵が、日本人の服を盗んで逃亡を企てたことから生じる喜劇です。このフィルムのなかで大島は、何も知らない日本人観客を不安に陥れるような冗談を演出しています。東京の繁華街にカメラが持ち込まれ、街頭インタヴューが開始されます。あなたは日本人ですかとインタヴュアーが尋ねると、往来を行く人のことごとくが、「すみません、わたしは韓国人です」と答えます。その中には『絞死刑』で主演したホンモノの在日韓国人の青年も混じっていれば、なんと大島渚をはじめとする制作クルーの人々も混じっています。この冗談には、日本人が信じ込んでいる、日本人と朝鮮・韓国人の顔の区別など当てにならないという意味が込められているばかりではありません。現実に在日韓国人には一歩家を出ると、たちどころに外国人である日本人に取り囲まれて生きていかなければならないという苛酷な状況がある。日本人はその裏返しになった状況を一度でも想像してもいいではないか。大島はこうして日本人が日本において抱いている歴史的文化的自明性のすべてに韓国を衝突させることで、それを解体しようと試みてきました。彼にとって韓国が脅威的な他者であったという表現だけでは、不充分かもしれません。日本人の前に他者が出現するとき、それは必然的に朝鮮・韓国的な形をもって登場するというべきでしょう。

中上健次(1946—92)は戦後生まれで最初に芥川賞を取り、大きく将来を嘱望されながらも、わずか46歳で身罷ってしまった小説家です。彼は和歌山県新宮の被差別部落に生まれ、自分の複雑な出自と家庭環境を素材とする短編を次々と発表することから作家生活に入りました。被差別部落についてはここでは詳しくは語りませんが、歴史的にいって韓国における白丁《ペクチョン》に対応するものだとひとまず説明しておきましょう。韓国でも広大《クワンデ》が遊芸の技に長けていたように、日本でもときに河原乞食と蔑称される賤民が、能楽から歌舞伎まで今日伝統芸能と呼ばれる演劇の起源には深く関わっていました。茶道や華道、造園術にしたところで、その本来の起源を探ってみるならば、差別された者が権力者に取り入ることで独自の洗練に到達した芸術であるといえます。

中上に戻りましょう。中上は出自の物語を語るにあたって最初のうち、ギリシャ悲劇を枠組みとしていました。だがやがて日本の古典文学や民俗学的伝統を自覚すると、その延長上に、現代社会における古代的なるもの、中世的なるものの噴出を主題とするにいたります。晩年が近づくにつれ彼の作風はさらに大きく変貌し、天皇制の下に発展した日本の古典文学の全体に向って異議を唱え、この制度のもとで抑圧され排除されてきた森の雑神や被差別民、混血児、同性愛者たちを含みこむ共同体のヴィジョンへと向いました。

中上は生地である被差別部落を「路地」と呼びました。そして地域再開発の波に乗って路地が破壊され、居場所を失った住民たちがさながら遊牧民のように日本中を放浪するという長編小説を執筆しました。最後に彼は「路地」は世界中、いたるところに遍在するという立場に到達し、満洲国再建のため東アジアの７人の若者たちが協力するという謎めいた作品を遺しました。このアジア的拡大には、度重なる韓国滞在が大きく影を落としていると、わたしは考えています。

中上が最初に韓国を訪れたのは１９７８年、朴正熙による維新体制が終わる直前の時期でした。その時の気持ちを彼は「巫女のようにシャーマンのように地霊と交感するしかない」と表現しています。彼はその後もたびたび訪韓し、半年にわたってソウルに住んで小説を執筆していたこともあります。中上を最初に魅惑したのは韓国の古代史でも現代史でもなく、もっぱら芸能でした。彼はまずパンソリを知るために全州を訪れ、次に巫堂《ムーダン》に祈るためにソウルにある仁旺山《イルワンサン》を訪れました。さらに仮面劇《タルチュム》を観ようとして、あちらこちらに機会を探しています。こうした行動の目的は、芸能の始原に横たわっている「賤の力」を見究めることにありました。韓国には日本ではすでに見失われてしまった「芸能と物語の根」があるはずだというのが、中上の直感でした。

彼は大島渚とは違い、国土の分断にも反日感情にも、直接的な言及はしていません。その心を魅惑したのはどこまでも韓国のいたるところに散見しうる、前近代的なるものの強烈な噴出でした。彼はその瞬間を見定めることによって、自分は韓国日本を問わず、普遍的な意味で芸能の根源を突き止めることができるのではないかという強い期待を抱いていました。パンソリの節回しは彼に懐かしさを感じさせました。またその悲嘆に満ちた物語は、彼が幼い頃から耳にしてきた音頭を思い出させました。物語というものはそうしてお互いに似てくるのだろう。歌謡にはどうして音律の定型が必要なのだろう。パンソリの歌い手である広大が本来は放浪民であり、定住民のために技芸を披露したことを知った中上は、ひとつの問いに到達します。物語と歌謡における定型とは、実は賤民の刻印ではないかという問題です。

次に仁旺山でムーダンの交神儀礼にいくたびか立ち会った中上は、日本の天皇家が代々継承してきた三種の神器が、実のところ、朝鮮時代に被差別民であったムーダンが使用する器具と同じものであると教えられます。このことは後に中上が昭和天皇裕仁の死に際して取った態度に、大きく関係してきます。日本で被差別部落が存続しているのは天皇制が存続しているからだとは、よくいわれるところです。人類学的にいうならば、象徴的宇宙のなかで神聖なる至高の存在が存続するためには、その対称点、つまりもっとも下層で貶められた場所に、至高者と同じく禁忌の存在が定立されていなければならないからです。もっとも中上は差別と天皇との関係を、こうした抽象的な図式からではなく、韓国におけるシャーマンの儀礼に具体的に立ち会うことから学んでいきました。日本では神道が抽象化され天皇制イデオロギーに利用されると、国家神道へとグロテスクな変身を遂げた。それに比べて韓国ではシャーマニズムは日常により和やかに溶け込んでおり、神はたえず原初ののびやかな形を保っている。これが中上の受けた印象でした。

とはいうものの中上もまた、大島と同じく、日本帝国主義がかつて韓国にもたらした厄難について無自覚であったわけではありません。あるとき彼は全州の町の全貌を見渡せる広々とした公園を訪れます。眼下には美しい曲線の屋根をもった家屋が並び、のどやかな河が流れています。だがこの公園がかつて日本の神社であったと知った彼は、怒りとも後悔ともつかない複雑な感情に見舞われます。

「日本は一体この土地で何をやったのだ、……日本人は一体、何をこの民族に対してやったのか。強制徴用、韓国語の剝奪、虐殺。私はいつかみた万歳事件の写真を思い出してみた。写真や被害者の証言等の記録の類はある。だが、私は、不勉強のせいなのかもしれないが、日本人が韓国でやった事を書いた日本人の小説を読んだためしがない事に思い到った。戦後三十三年、文学は一体何をやってきたのだろう。私は思った、隣国に対する加害に作家らは口を閉ざしたままである」

こうして前近代の芸能と20世紀の植民地化の痕跡の双方を強く記憶に刻み込みながら、中上はひとたび韓国を後にします。１９８０年代にはソウルを舞台とした二冊の書物を写真家と組んで刊行し、尹興吉《ユンフンキル》といっしょに対談集を出します。韓国から小説家や音楽家が来日すると歓待し、在日韓国人の歌手や小説家からは、さながら兄であるかのように信頼されます。初めての訪韓以来、韓国はつねに中上には身近にあり、彼を見つめ続けている混沌とした他者であり続けました。この国のさまざまな芸能を目の当たりにし、人々と対話をすることで、彼は初めて自分の出自を相対化し、普遍的なものへと転化する方法を獲得したのです。大島渚とは対照的に、彼は戦後日本が政治的に隠蔽してきた矛盾について、その偽善を声高く追及するということはありませんでした。中上が領域としていたのは、社会のなかにあって大島よりもより無意識に近い領域であったと要約することができるでしょう。彼が日本に蔓延しているブルジョワ的な市民社会を蛇蝎のごとくに嫌うとき、そこにはかつてソウルや全州の路地や市場で垣間見た、人々の親密感あふれる生活が思い出されていたはずです。

大島渚にとって韓国とは、カメラを向けたときに拒絶の意志表示をする人々であり、内戦の傷跡が癒えない貧しさであり、国土分断の厳しき状況でした。彼は帰国すると問い質します。「日本人よ、私たちよ、これでいいのか」彼は在日朝鮮・韓国人問題を主題とするフィルムを次々と発表し、その問題を「すべての日本人に私たち自身の傷として意識してほしい」と呼びかけます。また戦後の日本人が第2次大戦における被害者としてアイデンティティーを築き上げてきたことを批判し、彼らが敗者であるにもかかわらず加害者であったことを想起せよと呼びかけます。そしてもし日本がアメリカに降伏する際に、天皇裕仁が「終戦の勅諭」を読み上げる場面をTVカメラが録画していたとすれば、戦後の天皇神話は大きく変わったことだろうと発言します。彼の主たる関心は朝鮮・韓国人ではなく、日本社会のなかの矛盾として生きている在日朝鮮・韓国人でした。大島はそれを絶えず想起せよと呼びかけ、そのため日本の市民社会のなかでスキャンダルを巻き起こすことにも躊躇しませんでした。１９６４年の韓国滞在が彼の内側にある、日本をめぐる自明性の解体の契機となったことは、重要なことです。

中上健次は大島とは違い、韓国を根拠地として全世界へ自分の視野を拡げてゆくという道を選びました。彼は日本社会における差別とは、どこまでも外来者である在日朝鮮・韓国人にではなく、古代律令制時代に端を発する被差別部落民においてその本質を開示するという立場をとりました。なぜなら歴史的に賤視されてきた彼らこそが日本文化の精髄を携え、天皇制と不可分な関係にあったためです。韓国はこの呪われた日本のあり方を一挙に相対化してしまう爽快な無秩序として肯定されることになりました。故郷の町新宮にあった路地は、ソウルにもある。ソウルにあるということは、ニューヨークのハーレムにも、ブエノスアイレスにもあるということだ。こう普遍化することで、中上は出自の重圧からの解放を目指したのです。

先に中上が複雑な家族関係を素材とすることで小説家としてデビューしたといいましたが、日本による韓国の植民地統治の罪過についても、彼は父親に反逆する息子の視座を取ろうと考えていました。戦争と侵略について書くこととは、息子が父親のなした悪行を暴くことである。それは究極的には、父親という観念がもつ悪を描くことになるだろう。こうした中上の方法は、もし大島の立場を歴史的とするならば、神話的と呼んでいいかもしれません。事実彼は最晩年に、『異族』というきわめて謎めいた長編を、さながら自爆寸前の兵士のように書き上げています。そこでは被差別部落民、在日韓国人、沖縄人、台湾人、アイヌ人といった面々の青年たちが剣の道を学び、武術で身体を鍛えて、満洲国再建のため奔走するという、ファシズム時代の巨大な神話の模像が描かれています。それは冒頭からスキャンダルであることを目指して執筆された作品のように、わたしには思えます。

大島渚と中上健次は、もし韓国を訪れその現実と伝統を学ぶことがなかったとしたら、とうてい彼らの生涯の仕事を遺すことができなかったでしょう。彼らは韓国に対し対照的な形で接近し、その後の軌跡においても交わることがほとんどありませんでした。中上は大島のフィルムには日本の国家と家族の中心に屹立する父権性は描けても、さらにその背後に横たわっている母権性への言及がないと批判し、残念なことに二人は生涯に議論を重ねることはありませんでした。ただ戦後文学と映画を代表する者たちのなかで彼らが、韓国を最初は他者と見なし、その返す刀でみずからを育んできた日本をも他者として批判する道筋を取ったことは、やはり重要なことだと思います。李光洙と立原正秋が他者である日本を懸命に内面化しようとして苦難に満ちた人生を送ったとすれば、大島と中上はもはや内面化に足る祖国などどこにもない、ただ他者だけが眼の前に現前しているだけだという苛酷な認識に向ったのだといえるでしょう。彼らはまさに他者としての日本を生きたのです。韓国とは何か。それは端的にいって、天皇を欠落させた日本のことです。被差別部落を根拠付けている天皇という制度を廃絶させる方法を希求しているとき、中上に日本が他者の体制として見えたのは、当然のことです。

わたしは個人的に日本による韓国の植民地化を恥 disgrace であると考えている人間です。この統治を契機としていかに日本人が道徳的に堕落し、現在も不幸な無感動のうちにあるか。またいかに統治された側の韓国人のなかに、日本人には窺い知れない怨恨が醸成されることとなったか。それを考えてみるとほとんど眩暈に近い感情に襲われます。だがその体験の全体を抽象的に、また原理的に把握することがたとえいかに困難であっても、ここに取りあげた一人ひとりの芸術家や知識人の選択を丁寧に、そしてある共感をもって見据えていくことから、日韓併合百年の意味を考えていくことは、けっして無駄なことではないと信じています。

ご静聴に深く感謝いたします。

註　大島渚と中上健次の発言に関しては、大島渚「韓国　国土は引き裂かれたが」（現代思潮新社版著作集第2巻、2008）、中上健次「風景の向こうへ　韓国の旅」（集英社版全集第15巻、1996）から引用した。

（全南大学校日本文化研究センター〔光州〕にて講演。
2010年10月1日。『世界』2010年12月号に一部掲載）

シンポジウム付記

1910年に大日本帝国が大韓帝国を併合し、今年で百年になる。7月には東京で日本と韓国の知識人が、日本政府に植民地時代の歴史文書の収集と公開を要求する共同声明を発し、日韓が共通の歴史認識に立つことが求められた。菅直人首相は公式的に過去の不正について謝罪したが、日本国内では高校無償化の動きのなかで朝鮮高校だけが除外され、在日韓国人に対する差別的姿勢はいささかも改められていない。こうした中で韓国では光州にある全南大学日本文化研究センターが国際交流基金の助成を得て、「東アジアから見た韓日関係」という共同討議を10月1日に行なった。基調講演者として参加した者として、その報告をしておきたい。

まず韓国側から林采完《イムチェワン》氏から、在日韓国人の実態について発表がなされた。彼らが日本社会に貢献しているにもかかわらず、参政権において著しい制限を受けていることが指摘された。続いて京都の国際日本文化研究センターに属する劉建輝氏が、19世紀のロシア、清、朝鮮の3国の国境線がいかに不確定で流動的であったかを実証的に示し、厳密なる国境とはたかだか近代の一時的な発明にすぎず、21世紀の東アジアは土地の領有を越えた価値観を共有するべきであろうと説いた。講演の中では係争のさなかにある竹島（独島）や尖閣諸島の帰属問題に直接の言及こそなかったが、氏の主張には大きな意味の含みが感じられた。それに対し、イギリスとフランスがドーヴァー海峡に面したカレーの帰属をめぐって過去に百年争ったが、現在では海底トンネルの起点として賑わっているというコメントがなされた。

京都大の小倉紀蔵氏は、中国との関係において日本と韓国が対照的な自己像を定立してきたことを、朝鮮朱子学の歴史を踏まえて語った。統一新羅以来、韓国は中国文明を普遍性の源泉と見なし、中国との距離の近さをみずからの正統性の証しと見なしてきた。それに対し日本は、本居宣長の「漢意《からごころ》」排斥に顕著なように、中国からできるだけ遠ざかることで自国の文化の独自性を誇りとしてきた。日韓相互の認識のズレは、この相反するヴェクトルを見据えないかぎり、解決できないであろう。

小倉氏のこうした立論に対し、30年前に光州で生じた民主化闘争に加わり、その後ドイツ哲学を専攻した金上奉《キムサンボン》氏が、きわめて多層的な構造をもつ韓国的エトスを朱子学だけで代表させるのは単純すぎるのではないかと反論した。氏は同時に、現在にいたるまで韓国の体制は戦時中の日本の体制の延長上にあると、強い状況批判を展開した。小倉氏がそれに再反論し、シンポジウムの場には緊張感が溢れた。

わたしは「他者としての日本、内面化された日本」と題し、日本による植民地化が韓国にとって同時に近代化でもあったというジレンマを前に、両国の芸術家がいかに苦悶してきたかという問題をとりあげた。韓国最初の近代文学者である李光洙《イグワンス》が初めて小説を執筆したとき、母国語ではなく侵略者の言語である日本語を選んだのは、文学を始動させるのに必要な近代的内面を唯一醸成できたのが日本語であったためであった。この不幸の系譜は、死の直前までおのれの正確な出自を明かそうとしなかった戦後の立原正秋にまで継承されている。それに対して大島渚や中上健次は、韓国を媒介項とすることで、日本を批判的に相対化する視座を得た。わたしのこのような主張は聴衆に理解されたと信じたい。

共同討議全体を通して気付いたのは、韓国側が「植民地化」という言葉を避け、「併合」「強制併合」という語を口にしていたことである。「日帝」という、かつて到る所で聴きなれた単語も口にされなかった。シンポジウムは和やかな雰囲気のうちに終ったが、この用語の転換を通して、韓国側の歴史解釈の緩やかな変化を探ることは、あるいは可能かもしれない。

１９７０年代の軍事政権下のソウルに滞在して以来、韓国はつねにわたしの身近にあった。歴史とはわれわれが解放されるべき悪夢であると語ったのは、英領植民地アイルランドに生を享けたジョイスである。１９１０年に開始された悪夢から韓国と日本がともに解放される契機として、この討議は意味があったと思う。

（『東京新聞』２０１０年10月13日夕刊）

北朝鮮「帰還」船は新潟を出て、どこに到着したか

1

新潟ですか？　なぜまたあんな物騒なところに行くのですか？

ソウルの延世《ヨンセ》大学校で開催された翻訳の政治学をめぐるシンポジウムが無事に終了し、その年の韓国でもっとも優れた翻訳を行なった人物に賞が授与されるというパーティの席上で、わたしは年配の教授から思いがけない言葉を投げかけられた。翌日の早朝に仁川《インチョン》空港から新潟へ飛んで別の講演をする予定だと、自分の日程を口にしたことへの返答だった。ああ、まだやっぱりと、わたしは思った。新潟をめぐる韓国人の居心地の悪い印象は、今でもどこか心の隅に、微かに残っていると気が付いたのである。

もう40年ほど前、はじめて韓国の地を踏んだときのことが思い出された。学生たちの何人かが、

新潟とはどのようなところなのかとわたしに尋ねた。チョンチャンリョン（朝鮮総連）がいたるところに跋扈していて、ギョッポ（在日韓国人）を次々と拉致していくというのは本当なのですか。学生たちは真剣な眼差しだった。わたしは答えた。1950年代の終りからしばらく、たくさんの在日韓国人が北に帰国したという話のことだろ？　新潟はたまたま船の出航地だったから話題になったけれど、別に町はふつうの町だし、とりわけ危険でも何でもなかったはずだよ。一人の学生がいった。帰国などではありません。計画的な拉致です。北韓《プッカン》は6・25《ユギヨ》（朝鮮戦争）で多数の死者を出してしまったので、労働力が必要だったのです。わが国《ウリナラ》ではそれを「北送《プクソン》」といいます。

新潟は北緯38度線上に位置する日本の地方都市である。だがこの38度線は朝鮮半島にあってはきわめて重要で深刻な意味をもっている。日本が半島を植民地としたとき、この線は朝鮮駐留日本軍（「朝鮮軍」）の管轄境界であった。日本が敗戦を迎え、朝鮮が解放された後は、ソ連とアメリカによる分割統治の境界とされた。1950年にこの境界を越えて北朝鮮軍が韓国に攻め入り、3年間にわたって戦争が続いた。冷戦体制が終焉を迎えた現在も、南北朝鮮は休戦こそしているが、南北に分断されたままである。38度線による分割は、多少の移動は生じたものの、基本的に継続されている。そしてこの分割線を東側に滑らせていくと、東海《トンヘ》（日本海）の向こう側に新潟が存在しているのだ。

新潟とは何か？

1960年代が始まろうとしていたころ、この地方都市の位置を契機として長編詩『新潟』を執筆したのが、在日朝鮮人であった金時鐘《キムシジョン》である。彼はその当時日本中を湧かせていた「帰国事業」

については、直接には言及しなかった。ただ朝鮮問題は日本問題に他ならず、日本問題は朝鮮問題でもあるという認識のもとに、長編詩の舞台としてこの信濃川河口の町を選択した。金時鐘は新潟を分断の痕跡、現在も続く分断そのものの隠喩と見なし、分断を基軸としてみずからの来歴を語った。同時にそれは、戦後社会に生きる在日朝鮮人の困難な物語を遡行することでもあった。彼は詩の冒頭に赤インクで書きつけている。「切り立つ緯度の崖よ／わが証の錨をたぐれ！」（金時鐘『原野の詩』立風書房、1991）

長編詩の第一部では、新潟の岸辺から眺められた日本海が期待そのものとして語られる。「常に／故郷が／海の向こうに／あるものにとって／もはや／海は／願いでしか／なくなる。」「アーク灯に／おびえ／地層の厚みに／泣いた／宿命の緯度を／ぼくは／この国で越えるのだ。」だがこの期待は不幸な挫折を強いられる。第二部では、詩人は河口に沈没した丸木船を前に深い感慨に耽る。ようやく海にまで降り来たったところで、それは押し切れずに堆積してしまった。「永遠に／埋もれる／意志すらあるのだ。」

不運なことに、この長編詩もまた丸木船に似た運命を辿ることになった。執筆当時、朝鮮総連に属していた金時鐘は、組織の許可なく一行の文章も日本語で発表してはならないという組織の方針を前に、詩の発表を妨害する勢力との間に困難な抗争を行なわねばならなかった。彼は文学者としてのすべての表現活動から撤退して、困難な時期を耐えた。１９７０年、ようやく朝鮮総連を離脱した彼は、『新潟』を刊行することができた。だが彼のもう一冊の詩集『日本風土記』は原稿が四散してしまい、現在では部分的に復元がなされたとはいえ、全体を推し量ることしかできない。

昨年の11月30日から2日間、新潟の映画館シネ・ウインドを会場として、『キューポラのある街』（浦山桐郎、1962）と『かぞくのくに』（ヤン・ヨンヒ、2012）という二本の劇映画が上映された。北朝鮮「帰還」運動60年を歴史的に再検討するというのが、回顧上映の主旨である。わたしは朝鮮問題に関心を持つ映画研究家として、『キューポラ』上映終了後に解説的な講演を行なった。質疑応答の場では興味深い反応があった。最初の帰還船が出航したとき、中学校のブラスバンドで船を送り出したという体験をもつ観客が挙手をし、証言者として発言をしたのである。その当時、新潟市民は帰還運動で大いに盛り上がっていたという。ちなみにこの企画を主催したのは新潟大学経済学部であり、具体的に中心となったのはロシア経済の専門家である左近幸村准教授である。

在日朝鮮人帰還運動とは何だったのか。すでに刊行されている研究書を踏まえて、簡単に説明しておくことにしよう。

1959年から1967年まで、155回にわたって在日朝鮮人が北朝鮮に渡航するという運動が行われた。またさらに1971年から84年まで（いささか性格は異なるが）第二次の運動がなされた。すべての期間で北朝鮮に渡ったのは朝鮮籍の者が93、340人。彼らに伴った日本人が6、639人。これは当時日本に居住している人間の数からすれば、800人に1人の割合である。この運動は公式的には日本赤十字と朝鮮赤十字の共同事業として進められた。北朝鮮を後ろ盾とする朝鮮総連は「祖国」を「地上の楽園」と呼び、教育も病院もすべて無償の国家であると喧伝して、在日朝鮮人に積極的に帰国を勧めた。もっとも政府が賛成したのには、在日朝鮮人による犯罪率の高さ、「人道的措置」の名のもとに帰国を支持した。岸信介を総理大臣とする自民党もまた、生活保護者の多さ、日本人左翼勢力との癒着といった問題を、「帰国」と称する国外追放によって解決できるという目論見があったためだと、現在では判明している。とはいえ、貧困と差別に苦しんでいた多くの在日朝鮮人がこの運動に強い期待を抱いた。彼らが北朝鮮に活路を見出そうとしたのには、もうひとつ原因があった。「南朝鮮」の李承晩政権が日本在住者の帰国を許可しなかったのである。韓国政府は運動を阻止する目的で工作員を日本に密入国させ、富山県にテロ本部を設けると、新潟の日赤センターの爆破まで計画していた。

1959年12月のニュース映画『総聯時報』には、第一回の同胞共和国帰国が大きく取り上げられている。人込みでごった返す品川駅。眼を輝かせて特別列車に乗り込んでいく同胞。新潟直前の線路に座り込む民団（在日本大韓民国民団）の青年たち（「李承晩一味の悪質分子が妨害したが、失敗に終わった」と語りあり）。ロッシーニの『ウィリアム・テル』序曲が高らかに鳴り響くなか、人々は老朽化したソ連船に乗り込んでいく。日本映画新社制作の『日本のニュース』は、さらに北朝鮮の清津《チョンジン》に到着した人々を追跡する。彼らはすっかり機械化された農村に目を見張り、ピョンヤンではスターリン大通りで大歓迎を受ける。帰国者のために特別に準備された高層アパートで「希望の毎日が始まる」。最後に日本の国会では、岸総理が人道的措置について滔々と語る。

現実の帰還は悲惨な結果に終わった。ひとたび祖国と信じた北朝鮮に渡航した在日朝鮮人たちは、清津の港に到着した直後から自分たちが騙されたと気付き、深い失望感に襲われた。彼らの多くは慢性的な食糧危機と抑圧的な政治体制のもとで、苛酷な労働を強要された。加えて彼らは日本からのスパイであるという嫌疑さえ受けた。日本に残してきた家族や知人友人に真実を告げる手紙を送ることは許されなかった。可能だったのは、自分たちは恵まれた環境のなかで幸福であるという虚偽の文面であり、追伸として添えられた無心の願いだった。日本に残された者たちはほどなくして、誰からともなく渡航者の悲惨を知らされた。彼らは結果的に一生にわたり、渡航した親族に救援物資と金銭を送ることになった。

朝鮮総連と日本の左翼系文化人は、「帰国」運動を鳴り物入りで賞賛した。だが実情を知った在日朝鮮人はしだいに運動に懐疑を抱くようになり、渡航希望者は目に見えて減少していった。1959年から60年にかけて、最初の一年では47、987人が「帰国」したが、61年になるとその数は突然に激減した。総連側はそれでも「帰国」を呼びかけたが、いかんせん人数の減少を留めることはできず、1967年には運動はついに中断された。皮肉なことに、その間に日韓の間で基本条約が調印され、一時は貿易中断にまで追い込まれていた両国の関係は正常化へと大きく進みだした。

今日の日本人はこうした運動があったことを、ほとんど忘却している。たとえ記憶していたとしても、海の向こう側で起きた他人事にすぎないと認識している。だが運動の中断以降の経緯を含めて、これは単に在日朝鮮人だけの問題ではなかったはずだと、現在のわたしは考えている。それは冷戦体制下にあって日本の戦後社会が抱え込んだ矛盾の噴出であり、朝鮮人のみならず日本人の問題でもあった。ある世代以上の日本人ならば少なからぬ人が、家族親戚、あるいは知人友人に、また同じ町内の、それこそ商店街で知った顔のなかに、運動を信じて渡航した人たちが存在していたことを知っている。だがそれを公に口にする人は少ない。不用意に口にすれば北朝鮮に渡った者たちの身の上に不都合が生じるのではないかという懸念が不可解な緘口令を作り上げ、言及を禁忌としている。

事情は現在この原稿を執筆しているわたしにしても同様で、家族のほぼ全員が「北」に渡ったという在日朝鮮人やその家族の日本人から、筆舌に尽くしがたいような話を聞いたことが何回かあった。その中には日本社会でかなり著名な人物もいた。彼らは例外なく兄弟姉妹の渡航を許した自分に後悔を感じており、家族分断に悲憤慷慨の念を抱いてきた。だがわたしは、彼らについて気軽に文章を認める気にはなれないし、おそらくこれからもないだろう。安全地帯の傍観者であるはずのわたしもまた、見えない緘口令の内側に絡め取られているのだ。わたしが朝鮮人「帰還」運動は日本人の問題でもあると主張するのは、こうした形で具体的な呪縛を感じているからでもある。

ここで新潟で開催された上映と講演に話を戻すと、主催者は最後まで催事の正式名を決定することに躊躇していたようである。運動から60年後の現在、その歴史的意味を検討する討議を行なうとすれば、どのような名称がふさわしいのか。北朝鮮側はそれを端的に「帰国運動」と呼んでいる。現にピョンヤンでは事業50周年を祝って、2009年には『東海の歌』なる二部作のフィルムまで制作している。とはいえ「帰国運動」の一語は、朝鮮半島に二国家が存在し反目を続けてきたという事情を考慮するならば、必ずしも適当な表現とは思えない。日本とは国交を持たない朝鮮民主主義人民共和国の側だけを取り上げ、韓国を無視した上で「帰国」という語を用いることは、日本においては抵抗がある。それでは「帰還」とするのはどうだろうか。現実に渡航者の大部分が半島南部か済州島《チェジュド》の出身者であったことを考えると、これもまた不自然である。日本で在日朝鮮人として生きてきた彼らの大部分にとって、北朝鮮は祖先の本貫の地ではなかったからだ。

こうした名称の決定不可能性自体が、この運動のいくえにも歴史的に歪んだ本質を物語っている。いや、それをいうならば、そもそも日本に居住しながらもその隣国に出自をもつ人々を語るさいに、「在日韓国人」と「在日朝鮮人」のいずれの表現を用いるべきなのかという問いが、つねにわたしの前に立ち塞がっている。これは韓国問題について書こうとする日本人のわたしが、ことあるたびに岐路に立たされ、居心地の悪い思いを感じてしまう問題である。本稿では暫定的に「北朝鮮『帰還』運動」という表記を用い、文脈に応じて「韓国」「朝鮮」の双方を表現として用いることにしたい。なぜ「暫定的」という語を用いたかといえば、朝鮮半島における南北統一が実現されるまでは、こうした表記の問題に関しては、おそらくあらゆる表現が暫定的な次元に留まらざるをえないからである。暫定性と決定不可能性とが、日本と韓国、北朝鮮の三者をめぐる歴史の内側にきわめて複雑な形で構造化されて横たわっているという事実を、われわれはまずもって認識しておかなければならない。繰り返していおう。これは海の彼方の他人事の話ではない。日本社会に源を持ち、今もなおそこに内在している問題なのだ。

前置きが長くなったが、以下では4本のフィルムについて論じておきたい。最初のものは日本人監督の手になる、北朝鮮礼賛のプロパガンダ映画である。二番目は韓国で制作されたアクション映画。最後の2本はスター女優を主演にした日本映画である。いずれもが「帰還」運動のさなか、1960年代前半から中頃にわたって制作された。

2

わたしの記憶にある「帰還」運動の最初の映像とは、次のようなものだ。

どこまでも長く続く廊下の壁には、赤と青を基調としたポスターが何十枚も貼られている。中央に描かれているのは、勇壮な馬に跨って空に翔けんとする青年の姿だ。もっともそれがシルエットなのか、どこか記念公園に設けられた彫像を下方から眺めたものであるのかは判然としない。上方には「千里馬」という文字が大きく掲げられている。千里馬、千里馬、千里馬……これがわたしが見た最初の映像だった。1964年、東京でいよいよオリンピックが開催されるというので、誰もが浮かれ騒いでいた年のことである。

わたしは小学校5年生で、日曜日ごとにポスターの並ぶ廊下を歩いた。大勢の子供たちがいっしょだった。わたしたちは中学受験に備えるため、都内にある大手の学習塾の特別クラスに所属していた。特定の校舎を持たない学習塾は、大学の講義のない日曜にいくつもの教室を借りると、そこで模擬試験と講義を行なっていた。生徒たちは小学校が違うため、お互いに見知らぬ間柄であり、静かで、真面目で、従順だった。日曜日ごとに前回の模擬試験の優秀者が発表されると、誰かが広々とした大教室の端の方で立ち上がり、小さな賞状を貰いに教壇まで歩いていくのだった。学習塾の会場となったのは、東郷神社から新宿にむかって明治通りを少し行ったところにある日本社会事業大学だった。ソーシャルワーカーの育成を目的としたこの大学は、厚生省の支援のもとに認可されてまだ数年しか経過していなかった。この大学の名前は、本稿の後の方でもう一度登場するので、ご記憶いただきたいと思う。

1963年制作のドキュメンタリー映画『千里馬《チョンリマ》』（正式の発音では「チョルリマ」）を実際に観ることができたのは、それから30年ほど後のことだった。山形国際ドキュメンタリー映画祭が戦後日本のドキュメンタリー映像をまとめて上映することになり、そのプログラムの一環として、ほとんど忘れられてしまった感のあるこのフィルムが上映されたのである。わたしはその時には、小学生時代に大学の壁に何十枚と貼られていたポスターのことをまったく忘れていた。映画を観ようと思ったのは、映画祭の前年に映画研究家として訪問したピョンヤンという都に関心があったからである。ちなみに題名となった「チョルリマ」とは日に千里を走る馬という意味で、北朝鮮の驚異的な国家建設とその発展ぶりを示す言葉である。

『千里馬』は東宝争議で采配を振るい、戦後日本の左翼映画人の間で天皇に比すべき権威を抱いていた宮島義勇の手になるフィルムである。沖縄問題から安保闘争まで、一貫して反米闘争を主題としてきた宮島は、数ヵ月にわたって北朝鮮に滞在し、さまざまな地方を廻って撮影を行なった。フィルムは一般の映画館での上映こそなかったが、北朝鮮の輝かしい現実を紹介する映像として、労働組合や大学の学生組織の手によって上映され好評を得た。

スクリーンに映しだされたピョンヤンは、わたしが訪問した1993年とは異なり、高い建築物がまったくなく、ただただ広い道路が一直線に続いているだけのがらんとした空間だった。アメリカ軍による破壊がいかに徹底したものであったかが推し量られた。一人の老女が登場し、アメリカ兵たちがある村落でいかに多くの母親と子供を虐殺したかを語った。次にめざましく発展する重工業と農業のありさまが紹介された。帰国した在日朝鮮人たちは、日本海に面した優雅な保養地で屋外にテーブルを並べながら、自分たちの現在の幸福を語っていた。彼らの誰もが嬉々とした表情をしていた。ある青年は、祖国に戻って大学に通うことを許され、今では一人前の工場主任になったことを、誇らしげに口にした。ここで画面はフラッシュバックとなり、新潟から到来した「帰国船」が清津《チョンジン》に到着した時の光景となった。タラップを降りて来る乗客のうち、女性の多くは白いチマとチョゴリを着用し、男性はたいがい背広姿で、なかにはパナマ帽を被っている者もいた。誰もが歓喜に満ちた顔つきだった。

フィルムを観ている間に奇妙なことに気が付いた。インタヴューを受ける朝鮮人たちは、誰もが例外なく、淀みない完璧な日本語を話している。最初の間、わたしは彼らが日本統治下で日本語を強要されたからだろうと漠然と思っていたが、やがてその大部分が「帰国」事業をはたした在日朝鮮人であることに気付いた。これは納得のいかないことだった。北朝鮮の津々浦々を訪れるだけの時間と撮影許可をもっていたはずの撮影隊であるならば、どこでも行く先々で現地の農民や労働者にマイクを向けることが可能だったはずである。だが彼らはそれを行なわなかった。スタッフのなかに朝鮮語を理解できる者が皆無であったことは充分に想像できる。だが彼らは通訳を介してさえ現地の人間の声を収録せず、「帰国」した者たちの嬉々とした表情だけをフィルムに収めて日本に戻った。結果的に完成した映像作品は、それまでに喧伝されていた地上の天国の神話を、その細部にいたるまで紋切型として踏襲し反復したものとなった。『千里馬』を観た日本の進歩的観客は、自分たちが期待していた映像が北朝鮮の地にあって、やはり期待通りに実現されていることを確認し、「帰国」事業の成功を信じて疑わなかった。

とはいうものの、能天気に地上の天国を信じていたのは日本のインテリ観客だけで、現実に「帰国」すべきかどうかで真剣な決断を迫られていた在日朝鮮人たちは、すでにこの時点で北朝鮮の映像の虚実を見究めていた。彼らは１９５９年に意気揚々と出発した者たちが深い失望を体験し、困難な状況に突き落とされているという情報を、さまざまな手段を通して入手していた。だがそれを朝鮮総連という組織に向かって公に訴えることは憚られた。すべての情報は秘密裡に個人から個人へと伝えられ、「帰国」に期待の念を抱いていた者たちを当惑させた。先に述べたように、「帰国船」に乗船する者の数は１９６１年以降加速度的に減少し、事業は１９６７年に中止された。

「帰国」を果たした在日朝鮮人を直後から見舞った苦境が明らかとなった現在から振り返ってみると、『千里馬』というフィルムが二重の意味で犯罪的であることが判明する。ひとつは先に述べたように、地上の楽園という北朝鮮の神話をより強固なものとして日本人に信じ込ませたという、プロパガンダ的な意味においてである。もうひとつは、困難な状況にある元在日朝鮮人にマイクを突きつけ、あえて虚偽の言説を語るように要請した点である。彼らは日本から到来した御用映画人にむかって真実を語ることなど、とうてい許されていなかった。もし勇気を出して北朝鮮に対する絶望を口にしたとしたら、間違いなく反国家分子として苛酷な運命に晒されたであろうし、制作者側はその発言を採用しなかったであろう。

監督の宮島義勇がどの程度まで北朝鮮社会の矛盾と虚偽に気付いていたのかは、今となってはわからない。連日の儀礼的な歓迎攻めのなかで、彼がどの程度まで現地の朝鮮人と直接の対話をなしえたのかも、わたしには判断する材料がない。ただひとつ明白なのは、映画人としての宮島にとって、これが最初の犯罪的行為ではなかったという事実である。彼は１９４３年に日本軍占領下のマニラに赴くと、日本軍の捕虜となったアメリカ兵たちを強制的に動員して制作された日比合作劇映画『あの旗を撃て』において、日本側からの撮影監督を務めた。1945年に日本が敗戦を迎えたとき、マニラに滞在していた彼は機転を利かせ、ただちにそのネガフィルムを焼却した。捕虜虐待のかどで戦犯となることを避けるためである。無事に帰国した宮島は、国策映画に積極的に関与したことを隠し続け、日本共産党御用達のドキュメンタリスト映画人として、戦後の左翼映画人の上に長く君臨した。

『千里馬』について書いていて思うのは、戦後の日本知識人がいかに熱烈に北朝鮮を讃美し支持してきたかという事実である。これは「帰還」運動にも大きな影響を与えた事実なので、それに関して代表的な書物を一冊挙げておこう。

日本共産党の専従活動家であった寺尾五郎が『38度線の北』を新日本出版社から刊行したのは、1959年、まさに「帰還」運動の機運が高まっていたその年の4月のことであった。寺尾はそれ以前にも『アメリカ敗れたり？　軍事的に見た朝鮮戦争』（五月書房、1952）において、正義は北朝鮮の側にありとして、彼らの軍隊の士気の高さを賞賛していた。この書物が契機となって1955年に日朝協会が設立されると常任理事となり、1958年には北朝鮮建国十周年の記念式典に招待され、その記録を纏めたのが先の書物である。彼は朝鮮戦争後の北朝鮮のめざましい復興ぶりに驚嘆し、ソ連がアメリカを追い越すように、北朝鮮の工業生産が日本を追い越すとなればどうだろうと、期待に筆を走らせている。工場で働く若い女性のはればれとした笑顔、自信と誇りに満ちた表情を讃美し、1960年代前半には南北統一が実現するかもしれないと予想を立てている。この書物は「帰国」すべきかどうかを思案していた在日朝鮮人たちに、決定的な影響力をもたらした。彼らは貪るように書物を廻し読みし、「帰国」の意志を固めたのである。寺尾はその後も二度目の訪朝を行ない、『朝鮮・その北と南』を同じく新日本出版社から1961年に刊行。韓国人の平均寿命が33歳であるのに対し、北朝鮮ではそれが50歳にまで伸びたなどと、根拠のない数字を羅列して、北の社会と文化の優越性を強調している。彼は1961年に日本朝鮮研究所を創立すると、日本の朝鮮植民地化について学ぶことが日朝友好の運動に活力を与えると説いた（高崎宗司「寺尾五郎の朝鮮論」〔高崎・朴正鎮《パクジョンジン》編著『帰国運動とは何だったのか』平凡社、2005〕による）。宮島義勇の『千里馬』は、この寺尾の北朝鮮礼賛の延長に、それに追随する形で制作されている。どちらにしても北朝鮮の復興の早さと工業生産の発展、労働者の健康的で明るい笑顔、アメリカ軍の暴虐について、定番メニューであるかのように繰り返し言及し、北朝鮮の南朝鮮に対する優位を強調している。

もっとも寺尾とともに訪朝団に参加したメンバーのなかには、関貴星のような人物もいた。関は1962年に『楽園の夢破れて』を全貌社から刊行し、その時点で気付いた北朝鮮社会の矛盾を指摘している。日本国籍を有しながらも朝鮮人であった関にとって、虚構の神話に包まれた「祖国」の現実は、哀しくも耐えがたいものであったことだろう。

とはいうものの寺尾に代表される日本知識人の北朝鮮讃美はその後も絶えることなく続き、1970年代に入っても一向に終焉を迎える気配がなかった。ここで個人的なことを語るのには若干の躊躇がないわけではないが、やはりある挿話を記しておきたい。70年代にソウルに長期滞在したわたしが帰国後、さる大学の助手公募試験を受けた時のことである。その時点でも北朝鮮神話はまだ頑強に存在していた。応募先の大学の教員である朝鮮文化研究家が人事教授会の席上で、わたしのように軍事政権下の南朝鮮に滞在したような危険な人物がキャンパスを闊歩するならば、学生に深刻な悪影響を与えるはずだと熱弁を振るい、わたしの採用人事を強引に却下してしまったのである。わたしがこの真相を知ったのはそれから20年以上も後のことであったが、今さらながらに日本知識人における北朝鮮信仰の根の深さに茫然とした思いを感じたのだった。

3

それでは北朝鮮「帰還」運動を横目で見ながら、歯痒い思いに耐えていた韓国の側では、どのようなフィルムが撮られていたのだろうか。

『千里馬』の3年後、1966年に、『望郷《マンヒョン》』という劇映画がソウルで制作されている。現在90歳にして韓国映画の最長老と呼ばれている金洙容《キムスヨン》監督が若き日に、憤懣やるかたない気持ちを抱いて撮りあげたフィルムである。

主人公は、東京深川に住む和男という少年である。父親は在日朝鮮人、母親は日本人で、一家は日本風で、どちらかといえば富裕な暮らしぶりをしている。そこにピョンヤンに住む父親の兄から、祖国建設のために帰国しないかという文面の手紙が到来する。折しも父親の経営する食堂が経営不振に陥ってしまった。日本側の親族は挙って反対をするが、父親と母親は意見の一致を見て、北朝鮮への渡航を決意する。和男は当初、独りで東京に残る予定であったが、結局全員で帰還列車に乗り新潟へと向かう。こうして深川に住む在日朝鮮人たちは一団となって「帰国」をすることになった。

新潟で日本赤十字センターの出迎えを受けた在日朝鮮人たちは、誰もが気分が高揚している。酒を呑んだりチャチャチャを踊ったりして、浮かれ騒いでいる。船が出航してからも誰かがアコーディオンを持ち出し、しばらくは宴会気分が続いている。だがそこに突然アナウンスがあり、日本の歌はすべて禁止されてしまう。乗客のなかには憤って、これは帰国船ではない、奴隷船ではないかと訴える者が出て来る。

清津に到着した乗客たちは入国審査を受ける。一人の青年が職業は詩人だと名乗ると、役人が「詩は生産的ではない」と即座に否定する（この言葉は最近になって日本の女性国会議員の口から発せられたことにも留意）。青年は怒りのあまり、自分たちは騙された、日本に帰ろうと叫んでしまう。だがこうした反抗的姿勢が原因で、深川の一団は全員が僻地の炭坑へと送られる。和男の父親だけはピョンヤンに行くことになるが、実はそれは連行であって、彼はただちに牢獄に入れられる。父親はそこで20年ぶりに兄との再会を果たす。「どうして反抗などしたのか」と問い詰める兄に対し、父親は「どうして本当のことを手紙に書いてくれなかったのか」と答える。兄は悲し気に目を伏せて、黙ってしまう。

一方、炭鉱町に住むことになった和男は、周囲から「パンチョッパリ」と呼ばれ差別される。「チョッパリ」とは豚の蹄のことで日本人の蔑称であり、パンチョッパリとは半分日本人という意味である。炭坑の班長はいつも軍服姿で深川グループに苛酷な仕事を強要し、日本人妻とみればレイプを常習としている。労働の合間に銃を手に軍事訓練を強いられるという耐えがたい日常。誰もがここは監獄以下であり、狂気に陥らぬためには現実を忘れ、日本での過去の思い出に生きるしかないと覚悟する。彼らにとって唯一の慰めは、東京から持参したオープン・テープレコーダーで音楽を聴き、華やかだった浅草の話をすることだ。もっとも炭坑での重労働と栄養失調のせいで、誰もが健康を蝕まれていく。和男もまた肺炎を患う。いつも思い出されるのは東京で、いつしか口からは「夕焼け小焼け」の歌が飛び出してくる。あるとき父親が監獄から戻ってくる。彼は妻と離婚して、彼女と息子を日本へ戻そうと試みるが、計画は失敗してしまう。

入国に際し憤慨を隠さなかった詩人青年は、自分が思いを寄せていた女性が工場長と結婚すると知り、深い絶望に捕らわれる。彼はそこに待遇改善をめぐる利害関係を嗅ぎ取り、結婚式の場で女性に公然と接吻し、式を台無しにしてしまう。青年はその直後、監視の兵士を射殺して逃亡、夜の海岸で壮絶な銃撃戦を行なう。和男の父親も海辺の洞窟でダイナマイト自爆を遂げる。こうして深川グループの全員が惨たらしい死を遂げる。和男と母親はかろうじて生き延びるが、最後には母親も死んでしまう。和男は累々たる死骸に囲まれて絶叫する。「なぜこんなに静かなのだろう。これが僕の国なのか。お父さんはどうして死んだのか。本当にこれが僕の故郷なのか。」

あるいは人によっては、この結末を荒唐無稽と呼んで相手にしない向きもあるかもしれない。朝鮮人の真摯な帰国運動をアクション映画に仕立てるとは不真面目きわまりないと、非難する人もいるかもしれない。とはいうものの『望郷』は表向きアクション映画の形をとってはいるが、日本との国交正常化に漕ぎつけたものの、当時「南朝鮮」としか呼ばれていなかった韓国にあって、在日朝鮮人の「北送」運動がどのように考えられていたかを知るのに、きわめて示唆的な作品といえる。

金洙容は本来、ヒューマニズムを基調とした人情劇を得意とする職人肌の監督であった。李朝時代を舞台とした伝統物語『春香伝』を映画化したときには、敵役である悪代官をも結末で改心させ、復讐劇を和解劇に作り替えてしまったことが、彼の人柄を伝える逸話として残されている。日本の大島渚が解放村《ヘバンチョン》（北朝鮮からの難民の居住地区）に住まう貧しい少年の手記を素材にして実験作『ユンボギの日記』(1965)を発表したとき、彼はそれに対抗するかのように同年に同じ原作に基づいてメロドラマ『あの空にも悲しみが』を監督し、観客の紅涙を絞らせた監督でもあった。日本との関係も深く、東京映画祭の審査委員長を務めたこともあれば、石田えりが田中千鶴子を演じた『愛の黙示録』(1997)が日本でも公開され、話題を呼んだこともあった。田中は実在した日本人で、木浦《モッポ》で孤児院を開き、韓国解放後も日本に帰国せず、生涯を孤児の育成に捧げた女性である。『あの空にも悲しみが』の翌年に撮られた『望郷』においても、国家の対立のなかで両親を失い、絶望に打ちひしがれる少年が描かれている。孤児とは金洙容の数多い作品において一貫した主題であった。もっとも1960年代の国内とは、北朝鮮を謳歌する『千里馬』の上映があちらこちらでなされてはいても、『望郷』を国内で公開しようと考える配給業者など存在もしていなかった時代である。当時韓国は、日本に若干遅れてではあるが、映画制作の黄金時代を迎えていた。にもかかわらず多くの日本人は、「南朝鮮」で映画が制作されているなど夢にも思っていなかったのである。

4

最後になったが、わたしが新潟で上映の後に講演をした問題作『キューポラのある街』について書いておくことにしよう。このフィルムは今村昌平が脚本に参加し、浦山桐郎の初監督作品として1962年に日活制作で公開され、初々しい中学生を演じた吉永小百合が大きな評判を呼んだ。浦山が日本映画監督協会新人賞を受けたばかりか、作品と女優がブルーリボン賞を獲得。『キネマ旬報』でもその年のベストテンで2位に選出された。1965年には監督を野村孝に替えて、続編『未成

年　続・キューポラのある街』が公開された。こちらも吉永小百合が主演ではあったが、正編ほどには話題にはならず、名画座で上映される機会もほとんどない。いずれもが日本共産党員であった早船ちよの原作である。

『キューポラのある街』は日本映画史にあって、ひとつの〈傷〉として記憶されている作品である。それは本来は、貧しい労働者の家庭に育つ一人の少女ジュンが女性として自立していく過程を、抒情的な美しさとともに描くという構想のもとに、早船ちよが雑誌『母と子』に連載していた同名の長編を原作として企画されたフィルムであった。主人公はキューポラ、つまり鉄の溶解炉の立ち並ぶ工場の町川口に、貧しい工場労働者の娘として生まれ、まず母親の出産に立ち会う。次に自分に訪れた突然の初潮に驚き、男友だちの克己（浜田光夫）から口紅を贈られる。親に隠れてパチンコ店でアルバイトをし、ビリヤード場で危うく強姦されそうになる。だがこうした事件を通して、彼女は自分の未来を真剣に考えるようになる。漠然と名門校、浦和第一女子高校に進学することを夢見ていたが、それを断念し、トランジスター工場で働きながら定時制高校に通うことを決意する。

だが今日、こうした物語の本筋に言及する者はほとんどいない。それまで日活アクション路線にあって赤木圭一郎の妹役程度にしか認識されていなかった吉永小百合が、女優としての魅力を初めて本格的に開花させたことを懐かしく思うファンはいたとしても、それが「作家」としての浦山桐郎の、処女作にして代表作であることの意味を想起する者はほとんどいない。『キューポラのある街』が今日話題になるとすれば、それは在日朝鮮人の「帰国」運動を描いた唯一のフィルムであるからに他ならない。この背景的な挿話ゆえに、フィルムは賞賛されたり批判されたりしている。それが一本の芸術作品にとってはたして幸福なことであるかどうかは、ひとまず措くことにしよう。わたしは最初に、自分の個人的な挿話を書き記しておきたいと思う。

2000年のことであるが、わたしはソウルの中央大学校に客員教授として招聘され、韓国に二度目の長期滞在をしていた。このときある偶然から酒席で、脱北した実業家に紹介されたことがあった。東海岸でホタテガイの養殖に成功したという経歴を持ち、堂々たる体格にもまして、居合わせていた全員の勘定をアメックスのゴールドカードで平然と払ってしまうという豪快な人物であった。話をしていくうちに、彼が東京で在日朝鮮人として生まれ、1970年代初頭に第二次の「帰国」運動で北朝鮮に渡った経歴の持ち主であることが判明した。父親が朝鮮総連の重要人物だったため、高校生であった彼を人質同然の形で北朝鮮に差し出すことを拒否できなかったのである。その高校生が北朝鮮で金日成総合大学に学び、エリートコースを歩みながらも最終的に脱北を決意した経緯については、北朝鮮に残された彼の家族のことを配慮して、わたしは口を慎んでおこうと思う。誰かがわたしを映画研究家だと紹介した。すると彼がただちにいった。「俺が人生で一番嫌いな映画が何かわかるかい？『キューポラのある街』だよ。」

『キューポラのある街』は、一度観た人間なら二度と忘れることのできないほど、強い印象をもったフィルムである。だがその印象のありかたはさまざまであり、どれもがけして単純なものではない。一方に吉永小百合の熱狂的な崇拝者たちがいる。日本映画が生んだ第二の「永遠の処女」の神話を信奉する彼らにとって、朝鮮人「帰国」運動の描写は意味不明のノイズ以外の何ものでもない。だがもう一方の極に、ここに「帰国」運動の表象を認める者たちがいる。彼らは（わたしが出会った脱北者のように）それゆえこのフィルムを憎むか、でなければその表象の稀有で貴重な性格ゆえに、社会学的な関心をフィルムに向けている。その意味で『キューポラのある街』は試金石のようなテクストである。そしてわたしのような映画研究家の立場からすると、イデオロギー的にはさまざまな問題が語られてはいるが、その優れた演出と編集においてけして無視できない価値が認められるという点で、グリフィスの『国民の創生』に似た位置を日本映画史において占めているように思われる。ただ本稿ではもっぱら「帰国」運動との関連についてのみ語っておくことにしたい。

主人公のジュンは戦後民主主義の教育を受けた最初の世代の中学生として、ことあるごとに未組織労働者である父親辰五郎（東野英治郎）と対立している。辰五郎は彼女が朝鮮人であるヨシエと親しい仲であることを不愉快に思っており、工場の景気回復のためにはもう一度戦争があるといいと期待する、昔気質の職工である。この人物は日本の庶民に根強い朝鮮人差別をそのまま体現しているばかりではない。第二次大戦と朝鮮戦争による軍需工場の好景気を何の疑いもなく受容してきたという点で、歴史的にも社会的にも無知の段階に留まっている。「朝鮮の子とつきあって何が悪いのよ。トウちゃんは無知蒙昧！」と、ジュンは辰五郎を批判する。彼女はこの父親が権威である家庭から脱出するため、ひとたび高校進学を決意する。

ヨシエ（もし朝鮮読みをするとすれば「リャネ」か「ヤネ」だろうか）は、近く「祖国」へ帰国することをすでに決意していて、それをジュンに打ち明ける。ヨシエは愛用の自転車をジュンに譲り、彼女が父親が経営するパチンコ店でアルバイトができるように計らってやる。ジュンは親友との別離に悲しみを抱くが、彼女の堅い決意をそれなりに尊重する。ただヨシエには悩みがある。日本人である母親美代（菅井きん）をはたして置き去りにして、一家で帰国していいものだろうか。美代もまた同じ問題で苦しんでいる。夫には愛想が尽きたが、かといって家族が解体してしまうことには耐えられないのだ。

フィルムのなかでもっとも親密な友情は、ジュンとヨシエの弟たち、タカユキとサンキチの間に存在している。彼らはかつての防空壕の廃墟を隠れ家とする腕白盛りの小学生で、いかなる民族的偏見からも自由である。ただ大人たちの話から切れ切れの情報を得て、自分なりに国際情勢について疑問を抱いている。

タカユキはいう。「どうして南鮮と北鮮は仲が悪いのか。同じなら朝鮮人は朝鮮で暮らした方がいい。」するとサンキチが答える。「どっちにしても貧乏だしな。」この二人の子供たちが聖なる避難所《アジール》の中で交わす対話は、フィルムにあってきわめてユートピア的な無垢を湛えている。サンキチが小学校の学芸会でルナールの『にんじん』の主役の少年を演じたとき、客席から同級生たちが「チョーセン人参！　チョーセン人参！」と野次を飛ばす。耐えられなくなったサンキチが舞台から退いてしまうと、憤激したタカユキが飛び出していって、悪罵を口にした少年を追いかけまわし殴りつける。この傷ましい場面は朝鮮人差別の残酷さを前面に押し出すことで、サンキチの「帰還」の動機づけを観る者に強烈に印象付けている。子供を前にした浦山が、トリュフォーにも匹敵すべき演出力の持ち主であったことが、わずか二分ほどのこの場面からも判明する。ちなみに彼が逝去したとき、このフィルムを追悼放映したＴＶ局は、愚かしくもこの一連の場面を割愛した。

もっとも監督としての浦山は、少年たちの無垢を単純に讃美することには満足していない。チーフ助監督を務めた大木崇史の回想（原一男編『映画に憑かれて　浦山桐郎』現代書館、1998）によれば、浦山は二人を演出するにあたって、脚本にもなかったある挿話を即興的に付け加えた。彼らは牛乳屋の牛乳をこっそり盗んで飲んでしまい、貧しい牛乳配達の少年といい争いとなる。二人の少年は川に浮かべたボートの上から、「泥棒だって金さえ出せばいいだろう」と叫び、牛乳配達の少年にむかって小銭を投げつける。もっとも彼らは自分たちの行為を振り返って、気まずさから仲違いをしてしまう。タカユキはサンキチに対し「なんだ！　てめえはチョーセン！」と罵倒し、サンキチはそれに対し、「テメエなんて感化院行きだ！」と反論する。二人はこうして訣別する。だがそれを気に病んだタカユキは実際に感化院に足を運び、そこから愛玩する鳩を飛ばしてみる。最後になってサンキチが川口駅広場で同胞たちに囲まれ、今こそ帰国の列車に乗らんとするとき、予期していなかったことだが、タカユキが見送りに来る。彼は「新国家建設だからビー玉はないだろ。威張れるぞ！」などといいながら、自分が大事にしているビー玉をすべてサンキチに餞別として与える。

人々が金日成将軍を讃える歌を合唱しているさなか、二人の少年が友情を回復するこの場面は、文字通り美しさに満ちている。彼らを一度は喧嘩させ、ふたたびどちらからともなく和解へと向かわせるという演出を思いついたとき、浦山は在日朝鮮人に対しつねに遠慮がちにしか振舞うことのできない日本の進歩的インテリよりも、政治的スローガンを大人の流行語のように気軽に口にしながら、喧嘩言葉を乗り越えて親密さを確認しあう少年たちに、はるかに大きな期待を寄せているように思える。だがサンキチは母を置いて「帰還」することに、心の咎めを感じている。一度は列車に乗り込むが、ただちに途中下車をして川口に戻ってくる。彼は最終的にもう一度、新潟行きの列車に乗り込み、そこから友情の徴に鳩を飛ばす。だが日本人である母親美代の問題は、『キューポラのある街』では解決されないままに終わる。

１９６５年、日活はこのフィルムの続編、『未成年　続・キューポラのある街』を制作し公開した。今回の監督は、『拳銃《コルト》は俺のパスポート』の後に撮る野村孝。脚本は田村孟である。前作では15歳だったジュンが、３年後には高校卒業を控えた18歳になっているから、同じ吉永小百合で撮ってはどうかといったアイデアが、おそらく企画会議を通過したのだろう。

この続編は、北朝鮮に渡ったヨシエの手紙から始まる（ちなみに使用されているスチール写真は、朝鮮総連の宣伝映像）。ジュンはカメラ工場で働きつつ、健気に定時制高校に通っている。男友だちの克己は仲間たちとともに独立し、自家用車を乗り回して羽振りがいい。ジュンは同僚の野川由美子が妊娠し、中絶費の捻出に苦心していることに思い悩んでいる。

あるとき彼女は朝鮮高校の生徒である崔《チェ》と知り合い、二人してサンキチの母美代の居所を突き止める。美代を何とか朝鮮に行かせなければならないと、ジュンは決意する。だが崔との交際は家庭でも工場でも問題となり、彼女は上司から、政治集団に関わってはいけないと釘を刺される。「崔さんはわたしの友だちでも一番立派な人です」と彼女は反発して宣言する。夜の街角で崔は与太者に絡まれ暴力を振るわれるが、けして自分からは反撃しない。彼はジュンに向かって、「われわれは悩みも希望も（日本の高校生より）ずっと大きい」と語り、自分が帰国しないのは、日本にいる子供たちが正しい民族精神を持てるように、日本に留まって教師になるつもりだからだと抱負を述べる。最後に美代は単身、川口駅から「帰還」列車に乗る。ジュンは社会事業大学に進学することを断念し、定時制高校も途中で退学してしまう。彼女は一介の女子労働者として生きる道を選ぶ。

この続編には曖昧で不透明な箇所がいくつか存在している。ひとつは美代の渡航である。これは早船の原作『未成年』にはなく、脚本の時点で新しく付加された挿話である。北朝鮮はすでに1962年の時点で、日本人妻の渡航を歓迎しなくなっていた。労働力としていっこうに役に立たないばかりか、その処遇に費用がかかるためである。映画の制作スタッフはそうした事実をはたして把握していたのだろうかという問題が、わたしには気にかかる。

もうひとつは朝鮮高校生の崔の描かれ方である。戦後日本映画では在日朝鮮人はけして悪人として描かれることはなく、つねに周囲の日本人に対し道徳的な正しさを体現する人物として描かれる。かつて日本映画における民族表象について探究したとき、わたしが到達した結論とはそのようなものであった（四方田犬彦『アジアのなかの日本映画』岩波書店、2001）。『未成年』はこのステレオタイプを平然と踏襲している点において、日朝二人の少年にあえて罵倒合戦を演じさせた浦山の正編に対し、演出力の点でははるかに劣っている。

このフィルムが公開された1965年の時点では、「帰還」運動は初期と比較して参加者が激減しており、在日朝鮮人の多くは「祖国」にもはや幻想を抱かなくなっていた。しかし日活の首脳陣は相変わらず北朝鮮神話に踊らされていたのだろうか。あるいはこうした企画を推進したのは、日本共産党系の日活労働組合であったのだろうか。美代の渡航はいかにも不自然であるが、それ以上に不自然なのは崔の言動である。彼は在日の子供たちに正しい歴史を教えるために、あえて渡航せず日本に住み続けると、ジュンにむかって説明する。これがいかにも歯の浮くような苦し気ないい訳であるように思われるのは、わたしだけではあるまい。あるいは制作の段階で、もはや祖国への「帰還」が説得力を持たなくなってしまったという状況を察知した脚本家が、崔という人物を造形する際にそうした科白を準備したのだろうか。

ここでさらにわたしを当惑させるのは、この『未成年』の脚本を担当したのが田村孟であったという事実である。田村は大島渚の座付き脚本家として、1960年代後半に『日本春歌考』や『帰って来たヨッパライ』、さらに『絞死刑』といった作品の脚本を手掛けている。いずれもが在日朝鮮人問題を中心に据え、前衛的な手法で日本社会を批判的に描き出した作品である。朝鮮人をめぐるステレオタイプの映像が次々と戯画的に登場しては却下される。とりわけ『日本春歌考』では、在日朝鮮人の女子高校生が、本人の意志に反して輝かしい衣装を着せられ、日本人の若者たちの間で持ち上げられるという場面を通して、他者の映像をめぐる鋭い政治的批評が展開されている。日本映画における朝鮮人表象史のなかで、これらのフィルムはきわめて重要な位置を占めている。だがそうした作品の脚本を担当した田村が、１９６５年の『未成年』において在日朝鮮人の現実からかくも遊離した脚本を執筆していたという事実は、わたしを充分に当惑させる。それは単に、このフィルムが駄作であるといった次元の問題ではない。『未成年』が映画として企画された時点において、在日朝鮮人の大部分はとうに帰還幻想から醒めていた。それにもかかわらずこうしたフィルムが制作され公開されてしまうところに、日本人の朝鮮をめぐる根本的な誤認が横たわっているように、わたしには思われてならない。

5

日本人の間で北朝鮮讃美の言説が後退し、代わって北朝鮮バッシングのそれが猛威を振るうようになったのは、いつごろからのことだろうか。わたしはそれを正確に指摘することができない。だが気が付かぬ間に、われわれがこの国を嘲笑し罵倒する映像や言説に取り囲まれているようになったのは事実である。ＴＶのモーニングショーはピョンヤンで売られている女性の生理用品の粗末さを得意げに紹介し、メディアは独裁国家の若い指導者の髪型を揶揄したり、その一挙一動をお笑いの的にしている。

とはいうものの、わたしには1950年代に始まる北朝鮮楽園神話と、2000年以降に猖獗を極めている北朝鮮への揶揄嘲笑とが、表裏一体のもののように思われてならない。讃美するにせよ嘲笑するにせよ、いずれの行為も現実にその対象に向けられた具体的な眼差しとは無縁のものであり、その背後にはイデオロギー的な観察と認識への歪みが存在している。この二つの行為の狭間にあってつねに見捨てられてしまうのは、日本にも北朝鮮にも、いずれにも決定的に帰属できないでいる混血の孤児である。金洙容の『望郷』と浦山桐郎の『キューポラのある街』は、日本人と朝鮮人のあいだに生まれた少年が、どこまでも続く未決定性のなかで生きざるをえないという姿を、きわめて誠実な演出のもとに描いている。その意味においてこの二本は、『千里馬』のような虚偽のプロパガンダ映像の対極に位置するものであると結論することができる。

サンフランシスコ講和条約によって、何の予告もなく日本国籍を剝奪された在日朝鮮人たちは、差別と貧困と屈辱から解放されることを求めて、あるとき北朝鮮にユートピア的な憧れを投影した。だがその「地上の楽園」神話を囃し立てたのは日本人であった。在日朝鮮人たちはそれを一途に信じ、「祖国への帰還」を成し遂げた時点で、すべてが虚構であったことを知り、深い絶望に見舞われることになった。だが日本人はかつて自分たちが築き上げた神話などきれいさっぱり忘れてしまい、今度は同じ北朝鮮に対し罵倒と嘲笑を止めようとしない。そして国内では十年一日のように、在日朝鮮人に対する差別と憎悪の言動が繰り返されている。この暗澹たる状況に光明が差し込むことは、これからありうるのだろうか。

とはいえ1960年代に制作された4本のフィルムは、われわれに少なからぬことを示唆してくれる。とりわけそのうちの2本に登場する混血の少年の表象は、日本と朝鮮という二項対立の構造に対する根源的な異議申し立てとなりうる可能性を秘めている。世界を救済するのは子供だけであるといったのはヘンリー・ダーガーとジョン・レノンであった。ステレオタイプの映像が無限に増殖を重ねていく今日の世界にあっては、もっとも貶められた場所で生きざるをえない孤児だけが原初の無垢を湛えている。誰がいつ、どのような形で、ピョンヤンに住まう孤児たちを撮影し、彼らにその映像を与えることだろうか。いや、それにもまして、孤児たちはいつ他者による映像から解放され、どのような形でみずからを撮影し、みずからの映像を所有することだろうか。

（『群像』２０２０年３月号）

拉致と帰属

1

日本海は渡りやすい海である。6世紀から10世紀にかけて、成立したばかりの日本という国家は朝鮮半島の周辺に次々と現われた百済、新羅、高句麗、渤海《パルヘ》といった国々と使者を交換し、彼地を通して先進の中華文明の取得と交易に努めたが、それらはもっぱら日本海を通して行なわれた。航海技術が充分に発展していなかった古代において、安全な航路を選ぶことはきわめて重要なことであった。日本と朝鮮半島の間にさながら巨大な湖のように横たわるこの海は、日本文化が独自なものとして築き上げられる時期に、化学でいう触媒の意味をもっていたといえる。ポール・ヴァレリーはこの海が、ヨーロッパにおける地中海に似た文化史的役割を担っていたのではないかと夢想したが、それはけっして的はずれではなかった。

二〇世紀の後半、朝鮮半島が南北に分断され、冷戦体制が不動のものとなったとき、この海はふたたび多くの渡航者を抱えることになった。北朝鮮の秘密工作員たちは機会あるたびに海を渡り、夜の闇に乗じて海岸に上陸した。彼らは日本国内にいる一部の朝鮮人と緊密な連絡をとりながら情報収集を行なった。韓国から日本にきている留学生を言葉巧みに籠絡すると、彼らを秘密裏に北へ送り出して、スパイに仕立てあげるのだった。このきわめて渡航しやすい海は、ゴムボートを用いるのに最適の空間だった。

9月17日、日本の小泉純一郎首相がこの海の上を飛んで平壌《ピョンヤン》に日帰り旅行を行ない、北朝鮮の金正日総書記と会見した。その結果判明したのは、1970年代からこの方、北朝鮮の工作員に拉致された日本人13名のうち、わずか5名しか生存が判明していないという事実だった。犠牲者のなかには、拉致された時点でまだ13歳だった少女も含まれていた。金正日は拉致に関して公式に謝罪したが、それは北朝鮮のメディアでは明確には発表されなかった。もっともニュースが伝えられると、日本国内はただちに騒然となった。メディアを通じて大掛かりなキャンペーンがなされ、犠牲者の家族たちの発言が大きく報道された。もっとも現在の時点では、詳しいことは何ひとつ明らかとなっていない。拉致されたのが本当に13名だけだったのか。死亡者はどのように死亡したのか。死亡と発表された人物をその後目撃したという、元北朝鮮工作員の証言を、どう理解すべきなのか。さまざまな謎が残るなかで、日本人の間には、ふたたび帝国主義時代に培われてきたあの古い偏見が頭をもたげようとしている。それは「やっぱり朝鮮人は怖い」というものである。

日本人拉致問題が報道されたとき、韓国側が感じたのは、北朝鮮に対するさらなる怒りであった。というのも、朝鮮戦争が1953年に休戦を迎えてこの方、南側からも500名近い人間が北に拉致され、消息不明となっているからである。金正日はかつての敵であった日本に謝罪をしたものの、どうして同胞であるはずの自分たちには同じ謝罪をしないのかというのが、彼らの主張である。一方、北朝鮮側は、日本人数名が死亡したことをもって日本側が度を越した敵対意識の宣伝をしていると非難し、かつて天皇の軍隊のために性奴隷とされた朝鮮人の家族たちが受けてきた悲しみと苦痛を思い出せと論じた。

日本という国家は、あらゆる場合に日本人と非日本人を峻別し、前者には帰属と帰還を要求する。敗戦した直後に旧満洲地域で置き去りにされた植民者の子弟が、共産党政権下の中国で生存していることが判明したときにも、日本のメディアはこぞってメロドラマの論理のもとに大騒ぎをした。彼らが本当に日本人であるかが調査され、審査に合格した者は帰国を許された。だが帰国者の少なからぬ部分は、日本社会に適合できず、さまざまに不幸な事件が生じた。

今回の大騒ぎでわたしが奇妙に思ったのは、日本、南北朝鮮のいずれもが、拉致に先だって日本海で生じた、きわめて大規模な人間の移動にいささかも言及しないことであった。1959年から84年の間に、およそ9万人の在日朝鮮人が、北朝鮮こそは「約束の土地」であり、地上の天国だというスローガンを信じて、「故郷」に帰還している。

彼らはただちに新国家の実態に幻滅したが、もはや日本に戻ることはかなわなかった。それどころか彼らはスパイの可能性をもった危険分子と見なされ、少数の例外を除けば辺境の鉱山や荒地、さらには収容所に住むことを強制された。日本に残された家族は、人質同然となった彼らの安全を願ってせっせと日本円を送金し、日本国内の北朝鮮人組織に献金することを強いられた。それはこの奇妙な独裁国家を支える強力な経済基盤となったばかりでなく、在日朝鮮人の生活を歪めて不自然なものとした。ひとたび「祖国」を信じて渡航した人々にいかなる悲惨が到来したかは、日本ではほとんど満足には報告されていない。かつて日本国籍をもち、日本人として戦地に赴いた人たちの末裔が、13名の日本人と同じく恐怖と孤独のうちに生き延び、死んでいったことに、いささかも関心を払おうとしない。だが、この「帰国者」の存在は北朝鮮の問題である以上に、日本社会の問題であるのだ。

わたしが真に恐れているのは、現在の加熱した拉致報道が契機となって、日本の若い世代に新たなるレイシズムの動きが生じることである。日本が朝鮮を植民地支配して10年目の1919年3月、朝鮮半島の全域にわたって独立運動が生じ、日本人ははじめて抵抗する朝鮮人の姿を目の当たりにして、強い恐怖を体験した。その反動として生じたのが、4年後の東京での大地震のさいに生じた朝鮮人大虐殺であった。今回の拉致騒動がこうした日本人の無意識に眠る恐怖心をふたたび覚醒させてしまうとすれば、その後にいかなる心理的補償作用が生じるのか。それがグロテスクな憎悪の形をとらないことを、わたしは願ってやまない。

くり返していう。日本海は実に渡航の簡単な海である。近い将来に、アドリア海や南シナ海のように、この海がわずかな全財産を手にした人々の乗る小舟で溢れないという保証は、どこにもない。日本政府も日本社会も、予想されるべき北朝鮮からの難民の対応をめぐって、いかなる共通了解をももちえていない。現在、日本社会がもっとも必要としているのは、日本人の帰還である以上に、逃げ延びてくる朝鮮人に対していかなる歓待の掟を築き上げるかという問題である。

(*The New York Times*, October 10, 2002)

2

北朝鮮の金正日総書記が日本人拉致の事実を認め、それを謝罪したという知らせを、わたしは2002年9月17日の当日の夜、バンコクで知った。一週間ほどしてリサーチを終えたわたしが東京に戻ってみると、ありとあらゆるメディアが拉致問題をめぐって高揚している最中で、その焦点は生存者の人数と死亡者の死亡の原因であった。その時点でわたしは「ニューヨーク・タイムズ」から、拉致問題をめぐって寄稿の依頼を受けた。ただちに書き上げた原稿は、いくつかの調整ののち10月10日に英文で掲載された。先にお読みいただいた1がその日本語ヴァージョンである。数字の認識をめぐり若干のズレはあるかもしれないが、9月27日の時点でのわたしの認識であると、ご理解いただきたいと思う。

それから一月が経過し、拉致事件をめぐる報道は次の段階に突入した。事件の被害者たちが金正日の「恩情」によって、短期間ではあるが帰国を許され、故郷に戻って家族や友人たちと何十年ぶりの再会をはたしたようすが、新聞や雑誌で伝えられている。帰国当初は「共和国」の公民としてという公式的立場を崩さなかった者たちが、しだいに心の緊張を解きほぐし、内面を吐露するように変化していった過程を、メディアはヒューマニズムの名のもとに逐一報告している。日本国家にふたたび帰属することの悦びを強調するというその手法は、南洋で旧日本軍兵士が発見されたときや、かつて満洲国と呼ばれた共産党政権下の中国東北部で「残留孤児」が次々と名乗り出たときに用いられたものと、ほとんど変わるところがない。拉致の被害者の一人は、絶滅寸前で保護されている珍鳥であるトキと対面することができた。このニュースは、なぜにかくも大きく、新聞の囲み記事として報道されなければならないのか。それは彼女自身がトキと隠喩的な関係にあるからで、日本国家によって保護されるべき、絶滅寸前の存在であるためである。

だが、今回の被害者に関しては、これまでの旧日本兵や残留孤児とは異なった条件が横たわっていて、問題を複雑にし、それがメディアの報道に微妙な陰影を投じている。彼らは北朝鮮の地に新たに儲けた親族を置いて、一時帰国をはたした。この「人質」ゆえに、彼らは日本へのまったき帰属と拉致の真相を、完全な形で口にすることができないのだとメディアは説明している。以下に、思いついたことをいくつか記しておきたい。

被害者たちの口籠りの現象はけっして彼らに限られたことではなかった。それは、これまでも北朝鮮についてなにがしかのことを語ろうとする者の多くに、暗黙の了解のもとに共有されてきたことであり、この驚異の独裁国家をめぐる日本語での言説を、称賛と中傷の方向を問わず、微妙に歪めてきたものであった。「人質」はなにも今回の一時帰国者に限定されたことではなかった。9万人余に及ぶ在日朝鮮人の「帰国」者とその日本人同行者もまた、日本に残留したその親族にとってはある意味で「人質」であり、拉致されたままけっして戻ってこない存在であり続けたのだという事実を、忘れてはならない。この大量の「人質」が新たな「人質」を誘発し、すべての悪循環をめぐる批判的言説が抑圧隠蔽されてしまうという、恒常的な口籠り現象を招いてきたのである。

わたしは何も、一部の在日朝鮮人のことだけに言及しているのではない。在日朝鮮人か日本人かを問わず、「人質」を知るすべての人間の言説を何十年にわたって歪めてきたこの奇怪な現象は、まさに日本社会の病理的問題なのである。この事実を無視して、今回の拉致事件の被害者の閉ざされた口がいつ開くかといった問題だけを、興味津々という口調で報道してゆくメディアのあり方は、北朝鮮をめぐるわれわれの言説を取り囲んでいる構造をより見えないものにし、この国家の権力機構のあり方をいっそう謎めいたもののままに放置してしまう結果に終わるだろう。

3

平壌《ピョンヤン》を訪れたのは1992年、ちょうど金丸信副総理の訪朝によって一時的に親善ムードが語られていた時期だった。6月に東京で朝鮮映画祭が開催され、わたしはパネラーとしてそれに参加した。その勢いもあって、9月に平壌で開催される国際映画祭を訪問することになったのである。われわれは、在日朝鮮人を含めて五人だった。巨大な金日成の肖像画が掲げられた、他に一台も飛行機を見かけない空港に到着すると、大勢の人がわれわれ一行を待ち受けていた。いたいけな少女がわたしにダリアの花束をわたした。人々が次々とわたしに握手を求めてきた。なぜこのような儀礼がなされなければならないのかを、翌日になってわたしは知った。国際映画祭の初日に、すべての招待作品の上映に先立って上映されるニュース映画のなかで、わたしは偉大なる金日成首席の招きに応じて非同盟諸国から共和国を訪問した「友人たち」のひとりとして、登場していた。われわれの到着はすべて16ミリカメラによって、撮影されていたのである。

空港から市内へと向かう車の窓からは、ときおり道路の端を歩いている人たちを見かけた。子供たちは例外なく白いシャツと赤いスカーフをしていて、われわれに向かって手を振っていた。市内にさしかかって最初に目についたビルの壁面には、ハングルで「朝鮮はハナ《ひとつ》だ」と大書されていた。

「われわれは幸福です」とか「何も欲しがりません」という標語もあった。夕暮れの街角は整然としていて、ほとんど歩いている人影を見なかった。もっともそれは外国人しか宿泊できない特別ホテルの周囲にかぎられたことであって、実際は見えないところで大勢の人々が動いており、バスも列車も満員であることが、後で判明した。以後9日間にわたって、われわれは完全に隔離された空間のなかで、管理された情報しか与えられず、儀礼的行動だけを要求されることになった。

10年前に体験したこの不思議な旅行のことを思い出してみると、とにかくすべてが愚かしい儀礼の連続であったという印象がある。われわれは金日成の生家跡を見学するバスに乗せられ、案内人の説明を聞いたあとで、いならぶ北朝鮮映画界の俳優たちと、次々と握手することになった。金日成の巨大な銅像がある映画撮影所を訪れ、豪華なシャンデリアのある地下鉄駅を訪れ、労働者と農民が偉大なる指導者に導かれて戦っている場面の巨大なレリーフのある金日成広場を訪れた。しばらくするうちに、この都市がパリを模倣しようとして計画的な景観の演出を企てていることが、少しずつ理解されてきた。金日成総合大学の前の広々とした通りにはプラタナスが植えられ、大同江《テドンガン》の中央にはシテ島よろしく羊角島《ヤンガクド》があって、フランス資本のホテルが建設中だった。加えて金正日が父親の長寿を祝って贈ったという凱旋門があり、それはパリの本物よりも数メートル高いと説明された。ただパリと異なっていたのは、ここでは道行く人の誰もが二十数種類に細かく細分化された金日成バッジを胸につけることが義務づけられており、バッジのない者を見かけたらただちに通報しなければならないということだった。

だが、こんなことをいつまでもくだくだと記していても、意味がない。平壌を訪れた外国人なら誰でもがわたしと同じものを見、あるいは見せられ、同じ印象をもって旅行の日程を終えるはずだからだ。われわれの二人の案内人は、当日になって平気で予定を変え、なんとか規定のコースからわれわれの行動が逸脱しないように、細心の配慮を払っていた。彼らはけっして本心を悟らせないことにかけては一流で、その身振りはときにわたしには卑屈にすら感じられた。彼らと対話をしていると、話がある地点まで進んだところであたかも見えない壁に突きあたってしまったかのように、相手の思考が停止してしまう。論理が一定以上に進展していかないさまが、手に取るようにわかった。社会のすべてが儀礼的な秩序のもとに進行し、時間が円環的な構造をもっている世界、人間が出身成分によって厳密に階級づけられている世界において、思考はけっして本来の自由な躍動を知ることができない。そこでは歴史は探求されるのでも、批判的に書き直されるのでもなく、あるとき何の予告もなく公式的に発見されるのだ。ちょうど白頭山《ペクトサン》の山中で、抗日パルチザンたちが金正日の誕生を賛美する言葉を夥しい数の樹木の幹に彫りこんだ痕が突然に発見され、人民たちの歓喜の声で迎えられるように。

金日成が死に、3年ものちに権力が金正日へと委譲されたとき、わたしがただちに想起したのは日本の天皇制のことであった。明治、大正、昭和、そして平成。北朝鮮の偉大なる総書記たちの名前は、太陽の明るい輝きが世界を正しく平定するという修辞的映像に基づいているかぎりにおいて、彼らが宿敵としてきた元宗主国の皇帝の名前に、どれほど酷似していることだろう。金日成はその長大な回想録の冒頭で、あたかも自分の生誕をキリストのそれに喩えるような修辞を用いている。受難を被った朝鮮民族が偉大なる指導者のもとに北の地を彷徨い、やがて故郷に真実の国家を築くという物語の構造を、聖書から借り受けている。だが、彼が訴える太陽のシンボリズムは、あきらかに東アジアに独自のものだ。

外国人旅行者の眼にはすべてが儀礼的秩序で固められた「冷たい社会」（レヴィ＝ストロース）だと映ったこの国は、この10年の間に核開発と飢えと難民問題を通して、ようやく世界中から注目されるようになった。アフガニスタンが、チェチェンが、パレスチナがそうであるように、関心をもたれるようになったときには、すでに事態は致命的なまでに深刻なものと化しているものである。円環的な時間の反復のうちに、不可逆の直線的時間が導入された。ひとたび時間が直線的に進行しだしたとき、それを元の秩序に引き戻すことは誰にもできない。だが、儀礼の虚妄を知らされ、象徴のイコノクラスムを無理やりに強いられようとしている人たちを、これから襲うことになる意気消沈の重さを想像すると、暗澹たる気持ちにならざるをえない。

かつてポール・ヴァレリーがアジアにおける地中海文明を夢想した日本海に投棄されているのは、使用されなくなったゴムボートであり、ハングルで表記された暗号解読読本であり、無数の人間が抱いた夢の残骸である。いかなる小舟がこれからこの海を渡航することになるのか、それを指摘できる者はまだいない。

（『現代思想』臨時増刊「日朝関係」２００２年11月）

Ⅱ

韓国映画の二人の巨匠　金《キム》綺《ギ》泳《ヨン》と李《イ》斗《トゥ》鏞《ヨン》

1

映画史には一連の生物学主義者たちが存在している。彼らはつねに過激だ。登場人物のすべてが詐欺師であることを平然と暴露するフォン・シュトロハイム。盲人が虐《いじ》められているさまを愉しそうに撮ってみせるルイス・ブニュエル。人生に絶望した男たちが過食で死に絶え、ただ女だけが生き延びるマルコ・フェラーリ。蟻地獄のような砂の迷路に落ち込んだ男をじっと観察する勅使河原宏。こうした監督たちの特徴とは、登場人物に絶対に肩入れしないことだ。彼らを出口のない閉鎖空間のなかへと導き入れ、その実なき悪戦苦闘ぶりを、あたかも昆虫学者が昆虫を眺めるように観察し記録すること。そして人間があらゆる救済から見放され、ただひたすらに堕落してゆくのをじっと見つめ続けること。いきおいこうした監督たちの文体は残酷にして暴力的であるように見える。そこにはいささかの躊躇《ためら》いもない。だがそれは、人間が残酷で暴力的であるという事実を前に、彼らが感傷に惑わされず、ただ誠実であるがゆえのことなのだ。

金綺泳もまた、こうした偉大なる生物学主義者の系譜に連なる監督である。彼は韓国映画界においてあらゆる意味で別格であり、他の映画人からは畏怖の感情をこめて「怪物《ケムル》」と呼ばれていた。生涯に31本の劇映画を監督したが、その何本かはスキャンダルを巻き起こした。朴正熙《パクチョンヒ》の軍事政権も、民主化運動も、ポスト植民地主義的状況も、南北分断も、彼の世界を微動だに動かすことがなかった。唯一の関心事は、人間の飽くことなき欲望と愚行であった。彼はまるでゴヤが油彩を描くかのように、映画を撮り続けたのである。

身長190センチ近い長身。不敵な面構え。豪快な決断力と怒り。金綺泳は生前から夥しい数の伝説に取り囲まれており、その死後、それらは何人をも寄せ付けない「巨匠の神話」として、ますます底光りを見せている。解放後はしばらく北朝鮮で暮らしていたが、命からがら38度線を越えて南下し、ソウル大学で医学を修めたこと。来韓したジョン・フォードにむかって、「あんたは本当の戦争というのを知らないだろうが」といったこと。テヘラン映画祭で小津安二郎にグランプリを引っさらわれ、それが不愉快で日本には絶対に自作の配給を許さないと誓ったこと。

もっとも最後の誓いは、どうやら本人が後で撤回したらしい。当時、日本の国際交流基金にいた石坂健治氏が、なんとか彼の作品を世界的に認知させせんとして直接の面談に赴き、お百度参りをした結果、監督はとうとう東京での上映を許可したのだった。その直後、ベルリン映画祭がやはりこの巨匠に注目し、極寒の2月にベルリンへと監督を招待した。ところが何としたことか、金綺泳監督は意気揚々とベルリン行きの準備をしていて、出発の前夜、ソウルの自宅で火災に巻き込まれ亡くなってしまったのだ。なんという残念なことだろう。世界の巨匠としてランキングされる直前だったというのに！

金綺泳の世界では、メイドの女性が鼠を足で踏みつぶし、男が美しい花の花弁に乱暴に指を突っ込む。女性が養鶏場の食肉処理機によってミンチにされ、死者の遺体のペニスに奇怪な手術が施され、生者との性交が実現される。人物たちは突発的な攻撃衝動に促され、憎悪と欲望のままに隣人と戦いあう。舞台となるのは人里離れた禅寺、世間から孤絶した一軒家、犯罪者を護送中の長距離列車といったぐあいに、隔離された閉鎖空間である。そこで人間は文字通りわが身の生存を賭けて、弱肉強食の熾烈な闘争を続けるのだ。

金綺泳の作品の基調をなしているのは、死と隣り合った生のグロテスクと、世界の不条理を前にした欲望の全的な解放である。とりわけ一人の女性に焦点を定め、欲望に突き動かされたその行動を、さながら昆虫や鼠でも観察するかのように描いてみせたフィルムに優れたものが多い。初期の代表作といえる『下女』では、ようやく念願の一軒家を建てた中学教師の家に住み込んだ一人の女が、しだいに魔性を発揮し、教師を性的に誘惑するばかりか、家庭全体に支配権を確立し、ついには一家の幼い長男を死に至らしめてしまう。韓国では普通にハウスメイドのことは、昔は「食母《シンモ》」といい、今では日常的には「おばさん《アジュモニ》」という。だがこのフィルムはあくまで「下女」で通している。もう少し詳しく書いておこう。

『下女』の主人公は東植《トンシク》という作曲家で音楽教師である。彼はようやく二階建ての広い家に移り、妻と息子、娘で小市民生活を始めようとしている。妻はミシンを駆使して、裁縫仕事に余念がない。そこにメイドとして明淑《ミョンスク》が到来する。明淑は美人で聡明だ。東植は妻が実家に戻っている間につい彼女と関係をもってしまう。するとたちまち明淑は豹変し、家の二階を占拠すると、わがもの顔で振る舞い始める。明淑の妊娠を知った東植と妻は、悪計を用いて彼女を二階の階段から突き落とす。みごとに流産は成功。自分が裏切られたと知った明淑は、今度は復讐に東植の息子を同じ階段から転落死させる。夫婦は不倫が明るみに出るのを怖れ、警察に届け出ることができない。そこで猫イラズで明淑の毒殺を図る。だが計画は失敗。夫婦が心中を遂げるところで、フィルムは終わる。『下女』では鍵となるのは階段である。東植は自分が二階建ての家に住めるようになったのが、うれしくて仕方がない。社会的に地位が上がったような気がするからだ。だがそこに明淑が現われ、二階に住み着いてしまう。夫婦は一度は彼女を階段から転落させるが、今度は逆に明淑が息子を転落死させる。階段とは階級の違いなのだ。彼女は恐るべき魔女、いや毒婦である。階級とジェンダー、抑圧と欲望……そしてすべての背後に横たわる、強烈な死への本能。韓国映画史にとって１９６０年とは、『下女』が制作された年として記憶されるべきだろう。

そういえば最近アメリカでアカデミー賞を受け、日本でも話題となったポン・ジュノの『パラサイト』も階段の映画である。半地下に住まう一家。瀟洒な二階家に住む一家。そしてその二階家の隠された地下に、ヤドカリのように隠れ続けている謎の人物。ポン・ジュノはこうした空間の構造を、大先輩の撮った『下女』から借り受けている。

あれはたしか１９８０年代が終わろうとしている頃だった。当時の韓国では日本映画の上映がまだ禁止されていたが、映画学会が日本映画について討議をするという名目で、特別に短編長編あわせて十数本のフィルムが上映されることになった。フィルムの選定をしたのはわたしである。わたしはその説明役として韓国の主要都市をいくつか回り、上映と解説に腐心した。

ソウルの大新聞社のホールを借り、勅使河原宏の『砂の女』を上映したときのことである。観客席のなかに金綺泳監督の姿を見つけた。さっそくロビーで挨拶をし、フィルムの感想を尋ねた。監督は『下女』をはじめ、『虫女』『水女』『火女』といったぐあいに、「女」と名の付く題名の作品を撮っていたからである。

監督いわく、1960年代はじめに原作が日本で刊行されたとき、いちはやく取り寄せ一読し、傑作だと思った。ただちに脚本を執筆し映画化を画策したが、まだ韓国と日本の間に正式な国交がなく、権利問題でゴタついているうちに機会を逸してしまった。日本で映画になったというので脚本を取り寄せたが、実際のフィルムを観るのは今日が初めてだ。

わたしは尋ねた。それで感想はいかがでしたか?

金綺泳は一気に答えた。脚本から自分が想像していたものと映画が、まったく同じ印象を与えることに驚いた。映画としては悪くない作品だと思う。けれども……

けれどもわたしが撮っていたなら、まったく違ったものになっていたでしょうな。わっはっは!

(シネマヴェーラ「生誕百年記念　異端の天才　金綺泳」回顧上映パンフレット、2019年11月)

2

李斗鏞は、わたしが初めて名前を記憶した韓国映画の監督だった。1970年代の終わり、ソウルの大学に日本語教師として就職し、一日の講義が終わるとただちに街角に出て、場末の二番館で光量の乏しい画面ばかり観ていたときの話である。

『お兄ちゃんがいる』をソウル劇場で観たときに感じた興奮は、今でもはっきりと憶えている。日本植民地下のソウルに、富裕な家に育った兄と妹がいる。彼らは日本人の大学生と諍いを起こしたことから、憲兵隊によって父親を殺害され、家屋敷の略奪を受ける。兄はダイナマイトを体に巻き付け、憲兵隊本部に殴り込みをかけ、壮絶な自爆を遂げる。彼はその直前、親友の苦学生に向かい、自分が死んだら妹をよろしく頼むといい残す。もっとも親友は親日家の一家に拉致され、否応なしに家の娘と結婚させられてしまう。ひとり残された妹は雪降る街角に放り出され、妓生《キーセン》に身を落として生きることになる。

歳月が経過し、死んでいたはずの兄がマドロスとなって帰国する。彼は懸命になって妹を探すが、かつての親友は今では大の親日家として権勢を誇っている。兄はとある漁村の酒場で妹を発見する。彼女は酔客に揶揄われながら、酒を注いで廻っている。そして酔っぱらいから何か歌でもうたえと命じられ、涙声で「お兄ちゃんがいる」という歌をうたう。店の外でそれを聞き付けた兄は、妹の変わり果てた姿を見て呆然と立ち尽くす。

妹はみずからの境遇を恥じ、翌日、父親の墓の前で自害してしまう。兄は妹の骸を抱きながら、自分たちを裏切った親友の邸宅を訪れる。だが悲しみのあまり兄は、親友の振りかざす日本刀を避ける気力ももはや失っている。大雨の降る夜、彼は妹の骸とともに、まるでぼろ布のように外へ打ち捨てられる。そこへ乞食に落ちぶれた元憲兵隊隊長が襲いかかる。だがそのとき、一人の日本人青年が主人公を救い、裏切り者の友人と一騎打ちをする。この日本人はかねてから妹に恋い焦がれていた東京帝大生であった。

『お兄ちゃんがいる』のなかには、娯楽映画のあらゆる要素がぎっしりと詰まっていた。それはまず歌謡映画であり、アクション映画であった。メロドラマであり、反日映画でもあった。要するに韓国のB級映画を面白くさせる、すべてがあった。わたしはようやく読めるようになったハングルで、映画館に掲げられたポスターの文字をゆっくりと読んだ。「女の涙を杯で呑んだことがありますか。あなたが呑んでいる杯は、女の涙でいっぱいです」と、惹句が添えられている。「李斗鏞演出」。それはわたしが初めて記憶した、韓国映画の監督の名前だった。

李斗鏞、李斗鏞……それ以来、わたしは街角に貼られたポスターにこの名前を見つけるたびに、立ちどまってメモをとり、場末の映画館に足を運んだ。華陽劇場、東ソウル劇場、千戸劇場……わたしが訪れた劇場はいずれも設備が老朽化していて、映写状態がきわめて悪かった。スクリーンは暗く、ひどく傷んでいた。にもかかわらず、わたしは李斗鏞のフィルムに裏切られることはなかった。それはつねに荒唐無稽なアクションと人情味あふれるメロドラマの結合であり、小気味よいテンポとユーモアに満ちていた。

今から思うと、この時期の李斗鏞は、けっして充分な制作予算を与えられていたわけでもなく、きわめて短時間のうちに一本を仕上げるという過酷な日程を熟《こな》していたはずである。彼はありとあらゆる題材をもとに、ありとあらゆるジャンルのフィルムを監督していた。彼は『避幕』や『ムルドリ洞』のように、朝鮮王朝時代の民間伝説や禁忌の習俗を主題とした作品を発表したかと思えば、『警察官』のように男たちの間の絆を描くアクション劇も撮った。『アメリカ訪問客』や『ニューヨーク44番街』では、ギャング映画に民族主義的情念を絡ませ、香港のブルース・リー（李小龍）よろしく、韓小龍なる韓国人アクション俳優を起用して、興味深いクンフー映画を撮った。かと思うと、『武装解除』では解体を命じられた大韓帝国の軍隊の兵士たちが、日本の軍人たちの宴会に乗り込み大暴れをするというアクション映画を撮り、小津安二郎の『東京物語』に想を得て、現代における家族の解体を真正面から扱った『長男』を発表した。制作者からいかなる題材を与えられても、彼は立ちどころにそれを熟《こな》してしまうのであった。

『最後の證人』は、李斗鏞がまさにノリに乗っていた1980年に、河明中を主役に据えて撮られたフィルムである。六月動乱（朝鮮戦争）のさなか、智異山に立て籠もった北朝鮮軍の兵士たちが体験した悲劇が原因となって、30年後に連続殺人が起きる。その謎を解こうとした刑事は、生き証人たちの「宝探し」のミステリーに巻き込まれてしまう。わたしは当時、河明中に依頼され、彼の日本語の家庭教師をしていたので、思い出の深いフィルムでもある。残念なことにこの作品は、当時の文教部の検閲によって大幅にカットされて公開された。制作されてから37年後の現在、今度こそは完璧な形でこの作品を観ることができるのではないかという期待がある。はたしてどうだろうか。

このフィルムも『お兄ちゃんがいる』と同様、複数のジャンルに跨る作品である。刑事ものの推理サスペンスに女子の転落物語が重なり、全体として韓国史の裏側にある悲劇が浮き彫りとなるという構造だ。

主人公の刑事は人から人を辿り、とある田舎ののどかな小学校に到達する。ここで映画の語りは過去に戻り、同じ小学校の教室で、子供たちが幸福そうに唱歌を歌っている。だがその縁の下の暗闇には、本隊に見放され、孤立した北朝鮮兵士の一群が隠れ潜んでいる。彼らは自暴自棄となり、仲間うちの少女を平然と強姦する。子供たちの明るい合唱とこの陰惨な暴力を隔てているものは、床板一枚でしかない。フィルムではやがてこの少女が出産し、流転の人生を生き伸びながら、大きな役割を演じる。彼女こそはまさに歴史の犠牲者であり証人なのだ。
「最後の證人」という言葉はさまざまな意味をもっている。ある意味で李斗鏞本人が、民主化される以前の、検閲と映画法によって苦しい状況にあった韓国映画界を記憶している、最後の証人の一人であったということができる。１９７０年代に彼が監督した数多きフィルムがすべて集められ、回顧上映がされるとしたら、わたしは今でもただちに日本から駆け付けたいと思っている。

（李斗鏞ＤＶＤ『最後の證人』解説、Korean Film Archive, 2017.6）

韓国ニューウェイヴ20年

1

韓国映画に新しい傾向が見え始め、それが見る見るうちに発展して「新しい波」として認知されるようになったのは、思い出すのも忌わしい『リュミエール』というバブル雑誌が日本で頓挫し、ヨーロッパのアート系映画を上映する東京のミニシアターに、残念ながら失調の気配が見えだしたころだった。

20世紀が終わろうとする最後の年、つまり2000年に、わたしはソウルの中央大学校に客員教授として招かれ、大学院で日本映画のゼミを開いていた。開講にあたって、自分がもっとも尊敬する映画監督の名前を3名記すようにとアンケートをとったところ、1位がゴダール、2位が大島渚、3位がメカスという回答を得た。わたしは大島さんがこれで報いられたような気がして、小山明子さんを通して彼にそれを伝えた。大島渚は1965年の国交正常化以前に韓国に滞在し、帰国後は在日韓国人問題を主題に映画を撮り続けた人であったからである。

アンケートの回答を読んだわたしは、同時に学生たちをたのもしく思った。韓国にもすでに充分シネフィルの地層が形成されていることが確実にわかったからだ。わたしが知っているかぎり、70年代の朴正熙《パクチョンヒ》軍事政権下の韓国は、世界で珍しく日本映画の上映を禁止していた国家であり、多作で著名な監督と話していても、「カンヌでインタヴューをされて溝口健二と比較されたのだが、自分は溝口など名前も聞いたことがない」といわれて驚いたことがあった。だから新世代の学生たちと教室で話していると、隔世の感があった。

2000年は金大中政権のもとに、アニメも含め日本映画が全面解禁された直後である。東大門《トンデムン》市場《シジャン》の地下鉄ホームの壁が、ある日全面にわたって『風の谷のナウシカ』の絵柄となり、「いよいよ来たる！」というキャッチが添えられていた。日本映画解禁に当たって、韓国国内にそれを危惧する声がなかったわけではない。巨大な製作費と配給網をもつ日本映画の到来を前に、わが国《ウリナラ》の小資本の映画産業は太刀打ちできるのだろうかという懸念である。蓋を開けてみたところ、結果は逆だった。韓国映画が一気にブレイクしたのである。

386世代（1960年代の終りに生まれ、80年代の民主化闘争に立ち会った世代）に属する監督と制作者たちはかつてない巨額の予算を組み、郊外に大がかりなセットを築いた。そこから次々とブロックバスター映画の話題作が輩出し、観客動員数の記録を更新していった。北朝鮮スパイ、38度線軍事境界線、連続殺人と冤罪事件……新世代はまったく新しい主題、というより軍事政権下では言及が禁忌とされていた主題を積極的にとりあげ、それを派手派手しいアクション映画に仕立てあげた。神聖にして侵すべからずとされていた民族の歴史を商品にすることにかけて、韓国の新しい映画人は巧みだった。わたしは学生たちと江南の大劇場で『ＪＳＡ』を観たときの興奮を憶えている。場内は満員で、チョコパイを口にする北朝鮮の兵士の姿がスクリーンに大写しになると、観客たちの間にどよめきが生じた。韓国映画はそれまで南北分断のメロドラマを数多く制作してきたが、このフィルムは従来の反共イデオロギーの宣伝映画とはまったく異なった着想のもとに、ポスト分断体制のヴィジョンを告げていたのである。映画館では誰もが熱狂していた。ここに韓国映画のニューウェイブが開始される。

飛ぶ者の上を飛べと、韓国の俚諺にいう。新しい韓国映画は南北分断という、これまで背負わされてきた負のカードを思いきって逆転させ、前代未聞のスペクタクルの題材にした。ハリウッドに正面から喧嘩を売りつけ、まさにハリウッドの上を飛ぼうとしたのだ。

当然のことながら、日本と韓国との間でも映画の流れが逆転した。なるほど韓国では『Love Letter』が日本以上にヒットし、ソウルの劇場ビルには中山美穂の垂れ幕がかかった。だがそれ以上に、『シュリ』や『ＪＳＡ』が日本で公開されると、『ダイ・ハード』は観ても林権澤《イムゴンテク》の高級フィルムには足を運ぶことなどない観客までが映画館に駆け付け、登場人物たちの気迫と銃撃シーンの迫力に圧倒された。それは文字通り〈強い映画〉だった。わたしは制作者と監督の前歴を調べた。少なからぬ者たちが１９８０年代に、独立映画制作に関わっていた。たとえば『ＪＳＡ』を制作した李恩《イウン》は独立映画集団チャンサンコンメに属し、紡績工場労働争議や光州民主化闘争をテーマとする地道な映画制作に携わっていた。それが全斗煥軍事政権下にあって、相当に勇気を要する運動であったことはいうまでもない。21世紀に差しかかろうとしたとき、彼らは方法を変更したのだ。

2

韓国映画には伝統的にいって、他の国にない映画ジャンルが二つ存在していた。反共映画《パンゴンヨンファ》と反日《パニル》映画《ヨンファ》である。１９４６年に崔寅奎《チェインギュ》がアクション映画『自由万歳』（１９４５年８月15日でのありえぬ銃撃戦）で大ヒットを飛ばして以来、反日映画は韓国映画のお家芸となった。義士安重根《アンジュングン》の伊藤博文暗殺から、韓国のジャンヌ・ダルクともいうべき少女独立運動家の柳寛順《ユグワンスン》まで、あらゆる抗日英雄たちの伝記映画が制作された。６・25《ユギオ》の動乱（朝鮮戦争）の後には、そこに反共映画が加わった。北朝鮮軍の女性への蛮行、離散家族の確執、脱北少年の苦難……。こうした韓国独自のジャンルは、国内向けのローカル映画として、いかなる時代にあっても綿々と制作が続けられてきた。反共愛国という国是がその背後にあったことはいうまでもない。

ニューウェイヴ開始以後は、そこにもう一つ、民主化達成直前までの韓国現代史における暗黒部分への告発映画というジャンルが加わった。まず前二者について簡単に説明をし、次に後者の例を掲げておきたい。

結論からいってしまうと、「太陽政策」を掲げる金大中政権の成立以降には、反共映画はジャンルとしてほとんど制作されなくなった。和平ムードのなかで制作の理由がなくなったのである。『シュリ』と『ＪＳＡ』は、本来は凶悪なる敵であったはずの北朝鮮のスパイ・軍人が、韓国人と同様、血の通った人間であることを初めて描いて観客を沸かせた。それ以後、韓国映画は南北分断の歴史的事実を反共イデオロギーから切り離し、遊戯的に処理する方向へと進んだ。『トン・マッコルへようこそ』（パク・クァンヒョン、2005）では、朝鮮戦争の勃発をまったく知らずにいた山奥の小さな村がまずユートピア的に設定される。そこに南北両軍が到来して、勘違いの喜劇が生じる。『レッド・ファミリー』（イ・ジュヒョン、2013）では、ソウルの中産階級の家庭の隣に移り住んだスパイの偽装家族の面々が、しだいに彼らを隣人として認識し、祖国の指令との板挟みとなって破滅するまでが、滑稽な文体のもとに語られた。もっとも荒唐無稽なフィルムは『人狼』（キム・ジウン、2018）である。近未来において南北統一が宣布され、それに反対するテロ組織が統一政府と凄惨な戦闘を繰り広げるという物語だ。こうした作品の出現は、伝統的な反共映画がジャンルとしてもはや成立しなくなったことを告げている。

では反日映画はどうなのか。反日映画は１９５０年代から70年代にかけて、伊藤博文暗殺や李《イ》舜《スン》臣《シン》将軍の活躍を描いた歴史大作として、機会あるたびに制作された。悪辣で卑屈な日本人というステレオタイプは、ローカルなＢ級映画に欠かせない存在だった。この手のものでもっとも荒唐無稽なのは、『ロスト・メモリーズ』（イ・シミョン、2002）である。安重根の伊藤暗殺が失敗し、朝鮮がいまだに大日本帝国の植民地であり続けている近未来を舞台に、朝鮮解放戦線のテロ組織が京城に跳梁し、日本警察に勤務する朝鮮人刑事がタイムトラベルを実践して、歴史を本来の姿に訂正するというＳＦアクションで、今村昌平がゲスト出演している。こうしたフィルムを可能としていたのは、反日小説という、これも韓国に独自の文学ジャンルが厚い層をなして成立していたことに負うところが大きい。

２０１０年代には状況が変わった。朴槿《パクク》恵《ネ》政権時代以降の韓国映画は、反共映画の消滅によって余剰となった活力を、もっぱら反日映画の方へ充当するようになった。更新されたこのジャンルの制作目的は、日本を媒介として観客を国家主義への陶酔へと導いていくことだとされた。そのため韓国の批評家たちから、「クッポン映画《ヨンファ》」と揶揄的に命名された。「クッ」は国家、「ポン」はヒロポンである。以前はローカル映画の域に留まっていた反日映画は、2010年以降は日本でも配給公開されるようになり、韓国に対し牧歌的幻想を抱いていた日本の「良心的」インテリをしきりと喜ばせた。

『軍艦島』（リュ・スンワン、2016）では、長崎の軍艦島で苛酷な労働を強いられていた韓国人たちがいっせいに蜂起し、脱出を試みて戦う。『空と風と星の詩人　尹東柱（ユン・ドンジュ）の生涯』（イ・ジュニク、2016）では、日本留学中に逮捕された青年詩人を（史実とは逆に）無理やりに抗日運動と関連させ、彼が生体実験にかけられて死んだという風評が、検証もないままにそのまま描かれている。同監督の『金子文子と朴烈』（2017）では、日本統治下にあって天皇暗殺を夢想し、みずから「不逞鮮人」を名乗ったテロリストの無頼の生涯が、英雄として語られている。大正時代を舞台としているにもかかわらず、二人の侍が主人公に襲いかかるといった場面が傑作である。クッポン映画に共通しているのは、日本に対する事前調査の不在と歴史的な無知である。だがそれについては別稿で論じることにして、先に進もう。

3

ニューウェイヴ以降の、世界の最前線に躍り出た韓国映画において、過去の遺物である反共映画の衰退と反日映画の流行は、韓国映画史のなかではさほど特異なことではない。韓国映画は日本統治下の皇民化運動時代から現在にいたるまで、つねに体制の空気を窺い、時代の支配的イデオロギーを表象してきた。解放後も大統領が次々と交替し、対北朝鮮、対日本の関係が変化するたびに、映画はそれに応じて猫の目のように変わり、せっせとイデオロギーの商品化に勤しんできた。反共・反日の二つの映画ジャンルの盛衰といっても、こうした韓国映画の特質を証し立てている以上の意味をもたない。それよりもさらに注目すべきなのは、韓国映画がこの十年、これまで言及が禁忌とされてきた現代史の諸事件に素材を求め、それを大衆的想像力のもとに次々と映画化してきたという事実である。これは民主化時代における新しいジャンルだ。

歴史の暗黒部分への注視は、２０００年の正月に公開された『ペパーミント・キャンディー』（イ・チャンドン）を最初の徴候としている。１９７９年に20歳であった貧しい工場労働者が兵役にとられ、翌年に図らずも光州での虐殺に加担してしまう。彼はその後刑事となり、民主化運動家を残酷な拷問にかけ、次に実業家として成功する。あるとき彼はかつて自分が拷問した青年が服役を終えて釈放されたところで、ばったりと廻りあってしまう。人生は美しいのかと、彼は言葉をかける。主人公はやがて事業にも結婚にも失敗し、自暴自棄に陥って鉄道自殺を企てる。虐殺から特務機関による拷問、労働運動の場での裏切り、妻の不貞、民主化時代の空虚感……ここには韓国人ができれば思い出したくない汚辱の過去がパノラマのように陳列されている。しかもフィルムは鉄道自殺に始まり、時間を逆行する形で１９７９年、つまり朴正熙政権時代の最後の日々へと収斂していく。この記念碑的作品の制作が可能になったのは、金大中が大統領になり、数多くの犠牲のもとに韓国の民主化が一応達成を見た時期であったからだ。このフィルムはノスタルジアを拒絶し、隠蔽されてきた過去に正面から対決しようという姿勢を見せた最初の作品のひとつだった。

『ペパーミント・キャンディー』以降、韓国映画は堰を切ったかのように、禁断の現代史に向かい合うようになった。その一つひとつに註釈をつけていくことはできないが、この数年での興味深いフィルムを3本、取り上げておきたい。

『1987、ある闘いの真実』（チャン・ジュナン、2017）は、現実に表題にある年、ソウル大学で民主化運動に携わっていた学生が連行され、拷問死した事件に基づいている。事件が公にされ、主要大都市でデモが激化すると、全斗煥《チョンドファン》大統領は翌年のオリンピックを前に事態の鎮圧を試みたが失敗。不名誉な退陣を余儀なくされ、ここに民主化勢力が勝利を見た。フィルムでは若干の変更はあるが、この一連の事件が時間を追って辿られている。

幼少時に両親を北朝鮮軍の手で処刑され、必死になって脱北して以来、反政府運動弾圧のためには法すらも無視するという治安本部の所長がいる。それに対決するのが、「刑事コロンボ」を粋がって真似る地検のおシャレ検事。彼は拷問死の真相を法的に裁こうとする。加えて、ある偶然から民主化運動に共感し、それが発覚して拷問を受ける刑務所の看守。看守の姪で、はからずも学生運動のイケメン指導者に恋をしてしまう女子大生。犠牲者である学生の遺灰をなかば凍結した河に流し、腰まで水に浸かりながらその死を嘆く父親。こうした登場人物たちが、アクションとも人情喜劇ともセミドキュメンタリーともつかない物語のなかを駆けめぐり、最終的に勧善懲悪の終りを迎える。もっとも拷問場面の描写は酸鼻のかぎりを尽くしている。水槽に漬けられた犠牲者が絶命するまで、苦痛に歪むその顔を延々と水中から撮り続けるといったあたりは、おそらくアフリカのいくつかの国を除けば、他のどこの国の映画でもまず見ることのできないほどの残虐場面だろう。死体に被せられた白布にうっすらと血が滲み、それが一瞬だが太極旗に見えたり、聖堂の外壁に翻りついて懸命に逃亡しようとする学生の影が、内側のステンドグラスのキリストの絵柄に重なって映るというのは、韓国映画に独自の隠喩である。

『1987』と同じ2017年には、『タクシー運転手　約束は海を越えて』（チャン・フン）が撮られている。これも実話に基づいた話で、光州事件を取材しようとしたドイツ人ジャーナリストが、危険な場所に車を向けることを躊躇するタクシー運転手（ソン・ガンホ）を説得。高い報酬に釣られて、運転手はこの業務を引き受ける。だが現地に入るや、彼は軍隊による暴行と破壊に驚愕し、恐怖と怒りを感じてしまう。一度は引き返そうとするが、やがて思い直し、危険を顧みずにドイツ人の取材に協力。それを地元光州の同業者たちが団結して助けるという物語である。

個人的にいうと、わたしには『タクシー運転手』を観る前に若干の躊躇があった。1980年に韓国から帰国後、東京のある在日韓国人の集会で、隠し撮りされた光州事件の16ミリ映像を見せられ、そこがその前年にひと夏を過ごした場所であっただけに、悲痛とも憤激ともつかない複雑な気持ちに襲われたからである。だが現実にこの作品を観た後には、国家によって正式に「民主化闘争」と認定され、厳粛な歴史的事件に格上げされてしまった虐殺事件を素材に、よくもまあ、ここまであくの強いアクション人情劇を撮ってみせたものよと、呆れ返るとともに、それなりに感心した。このフィルムはアカデミックに、また国家権力のもとに公式化されてしまった出来ごとを、もう一度、民衆の視点から見つめ直し、フォークロア的な語りに引き戻そうとしている。韓国映画はつい先ほどに生じた現代史の悲惨なる醜聞までを、みごとに商業映画の素材に仕立てるだけの力量を、アクチュアルに所持するにいたったのだ。

『タクシー運転手』で脚本を担当したオム・ユナが初監督したアクション喜劇が、『マルモイ　ことばあつめ』（2019）である。これもまた歴史的にモデルがあって、日本統治下の1942年から43年にかけて、京城（現在のソウル）で朝鮮語学会の会員たちが治安維持法違反で検挙投獄されたという事件に基づいている。「マル」は言葉、「モイ」は蒐集するという意味。皇民化政策時代に教育体系から排除され、滅亡の途を歩もうとしていた朝鮮語の未来を案じる知識人たちが、物語の中心である。彼らは巧みに弾圧を回避しながら、なんとか標準語を制定し、国語辞典を作成しようとする。

主人公パンスは、皇民化政策下の京城で、映画館で客寄せの元締めをしたり、小さな盗みをして生計を立てているチンピラである。あるとき彼は京城駅前の広場で、いかにもインテリといった身なりの青年ジョンファンの鞄を盗む。実はこの青年、表向きは古本屋を営みながら、秘かに朝鮮語の存続事業に携わる言語学者であった。朝鮮語の存続は、今や風前の灯火だ。それが完全に消滅してしまう前に標準語を認定し、辞書を編纂して刊行しなければならない。鞄のなかにはそのための貴重な資料原稿が入っていたのだ。ジョンファンは懸命に鞄の行方を捜し、ついにパンスの家でそれを取り戻す。その縁あって、パンスは彼の秘密の研究会に雑用係として雇われることになる。

非識字者であるパンスは、最初のうち、研究会の会員たちの情熱が理解できない。だが、たどたどしいながらもハングルを読めるようになったとき、朝鮮語の語彙を蒐集し整理することの意義がしだいに理解されてくる。ジョンファンたちが地方の方言の蒐集に困難を感じていると知ったパンスは、かつて刑務所にいたときの仲間たちに全員集合を呼びかける。彼らがそれぞれ故郷の言葉を示してくれたおかげで、会員たちは朝鮮八道の方言をめぐって充分の資料を手にすることができる。

もちろんこうした研究活動が官憲当局の目につかないわけがない。警察が研究所を急襲。地下室に堆く積まれた資料はことごとく没収され、会員のなかには連行され拷問死する者すら出てくる。朝鮮語学会を開催して、なんとか一般人の協力を得て標準語の制定を行ないたいジョンファンは、きわめて苦しい立場に立たされる。彼はパンスの伝手《つて》で大劇場を借り受けると、満場の観客を前に「親日派」として朝鮮総督府に帰順することを宣言。観客たちは騒然として失望する。もっともこれは官憲を騙すための詭計で、実は深夜に同じ劇場で標準語設定のための真剣な討議を行なうための大芝居であった……。

結局のところパンスは射殺され、ジョンファンは獄に下る。やがて大日本帝国が滅び、朝鮮が解放されて釈放されたジョンファンは、中絶した辞書制作を再開する。

アクション喜劇『マルモイ』は数多くの二項対立から成り立っている。文字言語と口承言語。知識人と識字教育を受けてこなかった最下層の庶民。支配者である日本人官憲や親日派朝鮮人と、被支配者である朝鮮人。いうまでもなくこの対立にあっては後者の方が周縁的な弱者の側に立たされている。ところがフィルムの語りが進行して行く途上でこの対立がどんどん崩れていき、後者が前者を乗っ取るような形で同化してゆく。前者は自分の限界を知らされ、優位の座から降り、後者と協力しあうことで目的の達成に向って進んでいく。

『1987』から『タクシー運転手』『マルモイ』と3作を並べてみよう。ある角度からこの3本を眺めてみたとき、わたしはそれがほとんど同じ構造をもったフィルムであるような印象を持った。

まず公式的な教育体系から疎外され、社会的に下層に置かれている庶民《サンノム》がいて、ユ・ヘジンやソン・ガンホといった俳優たちによって演じられている。彼らは反政府運動家や外国人ジャーナリスト、言語学者といった知識人に遭遇し、最初はその情熱と政治的な立場を理解できず、警戒している。だがある切っ掛けから彼らを理解し、危険を冒して献身的に協力する。いずれのフィルムにおいても、こうした物語パターンが採用されている。主人公たちは粗野にして無学。ときに卑劣で、眼前の実入りしか頭にないように見えるが、その実、人情に厚く、義理を守ることに真摯である。知識人との出会いを通して読み書きを学んだり、現下の非民主的な政治情勢や民族の伝統文化の意義を理解できるようになる。つまり暴れん坊が模範生となるのだ。

もし韓国映画に独自のキャラクターが存在しているとすれば、それはこうした庶民と知識人のコンビであろう。それを世俗化された儒教のステレオタイプと呼ぶことに、わたしは躊躇《ためら》わない。庶民が教化され、民族の矜持に目覚める。庶民が知識人を助け、自己犠牲も厭わずに行動する。それが韓国映画の根底に横たわるエトスなのだ。

いささか蛇足めいたことをいおう。もし現在の韓国映画に描き切ることができずに回避しているものがあるとすれば、それは知識人の変節転向という問題ではないだろうか。具体的にいうならば、韓国映画は民族のために殉教した英雄を顕彰するフィルムを制作はしてきたが、親日派として糾弾され、不名誉なままに世を去った知識人の肖像を、いまだにスクリーンに映し出すことができずにいる。もう少し具体的にいってみるならば、たとえば本稿の別のところでも触れた『金子文子と朴烈』の場合である。

歴史的事実を追うならば、朴烈という人物は、一度はアナーキストとして天皇暗殺を夢見るが、その後獄中であっさりと親日派に転向し、祖国光復後はさらに北朝鮮支持へと再転向する。実に目まぐるしい、調子がいいといえば調子のいい人生である。だが彼の伝記映画の監督であるイ・ジェニクは、主人公を日本人女性に傅《かしず》かれた抗日思想の朝鮮人青年として描くことはできても、彼が獄中で転向という深刻な体験をするにいたったという事実は巧妙に隠蔽し、けして描こうとしない。ましてや、その後の彼が金日成支持の側に廻ったことにも言及しない。『金子文子と朴烈』というフィルムは、かかる血気盛んな青年が親日派に寝返るという歴史の残酷な事実を見つめることを回避したところで成立している。観客を民族主義的な興奮へと導く娯楽映画であるためには、そうした回避が必要なのであり、それゆえに日本の無邪気なジャーナリストたちは、いとも簡単に翻弄されてしまうのだ。

庶民は頑固な保守主義を棄て、献身的に知識人のために奉仕する。だが知識人は民族主義であれ、民主主義であれ、知識人としての義務と規範を逸脱してはならず、転向などもっての他である。現代史の暗黒部分を果敢に見つめようとする韓国映画の眼差しは、もし状況との緊張関係を読み間違えてしまえば、こうした世俗的な儒教主義のステレオタイプに陥ってしまう危険をつねに抱えている。もちろん性急な単純化は慎まなければならないが、わたしは今後の韓国映画が向かうべき主題のひとつが、親日派や金日成派への転向を遂げた人物を、いかに韓国人として描き切るかというものであると考えている。尹東柱をありえぬ民族主義運動家に仕立て上げることはできても、皇民化政策に賛同した韓国最初の文学者、李光洙の紆余曲折を孕んだ人生をスクリーンに描き出すことができないのが、現在の韓国映画の限界である。

4

『ＪＳＡ』から20年が経過した。もはや韓国映画のニューウェイヴは、主題においても手法においても多岐にわたって発展し、それをブロックバスターのアクション映画という枠組みだけで理解することはとうてい不可能になっている。監督たちは一方では現代史で禁忌とされた領域に踏み込み、もう一方では今日のポストモダンライフを洗練された表層感覚で描いている。性的な倒錯に徹底することで植民地主義と階級差別を嘲笑したかと思うと、社会階層の格差を騒々しいブラックユーモアのもとに描いてみせたりする。パク・チャヌクによる真の倒錯的フィルム『お嬢さん』がその典型だ。この多様性を簡単に一括りにして範疇化することは、次第に難しくなってきた。

２０１０年あたりからだろうか、韓国の監督たちは、もはや「韓国映画」という単純な範疇化では把握できないほどに、多様な文体を駆使するまでになった。個々の監督が存在し、彼らはめいめいさまざまな方向を向きながら映画を撮っているとしか、表現しようのない状況が到来するにいたった。韓国映画一般はもはやない。あるのは作家たちの映画、つまりパク・チャヌクの映画であり、ポン・ジュノの映画であり、イ・チャンドンの映画である。そういっても不思議ではない状況が生れてきたといえる。

こうしたニューウェイヴの進化変容は、たとえばフランスのヌーヴェルヴァーグやドイツのノイエヴァーレの韓国版であると見なすことはできるだろうか。

60年代から70年代にかけて、この二つの新世代は、自分たちが運動のさなかにあるという連帯意識を強く抱いていた。ヌーヴェルヴァーグの面々は、〈五月〉のカンヌ国際映画祭にあって過激な行動に歩調を合わせたし、ノイエヴァーレはバーダー＝マインホフ集団の獄中での同時自殺に直面したとき、クルーゲの呼びかけによって『秋のドイツ』なるオムニバス映画を監督した。やがて彼らはそれぞれに別個の道を歩むことになるが、それまではかなり長い時期にわたり、親密な同志意識のもとに、相互に脚本を提供したり、出演を引き受けたりしていた。今世紀に入ってからの韓国映画にも同じ現象が指摘できるのだろうか。

　わたしの知るかぎり、韓国の監督たちはこの点に関してきわめて寡黙である。彼らはインタヴューの席にあっても、同世代の監督について一般的に語ろうとしない。１９６０年代の映画産業の黄金時代の監督たち、また70年代の「映像時代《ヨンサンシデ》」同人の監督たちといった先行者に対して、オマージュを口にすることもない。あたかも申相玉《シンサンオク》や林権澤《イムゴワンテク》、また河吉鍾《ハキルチョン》など、はじめから存在していなかったかのように映画を撮っている。この点で彼らは、機会あるたびに大先輩ルノワールに賛辞を献げるヌーヴェルヴァーグとは一線を画している。ヒチコックとネオレアリズモが出発点にあったと告白するポン・ジュノが、『パラサイト』の構想について尋ねられ、金綺泳《キムギヨン》の『下女』における階段に着想を得たとついうっかり口を滑らせてしまったことを貴重な例外とすれば、新世代の映画人はおよそ過去の韓国映画の記憶なるものにいささかも負債を感じていないように見える。では、いったい彼らの共通するものとは何だろうか。それは「世界化《セゲファ》」への、強くイデオロギー的な意志である。日本では「グローバリゼーション」というカタカナ表記に留まっていたこの言葉に出会ったとき、韓国人はそれに「世界化」という積極的な訳語を当て、躊躇しなかった。彼らはそう名付けられた状況こそ、自分たちが東アジアの一半島に留まらず、広く全世界に向って飛翔するのだという意志の活躍の場に他ならないと思い込んだ。韓国ニューウェイヴとはローカル映画が体得した、世界化の意志の現われである。

日本の映画評論の言語は、こうした状況に追いつけないでいる。配給会社も宣伝会社も一本の韓国映画を前に、韓国での観客動員数を強調するばかりで、作品の内実に踏み込んでいこうとせず（フランス映画の配給に際して、配給会社が観客動員数に言及したことがあっただろうか？）、韓国語専門家に蘊蓄の切り売りを求めるばかりである。映画評論家はというと、「韓国映画」という、これまでまったく予想もしていなかった枠組みに引き摺られてしまい、見たばかりのフィルムを世界の同時性という問題文脈のなかで論じることができない。ホン・サンスやイ・チャンドンについて語ろうとする際に、ゴダールやタル・ベーラに言及することなど考えてもいない。

もっとも韓国の監督たちは、表立ってこそ発言しないが、この点に関しては充分にシネフィルであり、ハリウッドや現代フランス映画への自分の関わりを自覚している。ホン・サンスがイザベル・ユペールをわざわざ主役に招き、低予算で『3人のアンヌ』をあっけらかんと撮ってしまうことからも、それは容易に窺うことができる。だがそうした映画体験を踏まえた上で韓国の映画監督を論じることが、現在の日本人にはできないでいる（同じことが台湾映画についてはそれ以上にいえるのだが、本稿の領域を逸脱するので、またの機会を俟ちたいと思う）。

韓国映画を韓国映画史の文脈のもとに認識し、正面から迎え撃つという日本側の批評言語の向上こそ、わたしには緊急の課題であるように思われる。


（『ユリイカ』2020年5月号）

『パラサイト』快進撃の裏に潜むもの

ポン・ジュノ1

韓国映画『パラサイト　半地下の家族』が快進撃を続けている。現在41歳の監督、ポン・ジュノ（奉俊昊）が昨年に発表したアクション喜劇である。

このフィルムは昨年5月、カンヌ国際映画祭でパルムドールに輝き、今年になってアメリカのアカデミー賞をごっそりさらってしまった。これまでハリウッド映画しか受賞してこなかったアカデミー賞がアジア映画に与えられたというのは、これが最初である。

もちろん韓国は大喜び。映画界で「ニューウェイヴ」が始まって20年になるが、これほどの快挙はなかったという報道で、監督はただちに青瓦台《チョンワデ》（大統領官邸）に招かれ、大統領から激賞の言葉を受けた。メディアは大騒ぎをし、経済学者から精神科医までがコメントを発表した。撮影場所となったソウルの下町の一角が観光名所となった。日本でも配給が決定するや、自称韓国映画通のジャーナリストたちが大はしゃぎ。社会学者は「日本では想像もつかない」韓国社会の階級格差について熱心に論じた。ヨン様ブームから16年、ヘイトスピーチが横行し、嫌韓本が書店の店頭を賑わせる今日この頃、韓国映画が日本でこれほど話題になるとは誰も考えていなかった。

『パラサイト』は大都市ソウルにあってとりわけ貧困地区に住むキム一家の物語である。父親ギテクは台湾食品の事業が失敗し、現在は失業中。母親チュンスクは挫折したスポーツ選手。息子ギウは浪人生。娘ギジョンも美大入試に落ち続け、行き場所がない。一家が住む半地下の住居は日当たりが悪く、湿気と悪臭が籠っている。夜になれば酔っ払いが窓に向って立小便をし、嵐の日には氾濫した水が押し寄せてくる。だがそんな希望のない生活が、ひょんなことから大転換を遂げる。ギウがIT会社のパク社長の娘、ダへの家庭教師を引き受けることになったのだ。

疑うことを知らない女子高校生ダへは、たちまちギウに好意を寄せ、その意のままに操縦されるようになる。それを知った一家は、これを機に全員で社長一家を乗っ取ろうと考える。とはいえ目障りになるのは、一家を取り仕切る古参家政婦と運転手だ。ギジョンは帰国子女のフリをして社長の幼い息子の絵を褒め、社長夫人の信頼を得るや、美術の家庭教師として家に入り込む。兄妹は二人の邪魔者を追放すると、その後釜に自分の父親と母親を送り込む。社長一家が旅行に出かけるとなれば、無人の豪邸を占拠して大宴会を開く。

もっともこの豪邸には秘密があった。著名な建築家が自宅用にと建てたとき、北朝鮮の侵攻を怖れて地下深くに避難所が設けられていたのだ。建築家は家政婦を新しい主人であるパク社長に託すと、パリに移住してそのまま帰らない。秘密とは、その家政婦の夫が事業に失敗して、こっそり地下室に住み続けていたことである。この元家政婦が大宴会の最中に突如帰還し、キム一家の悪計を発見してしまう。そこに旅行を取りやめた社長一家が戻ってきたあたりで、物語は混沌に向かって走り出す。地下から這い出してきた元家政婦の夫。こうして残酷な惨劇が開始される。結果として社長とギジョン、元家政婦の夫が惨殺される。もっともギテクは運よく地下室に身を隠し、その後もしぶとく生き延びる。

ブラックユーモアに満ちた、壮絶なドタバタ喜劇である。現代の韓国社会に横たわる貧富の差、階級の違いをここまであからさまに描いたフィルムはなかったというのが、韓国での一般的評価であった。日本映画では人権問題もあって、ここまで徹底した描写はできまいというのが、日本の評論家の感想であった。だが細部を眺めてみると、富裕階級の代表のように描かれているパク一家にしても、一代限りの成金にすぎないと判明してくる。社長夫人は対話に英語を挿むのが癖という「国際人」なのだが、実をいえばインスタントの炸醤麺に目がなく、そこに最上級の牛肉をトッピングするのが大好きという設定。要するに韓国には貧乏人と成金しか存在していないというのが、このフィルムの冷酷なメッセージである。

『パラサイト』が次々と国際的な栄誉を勝ち取っていくのを日本から眺めながら、わたしは隔世の感に耽っていた。1980年代初頭から韓国映画を紹介し、上映活動に関わってきた者としては、ああ、ついにこの日が来たかという思いがしないでもない。とはいえ素直に喜べないところがないわけではない。以下に監督ポン・ジュノの作品を順繰りに追いながら、今回の『パラサイト』騒動に接近してみようと思う。

2000年、無名の新人監督による『フランダースの犬』なるフィルムが公開されると聞いたとき、わたしはソウルの中央大学校で教鞭をとっていたが、ひょっとしたら……という期待を感じた。『フランダースの犬』とは日本で1975年に制作されたTVアニメである。韓国では翌年にTV

放映。その後もしばしば再放送されてきた。イタリアを含め、世界の多くの国に配給されたこのアニメを見て育った世代が、いつかは韓国映画に出現するはずだと漠然と期待していたところ、まさにその題名を用いた作品が登場したのである。わたしは刮目して映画館に通った。大がかりな作品ではなかったが、独自のユーモア感覚があり、こいつはなかなかやるなと直感した。監督が1969年生まれだと聞いて納得がいった。彼はきっと7歳のとき、TVで日本アニメを見ていたはずだと確信したのである。

『フランダースの犬』（邦題は『ほえる犬は噛まない』）の舞台は、ソウルにある巨大団地である。いつまでたっても大学では非常勤講師止まりで、身重の妻を前に悩んでいる青年がいる。アパートでは犬がうるさく吠えている。青年は頭に来て子犬を摑まえると、地下室に閉じ込めてしまう。愛犬がいなくなったと知った飼主は管理事務所に相談。事務の女性はただちにビラを作成し、犬探しを開始する。

自分の犬嫌いが思いがけない事件を引き起こしたと知った青年は、犬を放してやろうと決意する。だが地下室に戻っても犬の姿はない。団地の雑役係の老人が犬鍋にして食べてしまったのだ。しかもその犬は、そもそも青年を苛立たせたのとは別の犬だった。かくするうちに団地内で犬が失踪するという怪事件が頻発する。女性事務員は懸命に犯人を追及するのだが、なかなか犯人は捕まらない。そのとき青年がかつての大学仲間とカラオケに行った帰り、ふと一人で口ずさむのがアニメ『フランダースの犬』の主題歌である。

『フランダースの犬』は地味な作品である。大規模な制作費をかけ、派手なアクションで見せる『シュリ』や『ＪＳＡ』といった大作ではない。とりたてて美男美女が駆けずり回るといった物語でもない。どこにでもいる普通の韓国人の、ささやかな心の動揺と誠実さが、ブラックユーモア仕立てで描かれている。もっとも今にしてみれば、地下室の主ともいうべき老人が、団地建設の際に口封じで殺されたボイラー修繕技師の幽霊が出るといった、嘘とも真実ともつかない怪談を延々と話し出したときに、気が付くべきであった。ポン・ジュノは後に『パラサイト』で地下室と監禁という主題を執拗に描くようになるが、デビュー作の時点で早くもこの抑圧空間に拘泥していたのだった。

第2作『殺人の追憶』(2003)は、一気にシリアスな刑事ものとなった。ポン・ジュノは現実に華城《ファソン》で生じた連続殺人事件をヒントに、一人の無実の青年が冤罪に巻き込まれていく過程を克明に描写している。知的障害をもった焼肉屋の息子が、あるとき突然逮捕され、激しい拷問によって自白を強要される。だが犯人は別にいて、事件が迷宮入りして短くない歳月が経過した後、フラリと犯行現場を再訪したのを目撃されていたことが判明する。どうやら警察が社会的弱者を無理やり犯人に仕立てあげていくというのは、日本も韓国も違いがないようだ。このフィルムを最初に観たとき、わたしはてっきり狭山事件にヒントを得たのではないかと疑った。取り調べと供述捏造の過程があまりにも似ていたからである。ポン・ジュノの意図は明白である。社会の周縁に生きることを強いられている無実の人間が、監禁と脅迫によってさらに追い詰められ、抹殺されていく過程をつぶさに描くことだ。ちなみにこのフィルムでダメ刑事を演じたソン・ガンホは、それ以来、『パラサイト』に到るまで、ポン・ジュノの多くの作品で主役を演じることになった。

『グエムル　漢江《ハンガン》の怪物』(2006、原題は単に『怪物』)は、2000年代の韓国映画において記録的なヒットとなった。朝鮮戦争休戦以後、韓国人がアメリカに対していかに屈辱的な立場を強いられてきたかを考えたとき、はじめてその細部の意味が立ち上がってくるような作品である。

物語は2000年2月、米軍基地内の化学研究室が、秘密裡に化学兵器の試作品の毒物を、ソウル市内を横切る漢江《ハンガン》に廃棄処理したところから開始される。川底で眠っていた一匹の爬虫類がその毒物を摂取し、見る見るうちに巨大な怪物に成長する。たまたまこの大河の川縁でキオスクを経営する一家の娘、中学生ヒョンソが、怪物に拉致されてしまう。父のカンドゥは、彼女を助けようとして失敗。逆に怪物に接触したという理由から病院に監禁され、危うくロボトミー手術を施されそうになる。政府としては米軍基地のスキャンダルを封印するために、怪物がウィルスを撒き散らしているという虚偽の情報を流し、関係者の存在を隠蔽する必要があるためだ。こうして米軍、政府、メディアが一体となって、カンドゥの口封じを試みる。

カンドゥは病院から脱走すると、怪物に対し徹底抗戦を誓う。一家の大事を知って、それまでバラバラに暮らしていた家族が戻って来る。老いたる祖父は射撃の腕に長け、妹はアーチェリーに秀でている。弟は火炎瓶の専門家だ。一家の団結の前に、とうとう怪物は猛火に包まれて絶命する。だがヒョンソは戻らない。

アメリカの化学兵器が契機となって怪物が誕生するという設定は、第五福竜丸事件が直接のきっかけとなって制作された日本の『ゴジラ』を連想させる。だがポン・ジュノはさらに隠された記号を、フィルムの随所に散らばらせている。ヒョンソが最初に登場するとき、画面には「2002年6月」という字幕が流れる。日本人は気づかないが、韓国人ならばただちにその意味を感知するはずだ。誰もが日韓ワールドカップに夢中になっていたこの月こそは、米軍の装甲車が狭い道を進み、逃げ場を失った二人の女子中学生が轢き潰されるという事件が生じた月であったからだ。カンドゥが娘を守ってやれなかったと慚愧の涙を流すとき、韓国の観客は怪物の脅威とはアメリカの隠喩であることをただちに読み取った。これは純然たる反米映画である。

一家の面々はそれぞれに韓国現代史を代表している。父親は60年代にヴェトナム戦争に従軍体験のある古参兵であり、弟は90年代の学生運動華やかなりし頃の闘士のようだ。妹は新時代の強い女性でありながら、一方で古い伝統文化を継承している。約《つづ》めていうならば、一家は韓国の庶民の歴史的全体験を賭けて、米軍と政府、病院とメディアという「国家のイデオロギー装置」（ルイ・アルチュセール）に対し敢然と闘争を挑むのだ。

『グエムル』の一家には母親が登場しない。それを奇妙に思っていたところ、ポン・ジュノは別個に母親と息子の物語を構想していた。『母なる証明』（2009、原題は『マザー』）は、まさに母親という問題に向き合ったフィルムである。知的障害をもった無垢の青年の受難という点で、この作品は『殺人の追憶』の延長にある。彼は悪友に騙され、無実の罪を被ったことがあった。たまたま気を惹かれた少女がいたので、フラフラと後をつけていったところ、彼女が翌日に死体で発見される。警察は青年をただちに逮捕。母親は半狂乱になって息子の無罪を訴えるが、誰も相手にしてくれない。そこで彼女は証拠となるはずの少女の携帯電話を探し回る。そればかりか、阿漕な手つきで金を得たかと思うと、問題となった悪友の家に無断で侵入したり、法律などお構いなく息子を助けようとする。そのうちに判明してくるのは、息子が5歳のときの事件だ。母親は無理心中を試みて失敗。息子は彼女が自分を殺そうとしたと知って、それが原因で深い心理的外傷を受けてしまった。『母親は息子を庇護し、息子を守る一面で息子を支配し、文字通り呑み込んでしまおうとしたのだ。『母なる証明』ではこうした母親のもつ危険な側面が、狂気と隣り合わせのかたちで描かれている。忘れてはならないのが監禁という主題であり、それが深層意識と結合することで、このフィルムに深みを与えている。

2010年代に入ってポン・ジュノは、「世界化《セゲファ》」（韓国ではグローバリゼーションをそう呼ぶ）の高波に乗ろうと積極的に行動を始める。ハリウッドで『スノーピアサー』（2013）を、続いて『オクジャ／Okja』（2017）を監督する。前者は厳密な階級社会である近未来を舞台に、貧困層が富裕層に対し叛乱を起こし、少女と男の子の二人を除いて全員が破滅するというSFである。後者は韓国山中で巨大な豚と親しく暮らしていた少女が、豚をアメリカの大企業に奪われ、その奪還のため孤軍奮闘するという物語。これはちょうど『グエムル』のプロットを反転させた造りとなっている。今にして思えば、この二作は来たるべき『パラサイト』のための布石であった。『パラサイト』は文字通り、満を持して制作されたのだ。

『パラサイト』には、『グエムル』に顕著だった反米意識と韓国現代史への言及は、微塵も存在していない。加えて主題であるはずの貧困にしても、けっしてリアリスティックに描かれていないことを指摘しておくべきだろう。日本の無邪気なジャーナリズムはともすれば、ポン・ジュノは韓国社会の矛盾を余すところなく描いたという論調に傾きがちなのだが、韓国的貧困の真実はより深刻であり、かかるステレオタイプの描写の連続で了解のできる性質のものではない。現実に半地下に住む韓国人がこのフィルムを愉しむことはまずありえないが、彼らの住居は映画とは比較にならないほど狭い空間である。韓国の貧困とは、このフィルムが描くように生易しいものではない。ギジヨンという妹は、もし一家が真に経済的に貧窮しているのであれば、兄の学費のため危うい性的な接客業に向かうというのが筋だろう。80年代に到るまで、韓国映画はそうした女子転落物語を飽きるほどに描いてきた。もっともポン・ジュノは映画をそうした方向へと向けようとしなかった。彼は観客が安心して「より貧乏な韓国人」の生活を観光できるように、悲惨と貧困に見えないフレイムワークを施した。

『パラサイト』は低所得者層の韓国人の大怨恨をぶちまけた形で幕を閉じる。観終わった韓国人の半分は爽快感に満足し、残りの半分はどことなく居心地の悪い気持ちを抱きながら、それでも韓国映画がみごとに「世界化」したことに満足した。アメリカ人はドタバタアクションに笑い転げ、日本人はついその前年に同じカンヌ映画祭でグランプリをとった日本映画『万引き家族』と比較して、今さらながら日本人と韓国人のメンタリティの違いを思い知らされた。『パラサイト』は安全地帯にいながら、安心して観ることのできる貧困観光であり、痛快な怨恨復讐劇であった。結果としてこの作品は、韓国人のルサンチマンの強烈さをステレオタイプにして、世界的に強烈に印象付けることになった。

だが、はたしてこれでよかったのだろうか。わたしには若干の躊躇がないわけではない。というのも、李晩熙《イマニ》のような映画監督がかつて1960—70年代に好んで描き、李御寧《イオリヨン》のような知識人が地道な努力を重ねながら説いてきたように、韓国人の基本感情である「恨《ハン》」とは、ルサンチマンとは一線を画すものだからである。

李晩熙は独自の人物造形を行なった監督であった。『帰らざる海兵』では、朝鮮戦争時に中国人民軍と戦った韓国側の分隊長が最後に、「自分は良き父親、良き夫になりたかったのに」と涙声で語る。『森浦《シンポ》への道』では、それぞれに複雑な過去を背負った三人の男女が故郷を目指すが、現実の故郷に着いたときに深い喪失感を体験する。こうした満たされなかった願い、承認されなかった希望こそが、李監督が生涯をかけて描いてきた韓国人の人生観であった。

また、あたかもこの李晩煕のフィルムを受けとめるかのように、李御寧は比較文化学の観点に立った『恨《ハン》の文化論』（学生社、1978）のなかで、「恨」とは「かなえられなかった望みであり、実現されなかった夢である」として、他人から被害を受けたことで生じる「怨み」とは峻別されるべきであると説いている。「怨みは熱っぽい。復讐によって消され、晴れる。だが、『恨』は冷たい。望みがかなえられなければ、解くことができない。怨みは憤怒であり、『恨』は悲しみである。だから、怨みは火のように炎々と燃えるが、『恨』は雪のように積もる。」

ポン・ジュノは、李晩煕と李御寧にいかなる意味でも債務を負っていない。1970年に生まれ、386世代の末席に身を置く彼にとって彼らとは、朴正煕の軍事政権下に広い世界を見ることなく終わった、不運な旧世代以外の何ものでもない。『パラサイト』は韓国社会に伝統的な、こうした繊細にして微妙な世界への視座をブルドーザーのように踏みつぶし、憎悪と怨恨による階級転倒劇を、きわめてグロテスクな形で増幅してみせた。それはそれで痛快なことといわねばならない。彼は地上のいかなる民族にも増して韓国人がルサンチマンの民であるという紋切型の認識を、全世界的な規模で拡散させることに成功したのだ。

半地下の生活を強いられている韓国の貧困層の映像はこうして単純化され、観光的な眼差しのもとに消費されることになった。世界中の観客は韓国の成金と貧困層のドタバタを他所事として、笑いながら見物した。そして韓国映画はアカデミー賞という「最高の栄誉」に輝いた。とはいえ、その代価を韓国と韓国映画はいずれ払うことになるだろう。それは確実なことなのだが、具体的にどのような形をとることになるのか、今のわたしはまだ想像することができないでいる。

（『中央公論』２０２０年５月号）

蚕室四洞薔薇アパート《チャムシルサドンチャンミ》

ポン・ジュノ2

窓からは、土手の向こうに漢江《ハンガン》が見えた。

河原は広々とした草叢になっていて、その端を水が流れている。源は北朝鮮であり、金剛山のわきを通って休戦ラインを越え、いくつかのダムを潜ってソウルに到り、仁川から黄海京畿湾へと流れ込む大河である。幅はほぼ一キロ。「大橋」と呼ばれる橋が何本か掛けられているのだが、橋のたもとには検問所が設けられていて、若い兵士に誰何《すいか》されることがある。橋とは軍事施設なのだ。

1979年4月、3月の新学期からひと月遅れでソウルに到着したわたしは、漢江の岸辺、蚕室四洞に林立するマンション群に一部屋を借りて暮らし始めた。勤務先の大学は河を隔ててすぐの場所にあり、バスに乗れば10分もかからない。わたしはそこで週に二日、日本語の会話と文学書の講読を担当すればよかった。

林立するマンション群と書いたが、そんなものが最初からあったわけではない。「薔薇アパート」というこの一画は、70年代の半ば、つまりつい直前に建てられたばかりだった。まったく同じような集合住宅が十棟ほどで自己完結的な小さな町を作り、そのなかに幼稚園や公園、それに小さな購買部が設けられていて、ひとつの完結した世界を形成している。韓国で最初の高層マンション街だとのことで当初から評判となり、TVや映画の撮影にときどき用いられていた。その七棟の四階に住んでいる一家に、兵役に行った息子のために一部屋が空いているというので、わたしはそこに下宿することにしたのである。

薔薇アパートから道路を隔てたところには、60年代に建てられたと思しき、三階建てのアパートが十棟ほど存在していた。エレベーターもない団地である。高層マンションの上階から眺めると、その汚れて傷んだ外壁がいかにも貧相で惨めに見えた。この二種類の集合住宅の間には、「漢江の奇跡」と呼ばれる朴正熙政権時代の驚異的経済成長が横たわっていた。

高層マンション街の南側は、見渡すかぎり何もなかった。鉄条網に囲まれた次のマンション建設予定地があり、そのかたわらにできたばかりの郵便局がぽつねんと建っているだけだった。残余は一面の更地で、風が吹くと土埃が舞った。わたしは広々とした道路に標識だけがある停留所からバスに乗り、大学へ通った。

わたしは毎日、漢江を眺めながら暮らした。

マンション街から流れを遡り、少し東に歩いていくと、ほどなくして畑地になる。昔ながらの農村がどこまでも拡がっていた。大樹の下に広場があり、白い顎鬚に韓服姿の老人がのんびりと歩いている。わたしが薔薇アパートに滞在したのは一年ほどに過ぎなかったが、その間にスーパーマーケットが建設された。近隣の農村から山羊を引連れて見学に来た農民たちへの対応に、店員たちは大わらわだった。

わたしはどうしてこんな40年以上前の思い出を書いているのだろう。話は簡単である。ポン・ジュノが同じアパートに住んでいたからだ。

ポン・ジュノは１９６９年に、美大教師を父親として生まれた。10歳のとき一家は建てられてまもない薔薇アパートに移った。わたしの入居と同年である。彼はここで中学高校を過ごした。父親の職業のこともあり、家には画集や美術関係の書籍がふんだんにあった。それを眺めて育った少年は、漠然と漫画家になることを夢見、やがて延世大学で社会学を専攻した。

いくつかの短編を撮った後、２０００年に『ほえる犬は噛まない』（原題は『フランダースの犬』）で長編映画の監督としてデビュー。韓国映画界にニューウェイヴが出現し、世界的脚光を浴びようとしていた年である。ポン・ジュノは第一作でこそ商業的成功を収めなかったが、次作『殺人の追憶』（2003）はその衝撃的な内容も相まって大きな評判を得た。だが彼を国民映画監督の地位に引き揚げたのは、２００６年に撮られた『グエムル　漢江の怪物』（原題は『怪物』）だった。それ以降のことは、ここでわたしが繰り返すまでもないだろう。ポン・ジュノは３８６世代（後に５８６世代）の最年少の監督として韓国現代史の裏側を見つめるフィルムを撮り続け、２０１０年代には「世界化《セゲファ》」の波に乗ってハリウッドへ進出。２０１９年以降、『パラサイト　半地下の家族』で、カンヌ映画祭パルムドールとアメリカのアカデミー賞という、二つの国際的栄光に輝いた。

だがわたしがここで書いておきたいのは、そのような、誰もがすでに知っているようなサクセス・ストーリーではない。まだ海のものとも山のものともつかなかった一人のシネフィルの青年が、自分を育みそだててきたソウルの〈風景〉から何を受け取り、それを元手として映画的物語を構築して行ったかという来歴の物語である。

『ほえる犬は噛まない』は巨大な高層マンション街を舞台としている。

大学で非常勤講師を務めるユンジュは、隣家の犬の鳴き声が気になって仕方がない。身重の妻を抱え、来年こそは専任講師の地位に就きたいと願うのだが、そのためには教授のためにそれ相当の謝礼を準備しておかなければならない。彼は焦燥感に駆られると問題の犬を摑まえ、マンションの地下倉庫に閉じ込めてしまう。とはいえ犬の鳴き声は相変わらずやむ気配がない。ユンジュが捕えたのは、実は別の犬だったのだ。彼は良心の呵責に苛《さいな》まれ地下倉庫を再訪するが、そこにはもう犬の姿はない。地下室には常勤の用務員がいて、さっそく犬を鍋にしてこっそり食べてしまったのだ。

それ以来このマンションでは、次々と犬が行方不明となる。管理事務所に非正規で雇われているヒョンナムは、住人たちから飼犬の行方を捜してほしいと依頼され、ビラを作成して街路に貼ったり、孤独な老女の相談に乗ったりする。ここで犬を唯一の生きがいとしている老女が登場するが、これは明らかにデ・シーカの『ウンベルトD』に着想を得ている。ポン・ジュノのシネフィルぶりが窺われる細部である。

犬失踪の犯人は、どうやら犬に憎しみを抱いているようだ。ヒョンナムは謎の男が屋上から犬を放り投げるのを目撃し、彼を懸命に追いかける。ほとんど区別のつかない巨大マンションの通路と階段を舞台に、壮絶な追跡劇が展開されるが、すんでのところで犯人を捕らえ損なってしまう。

ところでヒョンナムはこの追跡の途上で、地下室に巣食う浮浪者の男性を発見する。彼もまた用務員と同じく、犬を捕らえると、屋上で犬鍋にしようとしていたのだった。現場を発見された浮浪者はヒョンナムを追い駆け、ここでも先のものと同じ通路と階段を舞台に壮絶な追跡劇が演じられる。前回と違うのは、追う側の女性が追われる側に廻っていることだ。いずれの場面も延々と続く。どの階の通路と階段も、そしてどの通路に面した個々の家の扉もまったく同一で、観ている側としてはスリルとも眩暈ともつかない不思議な気分に陥ってしまう。どこをどう走っているのか、はたしてこの追跡劇には終点というものがあるのかという問いが、空間の匿名性のなかで消滅してしまうのだ。

追う者と追われる者という構図はフィルムの結末部で、ユンジュと知り合いになったヒョンナムが、いっしょに親し気に話しながらも、彼から少し遅れて歩いて行く場面でも反復される。その後ろ姿と歩き方から、犬を屋上から放り投げた犯人は明らかにユンジュだと判明する。だがヒョンナムは直接彼にむかってそれを口にしない。はたして彼女がそれに気付いているのか、いないのか、曖昧なままにフィルムは幕を閉じる。何とも後を引くフィルムである。この未解決感は、その後『殺人の追憶』でさらにいっそう強調されることになるのだが、『シュリ』や『ＪＳＡ』といった派手しいアクション映画の目立った初期のニューコリアンシネマのなかで、ポン・ジュノの位置を独自のものにすることになった。

『パラサイト』が話題になった後でもう一度、『ほえる犬は噛まない』を見直してみると、もうこのデビュー長編においてポン・ジュノの空間的偏愛が明確に登場していることが判明する。端的にいって、それは地下室に巣食う異人という主題である。

『ほえる犬は噛まない』には、地下室をめぐって三人の人物が登場している。一人目は常勤の用務員である。二人目はこの用務員の思い出話に登場する、伝説的なボイラーマンである。彼はマンションの修理を依頼され遠路より到来すると、ただちにその手抜き工事を見抜き、そのせいで謎の死を遂げてしまう。その死体が今でも壁に塗り込められたままだと、用務員はユンジュに語る。三人目は本物の浮浪者で、どうやら知的障害者であるらしい。犬を捕えてきては鍋にして食用にすることをつねとしているようで、現場を発見したヒョンナムを追いかける。だが攻撃的な悪心があるわけではなく、ただ人目を避けて地下に隠れ住む異人にすぎないと判明する。

地下をめぐる偏愛は『殺人の追憶』でも、真犯人が再訪して覗き込む犯行現場である下水溝として継承されている。だがそれが全面開花するのは、いうまでもなく『パラサイト』である。『パラサイト』とは、この地下に隠れ住む異人が地上に出現したことで生じるスラップスティック劇に他ならない。まず旧世代の富裕層であった人物が邸宅を建て、韓国を捨てて外国へ行ってしまう。そこに成金のＡＩ長者の一家が移り住み、絵に描いたようなヤッピーライフを始める。次に半地下住宅に住む一家が彼らを騙して、勝手に家に上りこんで宴会を開くと、二階建ての階段を上る快感を体験する。最後にこの邸宅が建てられた直後から地下の奥深くに隠れ住んでいた人物が、ふらふらと地上へ現われ出、むごたらしい惨劇が生じる。地下のこの人物は邸宅全体の起源に関わる人物であり、その意味で『ほえる犬は噛まない』で人柱のように生命を絶ったボイラーマンの反復ともいうべき存在である。

だがポン・ジュノにはもうひとつ、空間的な偏愛が存在している。それは巨大マンションの通路と階段だ。『ほえる犬は噛まない』を２０００年にソウルで初めて観たとき、わたしは監督がてっきり薔薇アパートで撮影をしたのではないかと疑った。ヒョンナムが追跡劇を繰り返す通路と階段は、わたしが21年前に毎日行き来していたそれに瓜二つであったためである。そこで気になって地下鉄に乗り（そのころにはすでに蚕室行きの地下鉄が開通していた）、薔薇アパートを再訪してみた。アパートは建てられて20数年の間に恐ろしい速度で老朽化していて、最上クラスとしての高級マンションから脱落してしまっていた。後になってわたしは、ポン・ジュノが撮影に使用したのは、当時自分で住んでいた巨大マンションショッン街であると知った。とはいえわたしの記憶のなかでは、二つの巨大マンションは驚かんばかりに似通っている。監督はかつて自分が少年時代を過ごした場所の記憶に基づいてこのフィルムを撮影したのだと、わたしは確信した。

『グエムル』は、漢江への愛に満ちた作品である。ここでは大河の岸辺に小さなキオスクを開いている中年男の一家に、思いもよらぬ厄難が襲いかかる。水中から突如として現われた怪物に、中学生の一人娘が拉致されてしまったのだ。政府もメディアも助けてくれぬと知った男は、一家総出で怪物を退治しようと決意する。漢江に掛けられた大橋の壁を巨大なゴキブリのようにすばやく走り回る怪物を射止めようと、男の老いたる父親はライフル銃を、弟は火炎瓶を、妹はアーチェリーをもって対戦する。韓国現代史に照らしあわせてみれば、そのいずれもが韓国のヴェトナム派兵、80年代の民主化闘争、女性運動を体現している人物であることがわかる。だがそうした政治的換喩はさておいて、このフィルムで何よりも興味深いのは漢江とそこに掛けられた大橋の風景である。

小学生のポン・ジュノは、毎日薔薇アパートの子供部屋から漢江の岸辺を眺め、同級生たちと河原で遊んでいたのだろうと、ついわたしは想像してしまうのである。

（『別冊文藝　ポン・ジュノ』２０２０年8月）

韓国映画の安易なナショナリズム

1

日本の旧植民地、韓国と台湾で制作された二本のフィルムを観た。いずれもが植民地時代に日本に留学し、無名のまま詩作を続けた青年たちを描いている。だが作風は対照的であり、映画としてまったく異なった印象を与える。

イ・ジュニクの『空と風と星の詩人　尹東柱の生涯』(2015)は、間島（現在は中国東北部）に生を享け、立教と同志社に学んだ詩人、尹東柱《ユンドンジュ》(1917—45)を主人公としている。尹は「死ぬ日まで天を仰ぎ／一点の含羞《はじらい》のなきを」という詩を遺して、「内地」へ留学した。東京から京都へ。やがて治安維持法違反で懲役二年の刑を受け、福岡刑務所に投獄された。彼は祖国の解放を見ず、27歳で生涯を閉じた詩人である。韓国が植民地主義から解放されると、彼が遺したノートをもとに詩集が刊行された。彼は今では抵抗詩人として神話化がなされ、韓国中の中学生が宿題で暗誦を強いられている（インターネットを開くと、いくらでもお笑いパロディが登場する）。

黄亞歴《ホアンヤーリー》（アレクサンダー・ホアン）の『日曜日の散歩者　わすれられた台湾詩人たち』（2015）は、楊熾昌、李張瑞、林英修、張良典といった、１９１０年代前半に台南に生まれた青年たちが１９３３年に設立した「風車詩社」の文学運動を取りあげている。彼らの多くは東京に留学し、ヨーロッパの前衛芸術運動の思潮に触れた。慶應義塾で直接、西脇順三郎の薫陶を受けた者もいた。帰台後、彼らはガリ版刷りの同人誌「風車」を発刊し、台湾での先鋭的なモダニズム文化の一翼を担った。韓国で国民詩人に祀り上げられた尹東柱と比べるならば、彼らの活動は、国民党政権下での台湾では、ほとんど知られることがなかった。運動が長く続かず、メンバーが国民党政権下の大虐殺の折に入獄し、なかには銃殺刑に処せられた者もいたという悲惨な事情が、そこには影を落としている。今日の台湾文学史のなかで「風車詩社」は、近代詩の開始時に生じた、何か奇跡のような事件として考えられている。

わたしは『空と風と星の詩人』には残念なことに、韓国社会をイデオロギー的に支配しているナショナリズムしか認められなかった。日本を舞台としながらも、日本を無視する姿勢で映画を作っている。制作スタッフと監督は時代考証に念を入れたといっているが、それは嘘で、30年代の日本についてほとんどリサーチをしていない。というよりリサーチを拒否して、韓国で流通している粗雑なステレオタイプを再生産している。主人公を取り巻く朝鮮の知識人は例外なく高潔な民族主義者であり、悲しみの眼で自国語での文学創造の行く末を眺めている。尹東柱はもっぱら19世紀イギリスの詩篇を口遊み、自作の英訳のロンドンでの出版を夢見ている。彼が三好達治と『四季』を深く読んでいたという事実は、まったく無視されている。かたわらには彼を尊敬してやまない日本人の美少女がいる。最後に彼は刑務所内の生体実験で殺害されてしまう。ちなみにそれが風評にすぎないと冷静に判断した金時鐘《キムシジョン》氏は、その浩瀚な尹東柱伝のなかでは一顧だにしていない。生体実験云々は現在でもまったく検証されていない噂の域を出ないのだが、映画は無理やりに彼を抗日英雄として顕彰したいために、あたかも歴史的事実であったかのように描いている。

わたしは尹東柱の詩について以前にもエッセイを執筆したことがあり、このフィルムには強い期待を抱いていた。だが見終わって、いささか当惑し、いや、はっきりいって嫌なものを感じた。清廉潔白な夭折者にして抵抗詩人としてつとに神話化されてきた人物に、さらに神話化を施すことに何の意味があるのだろうというのが、正直なところ、わたしの感想である。

映画史家としてわたしは、長い間、疑問に思ってきたことがあった。韓国映画に日本人が登場する場合、男はかならず悪役であるが、女はつねに韓国人に同情的で、慈愛に満ちた美しい存在なのである。皇民化運動時代の『君と僕』（日夏英太郎、1941）から『玄海灘は知っている』（金綺泳、1961）を経て、2000年代の大山倍達や力道山の伝記映画までこの半世紀この方、植民地下の朝鮮人青年が非道な目に出遭うとき、その側にはかならず貞淑そのものといった雰囲気の、日本人美少女が控えている。それが韓国映画の約束ごとなのである。おそらくこの謎を分析するには、フランツ・ファノンが『黒い皮膚、白い仮面』で分析した、アルジェリア人男性がフランス女性の肉体に抱く特殊な性的執着を参照例として引くことが必要となるだろう。

さて今回の尹東柱映画もやはり例外ではなかった。彼のかたわらには指導教授の愛娘が片時も離れず控えていて、二人はイギリス詩の話ばかりをする。だがそれにしても不思議なのは、ここで描かれている尹東柱は、日本に学びながら日本の近代詩にまったく関心を示さず、くだんの美少女を除けば、日本人とも日本文化ともいかなる接点ももとうとしない。観客は彼がどのような詩を書いているのか、ほとんど情報を与えられない。

軍事政権時代ならともかく、現在の韓国映画においてすら、日本などという国はない、日本文化に学ぶものはないという姿勢がイデオロギー的に護持されているのは、わたしにはひどく滑稽な感じがする。植民地主義が犯した罪悪という問題はさておいて、植民地下の朝鮮文学が日本の文芸思潮の圧倒的な影響のもとに成立したことは、文学史的に否定できない事実であり、映画制作者はそれをキチンと認めなければならない。成立したばかりの朝鮮近代詩がわずかに先行者であった日本の近代詩をモデルとしたことは、白秋の弟子であった金素雲《キムソウン》を始めとして、彼の周辺の朝鮮詩人たちのことを考えてみれば明らかではないか。朝鮮詩人たちは率先して自作の日本語への翻訳を金素雲に求め、金素雲はそれを『万葉集』以来の日本の古語と雅語を用いて翻訳し、日本語の詩として遜色ないものにしようと努めた。これが尹東柱の生きた時代の、朝鮮詩の状況である（四方田犬彦『翻訳と雑神』〔人文書院、2007〕における二篇の金素雲論を参照）。『空と風と星の詩人』は、どうしてこうした限界状況に眼を向けようとしないのか。ワーズワースを暗誦し、日本には詩など存在しないと嘯《うそぶ》くかのような青年を描くだけでよいのか。この作品は外部から受難と抵抗の神話を更新することはできても、詩を書くという実存的行為そのものを見つめてはいない。

台湾の『日曜日の散歩者』からはまったく異なった印象を受けた。実をいうと、この作品は企画の段階で個人的に相談を受け、戦前の日本詩について監督に助言した立場にあるので、あからさまに絶賛することは憚られるのだが、掛け値なしにいって、これは静謐さに満ちた、美しい作品である。意図的に採用された色彩の禁欲性と、オブジェのように精密に演出され、不思議な静物画たらんとする映像の集積が、瀧口修造の言葉を借りるならば、「宇宙開闢説」を体現している。わたしが受け取ったのは、台湾という視座から眺めた日本のモダニズム文化運動への共感と批判であり、それは新鮮な驚きであった。台湾の文学青年たちは何語で詩作すべきかという問題に深く悩み、台湾文学が日本の一地方文学に成り下がってしまうのではないかという危惧を抱きながらも、宗主国の首都で起きていた前衛詩運動に触発され、「宇宙に等しいまでに広大な食欲」（ボードレール）をもって詩作に携わった。それを主題とした監督もモダニズム文化の黄金時代を前に、同様の欲望を投射していることが、作品を通して見て取れた。

だがそれだけではない。このフィルムでは当時の台南と銀座の都市映像にパリのそれが絡み、西脇や高橋新吉、古賀春江、ＭＡＶＯ、衣笠貞之助の映画といった夥しい映像の断片の間に、パリのシュルレアリスム運動の映像が重なり交差しあう。そのときわれわれは、「前衛の時代としての１９２０年代」という神話が実はヨーロッパに限定されたものではなく、東京を経由して、台湾の南方にまで到達していたという事実に、驚きと感動を感じるのである。文化における世界的同時性は、１９６８年を待たずとも、１９３０年代初めに植民地の小さな知的共同体のなかで、すでに成立していたのである。

韓国と台湾という旧植民地で奇しくも同じ年に制作された二本のフィルムが、かくも異なった印象を与えるという問題は、それぞれの社会の映画史のみならず日本文化受容史の問題として、丁寧に検討されるべきだと思う。韓国映画は日本詩の存在にいっさい言及しないことで、美しき受難物語を民族の神話として再生産してみせた。台湾映画は当時最先端の日本詩に言及し、さらにその背後にあるヨーロッパの芸術思潮に眼差しを注ぐことで、美学的な世界同時性へと向かおうとしている。前者は偏狭なナショナリズムの神話の感傷的な更新であり、後者は開かれた美学原理の創造である。

2

「クッポン映画《ヨンファ》」という言葉を韓国の映画評論家から教えてもらったのは、朴槿恵《パククネ》政権がまさに終わろうとする頃だった。「国家《ククァ》」の「国《クッ》」に、覚醒剤「ヒロポン」を結合させた造語で、観客を過剰なナショナリズムへ誘い、陶酔感を体験させることを目的としたフィルムのことらしい。はじめてこの言葉を聞いたときには、ずいぶんドギツイ表現だなあという感想をもった。そこには明らかに、軽蔑的な意味合いが込められている。

かくするうちに日本にもそのクッポン映画がどんどん入ってきた。豊臣秀吉の朝鮮侵略をわずかの戦艦で打ち破った李朝の将軍を描いた『バトル・オーシャン　海上決戦』。20万人の朝鮮少女が慰安婦として日本軍に拉致され、その「英霊」が故郷に戻ってくる『鬼郷』。孤島に強制連行された朝鮮人が叛乱を起こす『軍艦島』。この数年、こうした韓国アクション映画が制作され、「観客最高動員数を更新！」といったキャッチのもとに日本にも配給された。多くは日本人は極悪、韓国人は英雄という単純な二分法にもとづく作品である。

やれやれ、また反日映画の季節になったのかと、わたしは溜息をついた。1970年代にソウルに長期滞在していたときにも、伊藤博文を暗殺した安重根《アンジュングン》の伝記映画や、東大生と京城帝大生のクンフー合戦といった反日映画はあった。もっともそれは国内で受容されるだけのローカル映画で、低予算早撮りのB級作品が大半だった。

ところが21世紀になろうとする手前で勃興したコリアン・ニューシネマには、日本はけして登場しなかった。『シュリ』『JSA』から『グエムル　漢江の怪物』まで、北朝鮮問題とヴェトナム戦争加担問題が言及されることはあっても、日本がアクチュアルな存在として参照されることはなかった。TVの韓流ドラマも同様。日本など存在していないようにメロドラマが進行した。逆に話題を呼んだのは、朝鮮戦争があったことを知らなかった山奥の村の喜劇やら、突然に金正日がソウルに出現し、韓国人の結婚式を祝福するといった喜劇映画である。そして2010年代になってすべてが一変し、クッポンの洪水となった。

どうしてこうなったのだろう。今、わたしは日本の植民地支配や侵略を描くことがよくないなど と、ネトウヨ的に非難しているわけではない。映画にとって歴史的表象は大切なことだ。ただ映画制作におけるモードの180度転換を、いささか不思議に思っているのである。

しばらく考えて、やはりこれは国家の政策に連動した現象だと判断した。韓国では映画はつねに時の権力の意向を窺い、それに追従する立場で制作されてきた。皇民化運動時代には日本の国家主義を信奉し、解放後はただちに大韓民国の国家主義がそれになり代った。朴正熙《パクチョンヒ》軍事政権時代に至っても植民地時代に制定された映画法は改められず、映画と国家の関係にはいささかの変化もなかった。前世紀の終りに大統領となった金大中《キムデジュン》は、日本の過去の侵略への言及には消極的で、もっぱら北朝鮮との和睦を説いた。すると映画産業はただちにそれに対応する作品を制作した。

だが2010年代に入り、従軍慰安婦問題が解決を見ず、レーダー照射問題、元徴用工訴訟問題……と、あっという間に日韓関係をめぐって問題が山積みになったとき、韓国の映画制作者はすかさず反日イデオロギーに飛びついた。これなら時流に乗っているし、マスコミも派手に囃し立ててくれる。第一、大統領閣下本人が、親日文化のさらなる清算を呼びかけている御仁だから、お墨付きを戴いたようなものだ。国家の基本政策を無条件に受け入れ、歴史を反日エンターテインメントとして演出して、どこがいけないというのか。こうしてクッポン映画のブームとなった。現実から遊離して久しい歴史をステレオタイプのカタログに作り直し、ナショナリズムを派手派手しく商品化する作業が、休みなく行われることになった。

1920年代に裕仁皇太子暗殺を計画した金子文子と朴烈《パクヨル》の物語がいよいよ映画になると聞いて、わたしは一瞬、期待を抱いた。安重根、金九から金載圭まで、20世紀の韓国史を創り上げてきたのはテロリストたちであり、彼らはスクリーンの上で英雄的に讃えられてきた。だがそこには、日本の吉田喜重のような、テロリズムをめぐる本源的考察が見られない。ひょっとして今回のフィルムが、このわたしの期待に応えてくれるのではないだろうか。わたしは無邪気にもそう考えたのである。

ただひとつだけ気懸りなことがあった。監督がイ・ジュニクという、いささか問題のある人物だったからである。この監督には前科がある。先にも述べておいたが、『空と風と星の詩人　尹東柱の生涯』という植民地下の朝鮮詩人の伝記映画のなかで、主人公の尹が、今日でも検証されず風評の次元にすぎない刑務所での生体実験の犠牲になったと、堂々とスクリーンで語ったことだ。

この伝記映画のなかでは、尹が同時代の日本詩歌に深く影響されたことは故意に伏せられている。日本には学ぶべきものはないという立場である。逆に彼には救国の英雄めいた理想化が施された。尹の傍らには、日本人の美少女が忠実に付き従っている。作品を観ていくと、この監督が1930年代の日本について何の知識ももたず、何の準備もしていなかったことが判明した。

『金子文子と朴烈』を観たときに、この気懸りは現実となった。

まず題名がハングルで登場する。「パクヨル」だけである。金子文子の名はどこにもない。それもそのはず、フィルムのなかでは彼女は、朝鮮人テロリストを愛する日本人娘にすぎないからだ。彼女は刑務所の看守の前で胸を開《はだ》けてみせ、訊問の場では「メイクラヴ」を賛美する。あちらこちらに媚態を振りまき、独立心旺盛で、法廷ではスラスラと天皇制批判の弁論を行う。そこには、現代韓国のフェミニストが理想とする女性像が具体化されている。しかも彼女は根本のところでは韓国人男性に付き従う。要するに今日の韓国のイデオロギーを完璧に体現した存在である。だがそのことに、わたしは強い違和感を抱いた。金子文子が獄中で執筆した壮絶な自伝をキチンと読んだ人なら、彼女の実存はとうていこんな生易しいものではないことを知っているはずだからだ。

時代考証の出鱈目さについては、いくらいってもキリがない。登場人物のほとんどは朝鮮人の善玉と日本人の悪玉に分けられているだけ。なぜ途中で髷を結ったサムライが登場し、朴烈に「豚の足」と罵倒されて退散するのかがわからない。しかし何よりも致命的なのは、このフィルムには、テロリズムとは何かという真剣で今日的な問いかけがまったく見当たらないことだ。

とはいえわたしには、時流に乗っただけのこんな軽薄な通俗フィルムはもう忘れてもいいように思われる。それよりもはるかに意義深いアクション喜劇映画が、この作品に先だって台湾で制作されているからだ。2014年に正月映画として大ヒットした『大稲埕《だいとうてい》』（葉天倫監督）のことである。1923年の皇太子裕仁の台湾訪問を機に、朝鮮のテロリストたちが暗殺を計画する。それに対し、議会制民主主義を施行せよと説く台湾人医師（実在の歴史的人物）が、なんとか暴挙を阻止しようと奮戦するというのが筋立てだ。テロリズムに抗する者たちの物語を悲痛な英雄神話で終わらせず、みごとにドタバタ喜劇映画に仕立てあげる台湾の映画人の聡明さに、わたしは感動を感じた。東アジア映画全体の状況を俯瞰したとき、わたしにはこの正月映画の方が韓国のクッポン映画よりもはるかに立派で大きなヴィジョンを提示しているように思われる。どうしてそれが日本で公開されないのか、残念でならない。

（『現代詩手帖』2017年9月号、『週刊金曜日』2019年5月31日号）

在日の映画表象の変化

わたしは1970年代の終りに軍事政権下の韓国に滞在し、帰国後に池袋西武の小ホール、スタジオ200を拠点として、韓国映画の連続上映を開始した。この催しは1980年代を通して何回か繰り返され、李斗鏞、林権澤、李長鎬といった監督たちを招聘し、登壇してもらったりした。監督たちはいきなり外国の映画祭に呼ばれ、自分が「作家」として扱われることに馴れていなかったが、韓国映画をめぐる興味深い話を次々としてくれた。

もっともわたしが一番好きだった監督、『馬鹿たちの行進』を撮った河吉鐘だけは、夭折してしまったので、会うことができなかった。わたしは韓国で刊行された彼の遺稿集のため、解説を執筆した。日本人だけど書いていいのかと尋ねると、いいんだ、河の映画を理解してくれる批評家は、誰でも世界人だと、編集した安柄燮教授がいった。彼はアンドレ・バザンの韓国語翻訳者だった。

1970―80年代の韓国には、日本人が知らないだけで、面白いフィルムがいくらもあった。その多くは弱小プロダクションによって、信じられないほどの悪条件のもとに制作され、反共を国是とする当局によって厳しい検閲を受けていた。だがそれでも映画を通して何かを訴えたいという監督たちの情熱を、誰も押しとどめることはできなかった。問題は日本人の観客の側にあった。当時の日本人は、韓国について関心をもっていなかったし、情報を得る手立てもなかった。ある高名なフランス映画通の評論家からわたしは、いったい韓国に映画はあるのですかと、真顔で尋ねられたことがあった。事情は韓国でも同様であった。日本の歌舞音曲はいっさい禁止されていたため、韓国人は黒澤明のことも、山口百恵のことも、何も知らなかったのである。

スタジオ200での韓国映画上映は、回を重ねるたびに少しずつ固定ファンが生れて来た。大晦日の夜に『義士安重根と伊藤博文暗殺』を上映したことがある。そのときは立ち見が出た。俳優の菅原文太さんがよくお忍びで来ていた。招待券を送りましょうかというと、「ま、いいから、いいから」と、腰低くいわれた。

あるとき、わたしは宣言した。

「あと20年待ってください。韓国映画は世界の最前線に出ていきますよ」

観客たちはわたしの言葉をポカンとして聞いていた。しかしそれはみごとに実現された。21世紀になって『シュリ』を皮切りに、『JSA』『友人　チング』と、韓国映画の新しい波が訪れたとき、わたしは自分の予言が的中したことを知った。やがてヨン様ブーム、『チャングム』ブーム、最近ではKPOPと、韓国の歌舞音曲が日本を席巻して久しい。というより、より正確にいうならば、韓国のサブカルチャーはもはや日本社会の内側に構造化されてしまったというべきであろう。四方田は大予言が当たり、丹波哲郎のようにニンマリとした。ざまあみやがれ。

こうした状況のなかで、日本映画が歴史的に韓国・朝鮮人をどのように表象してきたかを再検討するのは、大切なことだと思う。さまざまな試行錯誤があった。１９４０年代前半には皇民化イデオロギーによるプロパガンダ映像もあれば、無知と誤解から来る、歪められた映像もあった。戦後の進歩派のフィルムでは、戦時下の軍国主義という観念を批判するために、道徳的韓国人の映像が召喚されるということもあった。だがあるとき、大きな転機が生じた。それまで日本人の眼差しのもとに表象されるだけの存在に甘んじてきた在日韓国人が、みずからムーヴィカメラを握り、自分たちの映像を造り上げるようになったのである。現在ではこの流れはさらに発展し、南北朝鮮の映画作家を含めて、映画的な多元化が実現しようとしている。

以下に、いくつかの重要なフィルムについて、わたしなりの短いコメントを記しておきたい。

『にあんちゃん』は戦前の「生活綴り方教室」の運動の延長上に立って、九州の炭鉱町のある朝鮮人集落の少女が綴った日記をもとに、今村昌平が映画にしたものだ。今村にとって重要だったのは、戦後社会の周縁におかれた共同体のなかの言葉であった。もっともわたしがこの作品を韓国の大学で上映したとき、韓国人の学生たちは、自分たちが日常的に見聞きしている韓国人の身振り仕種とはまったく違うといって、クスクス笑っていた。無理もない。演じているのは、すべて日本人の俳優だったのだ。

『にあんちゃん』の原作はカッパブックスで、日本で大ベストセラーとなった。韓国でも似たような本を出そうということになり、『ユンボギの日記』が刊行された。北朝鮮から避難し、山頂の貧しいスラムに生きる少年の手記である。たまたま１９６０年代中ごろ、韓国に滞在していた大島渚がこの素材に感動し、自分が個人的に撮影した写真をモンタージュして、『ユンボギの日記』というフィルムを作った。大島はその後、日本社会における在日韓国人問題に焦点を当て、『帰って来たヨッパライ』や『日本春歌考』といったドタバタ喜劇を撮った。そのなかでもっとも完成度が高いのが、『絞死刑』である。

『絞死刑』は欧米圏では「映画におけるもっとも優れたブレヒト的達成」などという言葉で評価されているが、当時の大島はゴダールのことは意識していても、ブレヒトなど眼中になかったはずだ。この作品は日本の国家権力をめぐって強度の寓意性をもっているが、それでもブラックユーモアの、荒唐無稽なドタバタには変わりはない。もしそれが今でも難解な作品に見えるとしたら、その理由は、フィルムが提出している問題が、いまだに解決されず、観客に思考を促しているからである。オウム真理教の13人がいっせいに死刑に処せられたとき、誰かこのフィルムを想起した人がいただろうか。

　韓国から帰国した大島渚が心に決めたのは、日本で映画を撮るときにはかならず一人は、在日韓国人に助監督として組に入ってもらうということである。日本人だけで日本のことを論じるならば、どうしても見方が偏狭になってしまう。日本社会を批判的に認識するためには、社会の周縁から事態を冷静に見つめている存在が必要なのだ。これが大島の考えである。呉徳洙《オドクス》と崔洋一《さいよういち》は、そうした大島のもとで映画修行をした。

　呉徳洙は4時間半にわたるドキュメンタリー『在日』で、今日の日本に生きるさまざまな在日韓国人の肖像を描いた。パチンコの景品の不法売買で何十回となく警察に逮捕されたお婆さんとか、民謡『アリラン』をフォークソングにアレンジして歌い続ける歌手とか、強い確信をもって生き延びていく在日韓国人の生き方が語られている。興味深いのはそのなかに、かつて少女時代に『にあんちゃん』を執筆し、今村映画のモデルになった女性が登場することだ。彼女は今では出版社に勤務する編集者になっている。呉監督に誘われるまま、生まれ故郷の朝鮮人集落を訪れるのだが、しかし炭坑が閉鎖されてから長い歳月が経過したため、集落は廃墟と化している。それでは、そこに生きてきた人たちの記憶はどこに行ったのだろう。この問いを歴史的に構築することが、ドキュメンタリー『在日』の主眼である。

崔洋一は大島が『愛のコリーダ』を撮ったとき、助監督だった。彼は80年代にもっぱら角川のアイドル映画を撮っていた。渡辺典子の『いつか誰かが殺される』とか、つみきみほの『花のあすか組!』といったフィルムである。こうした作品を細かく見直してみると、かならず登場人物の誰かが満洲国出身の中国人であったり、在日韓国人であるといった記号が隠されている。崔はいかなるエンターテインメント映画のなかにも、どこかに小さくエスニシティのサインを残すことを忘れていない。

1990年代に入って崔は在日の映画制作者、李《リ》鳳宇《ボンウ》と出会い、『月はどっちに出ている』を撮った。これは日本映画史上はじめて、在日韓国人を主人公にしたメロドラマ・コメディである。在日のタクシー運転手の青年が、ふとしたことからフィリピン女性と恋に陥ちてしまう。青年の母親は虐殺の島、済州島《チェジュド》から密航してきた元難民であり、自分の経営するフィリピンパブの女の子たちに向かって、わたしはあんたたちの大先輩だよと、口癖のように話している。息子はそんな母親がウザったい。だが母親は北朝鮮にいる親戚のため、段ボールに食べ物を詰めて送ることをやめない。こっそりと厚紙と厚紙の間に日本国の紙幣を隠し入れながら。

『月はどっちに出ている』が問いかけているのは、もはや日本社会には韓国人ばかりでなく、中国人やフィリピン人、パキスタン人といった風に、多くの民族が雑居しているという事実である。その多民族性のなかでもっとも人口が多く、歴史的にも先輩格である韓国人とは、これからいかに共存していくべきなのか。現在の東京という大都会の生々しい現実を、ユーモアを込めて描いたこの作品は、日本におけるエスニシティ表象史のなかで、記念碑的な位置にある。

2004年、崔洋一は満を持して『血と骨』を発表した。1910年の「日韓併合」がなされると、近代的な工場労働の職を求めて、多くの済州島民が汽船で大阪へ向かった。『血と骨』は、そのある一家の三代にわたる物語であり、コッポラがアメリカのイタリア移民の後裔を描いた『ゴッドファーザー』を範にしている。もっとも新移民を迎えたのは低賃金労働と民族差別であり、戦後では南北朝鮮分裂による対立であった。このフィルムは年代記の形をとりながら、彼らの人生の受難を真正面から見据えている。

2005年には『血と骨』の向こうを張るかのように、井筒和幸が『パッチギ!』を撮った。『月はどっちに出ている』を手掛けた李鳳宇の制作によるものである。「パッチギ」とは喧嘩でいう頭突きのこと。これは文字通り、京都の朝鮮高校の少年たちの喧嘩に明け暮れる日々を背景に、日本人の少年と在日朝鮮人の少女の困難な恋愛を描いたメロドラマである。

もうそれから後のことは、ここにわざわざ書かなくともいいだろう。在日の二世、三世から、次々と新人監督が輩出した。また家族のいるピョンヤンにカメラを持ち込み、撮影をするドキュメンタリー作家までが現われた。在日韓国人は、自分で自分の表象を組織することに成功している。

大島渚はいっている。**敗者は映像をもたないと。**では勝者になるためには、人はまず何をしなければならないのか。映像をもつことだ。自分で自分の映像を造り上げることだ。戦後の日本映画史のなかで在日朝鮮・韓国人が何を達成してきたかを、われわれがここで検証しなければならないのは、この大島のテーゼの正しさを確認しておきたいからだ。

四方田の預言は当った。これからも当たるだろう。

（日本大学芸術学部／ユーロスペース主催『朝鮮半島と私たち』パンフレット、２０１８年12月）

III

２０００年のソウル

1

ソウル大学は都心を離れた山のなかにある。用事があってここを訪れた後、タクシーに乗って最寄りの地下鉄駅まで行く途中で、デモに出くわした。デモといっても80年代までソウル名物といわれた学生のデモではない。全国露店商聯協、つまり日本でいうと寅さんのように路上に店を広げていた小さなものを商っている人たちが、税制をめぐる権利請願のために区庁の前に座りこみをしていたのである。これは面白いと、わたしはすかさずタクシーを降り、見物することに決めた。

参加者は２００人ほど。いつもは市場の道端に時計を並べたり、屋台で揚げものを売ったりしているオッサンやオバハンが大方である。それが「団結」とハングルで書いた赤や黒のゼッケンを付け、野球帽のうえからハチマキをして座りこんでいる。学生の支援部隊なのだろうか、若いインテリ風の男がスピーカーで呼びかけている。マイクをもたずに声を嗄らしながら叫んでいる女もいる。全体の3分の2は演説に呼応してシュプレヒコールを叫んでいるが、後ろの方の3分の1は勝手に円陣を組んでお喋りをしていたり、ジュースを呑んでたりして、なんだか無関心のようすだ。ときおり太鼓がドンドンと鳴って、全員の士気を高めようとしている。

取り囲んでいるのは400人ほどの警官隊である。半分はジュラルミンの盾をもってデモを隙間なく圧迫し、もう半分は区庁の建物を守って、デモ隊が中に入れないようにしている。なんだかひどく大袈裟な気がしないでもない。

区庁から警官隊の列をかき分けて、一台の車が出てきた。だが数メートルもしないうちにデモ隊に取り囲まれてしまう。車の前に5、6人が出てきて座りこむと、打楽器の演奏を始める。ケンガリという小さな銅鑼がリーダー格で、それに大銅鑼や太鼓が続く。ただちに人々が手拍子を始め、歌声がわきあがる。ひとりの中年女性が手にしていたプラカードを車に括りつけると、ドッと喚声があがる。3本の旗が車に結びつけられる。きっとデモ隊が標的としている人物が乗っているのだろう。車は今では蟻の巣に落ちこんだ芋虫のように、身動きがとれなくなってしまった。打楽器のけたたましい音響のなかで、群衆の興奮はますますエスカレートしていった。

ソウルではいたるところでデモが行われている。刑務所の前では長期政治犯の釈放を求める集会が行われている。ミャンマー大使館の前では政治難民が抗議を行い、日本大使館の前では水曜ごとに、元従軍慰安婦だった老女たちがボランティアに支えられて、抗議の集会を行っている。90年代に民主化が進行してから、こうした運動はいっそう活発になった。

わたしが関心をもつのはデモ隊が掲げるメッセージよりも、彼らが採用しているデモの形態のことだ。4種類の打楽器をガンガン打ち鳴らすというのは韓国の農楽《ノナク》に起源があり、日本でもサムルノリというグループが来日しているから、知っている人も多いだろう。ところがこのサムルノリというのは、どこにでもあるのだと知った。大学のキャンパスでも、今回のように路上でも、人々は即興的に楽器を持ち出すと、ガンガン叩きだし、たちどころにその場をお祭り空間に変えてしまう。

しばらくデモの様子を眺めているうちに、韓国人と日本人とでは政治的示威行動をめぐって、まったく考え方が違っていることがわかってきた。

日本人がどちらかといえば生真面目に、ときに悲壮な覚悟でデモに向かうのだとすれば、韓国ではははるかに祝祭的な気分が強い。見方によれば、デモという名を借りていっちょうお祭り騒ぎを起こしてやろうか、という雰囲気である。朱子学的にいうと、理のデモと気のデモの違いとでもいえばいいのだろうか。日本の新聞報道ではソウルでまたデモが起きた、くらいにしか報道されないのだが、その内実はけっこう面白いのである。

2

釜山の映画祭に行ってきた。一週間の日程で、26本のフィルムを見た。日本からも大勢の映画人が来ていて、劇場のロビーでふと振り返ると石井聰亙がいたりする。韓国の女の子は『五条霊戦記』の舞台挨拶に浅野忠信クンが出てくると、日本語で「かわいいい!」と声をあげていた。もちろん満員だった。

開幕した直後は大混乱だった。ビルの6階にプレスのための受付が設けられているのだが、まずエレヴェーターが故障している。朝の9時にコンピュータがみごとにブッ壊れてしまい、発券ができなくなった。プレスパスの番号が間違っていて、海外からの報道陣が立ち往生する光景も見られた。4つある劇場の周囲は黒山の人だかりだ。長いこと列で待たされたあげくに、チケットは売り切れという場合もあった。そのくせ映画祭の通りを歩いていると、ポスターでもTシャツでも、なんでもタダで配っている。夜になるとあちこちのホテルでパーティをやっている。韓国人は途轍もなく派手好きなのだ。

いろいろな人にものを尋ねると、誰もが本当に親切に教えてくれる。それも、それぞれにまったく違ったことをである。いったい何という映画祭だろうと、わたしは最初、唖然としていた。それでも不思議と腹が立たず、むしろ心地よい解放感に包まれていたのは、窓口のスタッフのほとんどがヴォランティアの学生で、和気藹々とした雰囲気に包まれていたせいもあったと思う。これが東京映画祭だと、まったく違っている。すべてはあらかじめ予定された通りに進行し、いささかのズレもない。劇場の受付にいるのはヴォランティアではなく、ガードマンだ。観客は徹底的に管理され、群衆であることを厳重に禁止される。

釜山ではすべてが出たとこ勝負という感じで進められていた。初めはハラハラするが、それでも最後にはすべてがうまくいった。わたしは韓国人の即興的な事後処理能力に、ある爽快な感動を覚えていた。とにかく始めてしまえという考えなのである。いったん始まってしまえば、半分終わったも同然だ。あとはその場その場の勢いのなかで解決していけばいい。これが韓国的な思考法である。ずっと以前から準備に準備を重ね、一点の誤差もないように慎重にことを運びながら、最後まで気を許そうとしない日本人とは大違いなのだ。

釜山からソウルに戻ってみると、金大中《キムデジュン》大統領がノーベル平和賞を勝ち取ったというので、花火はあがるわ、デパートがバーゲンを始めるわで、これまた大騒ぎだった。新聞は一面に大統領の家族の写真を大きく掲載し、チュカハムニダ（おめでとう）という言葉が添えられていた。

もっとも大統領の最近の政策に不満をもっている人たちの怒りもスゴかった。以前に大統領だった金泳三《キムヨンサム》は、これでノーベル賞の価値が下がったと、公然と宣言した。かわいそうに、彼は講演に出かけた先の高麗大学の正門のところで学生たちの激しい妨害にあい、十数時間も自動車のなかに閉じこめられた。その最中に、ライヴァルの受賞を知らされたのである。まるで梶原一騎の漫画のひとコマのようではないか。

この国に暮らしだしてしばらくすると、なにか突拍子もない事件が生じるということが日常的なのだという気がしてくる。とにかく至るところで、何かしらが起きている。いくら計画を慎重に重ねていても、現場でそれは簡単にひっくり返ってしまい、臨機応変に混乱に対応することを要求される。交差点で車が渋滞するというささやかな出来ごとを取ってもそれがいえる。タクシーの運転手はほんのわずかの隙間を見つけると、まるで自転車でも運転しているかのように、スイスイと車を移動させて少しでも前に進もうとする。おそらくこれは、韓国人が歴史的に形成してきた知恵というべきものなのだろう。そしてわたしはその知恵に小気味いい感動を覚えている。2年後のワールドカップが楽しみだ。

3

ソウルはめっきり寒くなってきた。この文章が活字になるころには、冬場のキムチを漬ける季節になっているはずだ。市場の一角には山のように白菜が積み上げられる。

わたしのアパートでもオンドルを入れることにした。これが実に気持ちがいい。日本にないものだから、今日は少しその話をすることにしよう。

オンドルというのは漢字では温突と書き、床の下に熱風を招き入れて部屋全体を暖める仕組みである。本来の朝鮮の家では、台所で火を焚くと、その煙が縁の下を伝わって家全体の床をめぐるようになっていた。もちろん熱風が来るのであるから、床だって日本のように板の間や畳であるわけがない。石板のうえに泥を塗り、何枚も特別な油紙を貼って作られている。だから韓国の家の床は表面がツルツルであり、オンドルを使っていないときはひんやりとして、夏は気持ちがいい。

オンドルの燃料は、昔は松の木だった。それが近年になって練炭《ヨンタン》に変わった。わたしが最初にこの国に住んだ70年代には、道端のいたるところに崩れ出した練炭の燃え殻が捨ててあって、土を悲しげな灰紫の色に染めていたものだ。練炭は一酸化炭素中毒を招く危険があり、しばしば事故が報道されていた。現在ではガスが一般的である。わたしのアパートではボタンを押すだけで、たちまち床がポカポカと暖かくなってくる。

床が暖かいというのはいいものである。ストーブのようにある方向だけが強く熱せられるということがなく、部屋全体が緩やかな安息感に包まれることになる。濡れた洗濯物だって床に転がしてしばらくすると、すっかり乾いてしまう。寝るときも分厚い布団を準備する必要がない。敷き布団に毛布だけで充分。もっとも温度の設定を間違えてしまうと大変で、鉄板のうえの焼きソバのようになってしまう。逃げ場がないのだ。

冷麺というのは本当は冬にこそ食べるものだと教えられた。暖かいオンドル部屋に入って、暑い、暑いと冗談をいいながら冷たい麺を啜るというのが粋なのだそうだ。この料理はもともと北の方のものだった。それが朝鮮戦争のおりに沢山の避難民が南側に流入し、韓国でも一般的に広まるようになった。北の山岳地方の寒さはそら恐ろしいという。そこで冬に発達した料理なのだから、やはりオンドルの床に座って食べるのが正しい食べ方なのだろう。

韓国では日本のように正座をすることがない。女性が正式に座るときには、立て膝の姿勢をとる。男はつねに胡座をかいている。どうしてそうなのだろうと長らく疑問に思っていたのだが、実際にソウルに暮らしていてそれが解けた。オンドルの床が畳ではなく石板でできていることを思い出していただきたい。とにかくカチンカチンなのだ。正座などできっこないのである。

オンドルは掃除がきわめて簡単だ。液体をこぼしても、たちまちのうちに乾燥してしまう。ある家に呼ばれたとき、若い母親が赤ん坊をあやしながら、居合わせた親戚たちの前でおしっこをさせているのを目撃したことがあった。床におしっこが流れると、誰もが笑ったり、声をあげたりした。小さな水溜まりはたちまち乾いてしまい、雑巾でひと拭きするだけで元通りの床に戻ってしまった。

日本にはどうしてオンドルがないのだろうか。床暖房が心地よいことは、電気カーペットがあれほど普及していることからも理解できる。白蟻対策が大変だからだとも聞いたが、石板構造でどうしてそれが問題になるのか、わからない。要は知らないだけにすぎないのではないだろうか。

思想は冬にこそ鍛えられるものだという。ロシアのペィチカを思い出すと、なんとなく納得できるような気がする。オンドルではなかなかそうはいかない。書物を読んでいてもすっかり安心してしまって、ついウツラウツラとしてしまうからだ。

4

「もちろんいけない点はたくさんあったと思います。けれども認めなければいけないのは、あの人が理念というものを確実にもっていたことです。その後の人たちは何ももっていませんでしたね」

キム先生とわたしは、済州島《チェジュド》を南北に横切る広々とした道路で車を飛ばしていた。両脇は美しい紅葉で、道路はどこまでも続いている。それはわたしたちが目下話題にしている人物が最初にクーデターを起こした日に因んで、5・16道路と名付けられていた。それはあの人が囚人たちを使って島に作った、最初の幹線道路だった。

「島民は感謝していますよ。あの人は道路を作っただけでなく、蜜柑を産業として定着させたのですからね。それまでの権力者と違って、貧しい農家に生まれた人ですから、農村の貧困が我慢できなかったのでしょう。ただあまりに長く権力の座にいすぎたことは事実ですね」

あの人、つまり朴正熙《パクチョンヒ》大統領がもし現在生きているとすれば、83歳になっているはずだ。彼は日本の植民地下に生まれ、まず満洲で士官学校を首席で卒業すると、日本の陸軍士官学校に学んだ。日本の敗戦で祖国が解放されると韓国軍に入隊した。一時期は共産主義に賛同して軍の内部で叛乱を起こし、拷問の末に極刑判決を受けたこともある。助命されてふたたび軍で昇進を続けると、クーデターを起こし、16年間にわたって大統領を務め、軍事独裁政権の中枢にいた。朴正煕は明治天皇を尊敬し、百年前の日本のように維新を敢行しないと韓国は滅びると考えていた。生活はきわめて質素で、生涯にわたって私財をもたず、毎朝、日本刀の素振りをしていたとも、伝えられている。

わたしは彼が大統領であった最後の年に、ソウルで最初の1年をすごした。会社でも学校でも、壁という壁にはかならず彼の貧相で陰気そうな肖像と太極旗の写真が掲げられていたものだった。なるほどご真影ってやつかと、わたしは心のなかで思った。その年の秋に、彼はもっとも信頼を置いていた部下に宴席で射殺された。テーブルには日本のウイスキーが置かれていた。

あれから21年、わたしは機会あるたびに彼のことを聞いてまわった。あの頃はよかった、みんな貧しくて必死だったが、彼がいなければ韓国はアジアの三等国で終わっていただろうと感慨に耽る人もいれば、その後の権力者のように莫大な私財を遺さなかったことは、人間的に清廉潔白で好感がもてるという人もいた。

あるとき、李光哲《イホチョル》さんと食事をする機会があった。民主化闘争に関わっていくたびも投獄され、激しい拷問にあったという高名な小説家である。彼は端的にいった。

「わたしはわたしの闘いを行い、彼は彼の闘いをやった。それだけのことです。彼の偉さは認めますよ」

正直いって、わたしには予想もしていなかった発言だった。多くの人が朴正煕を評価し、あの当時の韓国を懐かしんでいる。話題がそこまで来ると、かならずといってよいほど金大中《キムデジュン》の現政権への批判となった。朴正煕の強力なライヴァルであり、一時は亡命先の日本から拉致されて殺されかけたという金大中は、日本での人気はさておき、韓国では国内の経済問題をないがしろにしたというので、恐ろしく評判が悪いのである。

人間の評価というものは、わからないものだ。とりわけ歴史的評価というやつは。朴正熙は開発独裁を唱え、ヴェトナム戦争に韓国軍を大量に送りこみ、彼らが得る外貨をもって経済発展に努めた。ヴェトナムからいえば侵略者なわけだが、そのヴェトナムが今日、近代化のお手本として彼に強い関心をもっているとは、運命の皮肉である。

この人の内面は恐ろしく孤独だったにちがいないという印象を、わたしは抱いている。最初に日本の帝国主義者、つぎに共産主義者、最後に民族主義者。彼が墜ちていった先の地獄には、いったい誰が待ちかまえているのだろうか。

5

70年代にはじめてソウルを訪れたとき、まず最初に印象づけられたのは、ここでは人々が貧しいなりに助けあって生きているということだった。

たとえばバス。当時はまだ子供ぽい顔立ちの車掌さんがどの車にもいて、声を嗄らして次の停留所を告げていた。バスはいつも満員で、真黒い排気ガスを流しながら走っていた。天井からはガンガンとラジオの割れた声が流れている。信じられない話だが、それでも物売りの少年が乗りこんで、懸命にガムやら漢字練習帳やらを売りにきていた。

ある夏の暑い日のことだったが、車掌が突然にバスを停めさせたことがあった。彼女は車を降りて外へ駆けていくと、アイスキャンデーを2本手にしながら戻ってきた。そして1本を運転手に渡すと、「発車オーライ!」といった。

バスのなかでは見ず知らずの人の荷物を、座っている者が預かることが、当たり前とされていた。わたしは最初カバンを摑まれて驚いたが、まもなくそれがここでの約束ごとだと知り、ちょっと感動した。朝鮮戦争のころ、多くの人が北の侵略を恐れて避難するなかで、自然と誰もが分かちあうようになった習慣だったのだ。

今ではバスはすっかりワンマンカーになっている。地下鉄が網の目のように市内を走るようになってから、車内の混雑はいくぶん楽になった。もっとも荷物を持ちあって助けあうという習慣はみごとに消えてしまった。地下鉄と同様にバスにもシルヴァーシートが設けられているが、若者でそれを気にするものはほとんどいない。いかにも田舎から来ましたという感じの老人が立っていても、平気でウォークマンを聴きながらうっとりと目を閉じている。

シルヴァーシートといえば最近、地下鉄のなかで席を譲れと老人にいわれた17歳の少年が、譲らなかったばかりか、逆に腹を立てて駅の階段で彼を蹴飛ばし、その結果、老人が死亡してしまうという事件がこの国で起きた。今の東京であれば、考えられない事件ではない。だが伝統的に儒教道徳が強く、長幼の序を重んじてきた韓国社会において、この事件が与えた衝撃はけっして小さいものではなかった。

いったい自分たちの社会はどうなって行くのだろうという不安を、現在の韓国人は強くもっている。経済発展と国際化は一応達成した。IT革命では日本を凌駕する勢いだ。だが、その代償として、自分たちは何を喪ってしまったのかという気持ちが、彼らの心中には横たわっている。

ノスタルジアとは、永遠に遠ざかってしまった過去を懐かしむ気持ちのことである。21年ぶりに住んでみたソウルで、わたしがいたるところで目にしたのが、そのノスタルジアだった。

昔は骨董屋が細々と並んでいた仁寺洞《インサドン》が、今では大観光街となって、日本人相手のチャチな民芸品を並べている。誘われて入った喫茶店のなかには、壁一面にわたって70年代の映画ポスターやLPジャケット、芝居の公演のチラシなどが貼られていて美しかりきあの頃を追想できるようになっている。

別のバーでは内装のすべてが50年代の小学校の教室になっていて、客は黒板を背に木の椅子に座ってビールを呑むようになっていた。壁には額に入った太極旗が掲げられていた。

こうした現象はいったい何を意味しているのだろう。わたしは大学で隣の個人研究室にいる、韓国で著名なマルクス主義的思想家である姜来熙《カンネヒ》教授に尋ねてみた。それは韓国の文化産業がついに時間までをも商品化するようになったということだと、彼は端的に答えた。3年前のIMF事態ののち、もはや未来に期待をもてなくなった韓国人が、その代償として過去に退行するようになったのだと。

さあ、そろそろ帰国する時期が近付いてきた。あーあ、またつまらない東京に戻ることになるのだなあ。そう思うわたしもまた、ノスタルジアに駆られてソウルに来ていたのだろうか？

（『週刊SPA！』2000年10〜12月）

暗渠の復権

わたしが最初に韓国に滞在した1970年代後半、首都ソウルは現在の半分ほどもなく、南側に悠々と流れる漢江《ハンガン》のさらに南側は、広々とした空地ばかりが目立つ、開発途上の空間であった。江南《カンナム》と呼ばれるこの地に高層マンションが林立し、アメリカの西海岸のような新市街が建設されたのは、1988年のオリンピックの前後からである。漢江の北側は単純に旧市街と見なされ、これ以上の発展開発など期待できるはずもない場所だと見なされるまでになった。ところがこのソウルの旧市街で昨年、驚くべき大胆な都市計画が実行された。半世紀にわたって暗渠と化し、しかも上に高架道路を戴いていた河川がみごとに復活し、都市の景観に潤いをもたらすことになったのである。

清渓川《チョンゲチョン》というこの川は、わたしが最初にここを訪れたときには水など流れていなかった。それどころか、埋め立てられて短くない歳月が経ち、ソウルのなかでももっとも埃と煤に満ち、騒々しくも混沌とした大通りであった。高架道路の下に市場が蜒々と続き、衣料品から金属部品、古書、骨董まで、ありとあらゆるものが商われている。歩道には歩道でびっしりと露店が並んでいる。日本伝来と称する強精剤や性器具から、海賊版のレコード、ヴィデオ、ＤＶＤの類まで、出所も定かでない怪しげなものがところ狭しと陳列されている。拡声器を用いながら商品を宣伝する青年。両手に雌雄の蛇を掴みながら、交尾の真似事をさせてみせる、日焼けした中年男。ひどく甲高い声でカラオケを歌いながら、台所用品を売りつけようとする女性。「探しものがあるなら清渓川に行け」とは、いくたびともなく聞かされた言葉であった。わたしは20年にわたってこの通りを往復しながら、韓国映画のヴィデオを買い集め、東京に運びこんではメモを取り続けてきたのだ。

　この大通りは公式的には「清渓路《チョンゲロ》」と呼ばれていた。だが誰もがそれを「清渓川」と呼んでいた。去んぬる昔、そこがソウルの中心を流れる川であったことの記憶を、せめて言葉のなかだけでもいいから残しておきたいという民衆の意志が、そこには感じられた。もっともわたしには、川を想像することなどとうていできなかった。

　旧市街を西から東に突き抜ける四本の大通りは、それぞれに異なった雰囲気をもっている。もっとも北側にある鍾路《チョンノ》は、解放前から日本人がほとんど立ち入ることのない朝鮮人だけの大通りとして、堂々とした威風をもっている。一番南側にある退渓路《テゲロ》は、すぐ南に山を控え、いささか雑駁で崩れた感じの蛇行を見せている。中央を走る乙支路《ウルチロ》はこぢんまりと纏まり、賑やかでありながらどこか貞淑な雰囲気がする。乙支路と鍾路の間に位置する清渓路は、つねに人とモノでごった返し、中央を走る高架道路もあいまって、落ち着かない猥雑さに満ちていた。この大通りがかつて川だったという事実にわたしがようやく納得できたのは、日本が敗戦し、朝鮮が解放されて一年後の１９４６年に制作されたアクション映画『自由万歳』に、その光景がわずかに撮影されていたのを知ったときである。そのとき、わたしには了解がいった。この見えない川を東へと下ってゆくと、今は移転してしまったが、ソウル最大の食肉処理場にぶつかる。これはやはり水周りを考えてのことだったのだと。

その清渓川が蘇った。これは東京でいうならば、かつての日本橋区と京橋区に流れていた運河をもう一度復元し、数寄屋橋や三吉橋といった橋を文字通り橋として建て直すことに匹敵している。いや、都市のアルカイックな思考にとっては、それ以上に象徴論的意味をもつ事件かもしれない。というのもソウルの地は朝鮮王朝時代に、風水の論理に従って、女陰を象った地形ゆえに首都として建設されたという事情をもつからである。清渓路はその地勢図にあっては、性器の中央を貫く一筋の水の路であると見なされていた。「谷神不死」という『老子』の一節を想起していただきたい。東アジアの都市計画における水の象徴的意味の深さは、いくら強調してもいい足りないほどである。今回の河川の復活は、単に観光のための景観の美化というばかりではない。それはソウルという大都市の歴史的起源を確認する作業でもあったのだ。

偶然には偶然が重なるものである。清渓路の回復と相まって、朴泰遠《パクテウォン》の『川辺の風景』の日本語訳（牧瀬暁子訳、作品社）が刊行された。朴泰遠（1910―86）は東京に留学し、モダニズム文学の洗礼を受けて朝鮮語で書き続けた小説家である。藤田嗣治に似ておかっぱ頭で通し、解放後は北朝鮮にわたって長大な歴史小説を書き続けた。『川辺の風景』は1938年に刊行されている。朴は渡北が禍して韓国では長い間言及が禁じられていたが、最近になって南側で研究が進み、その巨大な全貌が浮かび上がることになった文学者である。実はこの翻訳も30年にわたって準備され、待たれていたものであった。

川辺とはいうまでもなく清渓川のことである。小説はまだ水が清らかなこの川辺で、白衣姿の女たちが口々にお喋りをしながら洗濯に耽っている光景から始まる。特定の主人公はいない。川がどんどん流れてゆくように、語りは噂話から噂話へと自在に移ってゆき、寡婦から理髪店の少年、博徒から引退した妓生、俗物の府会議員にいたるまで、さまざまな民衆の間を、さながらムーヴィカメラのように移動してゆく。一読したわたしは、このモザイック模様からなる都市小説にもっとも近い作品とは、アルフレート・デーブリーンの『ベルリン・アレクサンダー広場』ではないかという印象をもった。実際この二つの長編は、わずか9年しか刊行時が違っていないのだ。だがそれは同時に、翌年に刊行された、植民地の首都に流れる川を主人公とした今一つの文学作品をも連想させる。いわずと知れたジョイスの『フィネガンズ・ウェイク』のことで、そこでも洗濯女たちの喧しいお喋りが大きな意味をもっている。

暗渠を解き放ち、都市に水を回復させることにかけて、韓国は日本に一歩先んじた。東京の街角がオリンピック直前の河川埋め立てを反省して、運河の復権に向かうのはいつのことだろうか。そのときいかなる文学が、証人として立ち会ってくれるだろうか。

（ウェブマガジン『パブリディ』2005年12月20日）

英雄の帰還

英雄の帰還を物語ることは、人間が古代ギリシャの昔から文学の任務のひとつとしてきたことであった。ホメロスの叙事詩のなかでは、トロイヤ戦争を戦ったオデュッセウスは、18年の戦役と放浪の末に故郷イタカに到達する。彼はみすぼらしい乞食のなりをして館に戻る。使用人たちは誰もその正体を見抜けないが、かつての飼犬だけは主人を憶えていて、なつかしそうに近づいてくる。

中世の日本で編まれた『諏訪神社縁起』はもっとスゴい。誘拐された妻を捜しに洞窟に降り立った甲賀三郎は、地底にある幾十もの不思議な国を遍歴したのち、地上に帰還する。人々は彼が巨大な蛇に変身していたので、大いに驚き逃げ惑う。なべて帰還してくる者とは異形の者である。彼は共同体に厄難をもたらすかもしれない、スキャンダラスな存在なのだ。ポーランドの演出家カントルが、演劇とは一度この社会から出て行った者がふたたび戻ってきたときに開始されるといったのは、この間の事情を物語っている。

もう20年近く前のことだが、ギリシャのテオ・アンゲロプロスが撮った『シテール島への船出』

という フィルムを観たことがある。

第二次大戦直後の混乱期に、共産主義の側に立って山中でパルチザン活動を続け、その後、ソ連に政治亡命していた男が、32年の歳月の末に、すっかり老人となって故国ギリシャを訪れる。彼はかつての友人たちと再会し、無事を確認しあう。だが彼がかつて政府を敵にまわして戦った山の戦場は、今ではスキーリゾートの用地として売りに出されている。久しぶりに会った実の娘は、あんたはこれ以上まだ家族を苦しめたいのかと難詰する。かつて敵味方に分かれて戦った村の知人は、昔は敵どうしだったが、結局のところわれわれはどちら側も負けてしまったのだと、諦めまじりの言葉を残しながら、軍歌をうたいつつ去ってゆく。

老人は故郷に歓迎されない。すでにあらゆる意味で、英雄の伝説が信じられた時代は終わったのだということを、彼は思い知らされる。彼はすでに第二の祖国となったソ連へと向かう汽船に、わざと遅れてゆく。だがギリシャの法律ではとうに死んだと見なされているため、そのまま国内に残留することは許されない。老人を乗せた小さなボートが朝霧に包まれながら、どこにも属さない公海を漂ってゆくところで、フィルムは幕を閉じる。

韓国のドキュメンタリー監督キム・ドンウォンが12年の歳月をかけて完成させた『送還日記』を観終わったときただちに思い出したのが、アンゲロプロスのこのフィルムだった。いずれもが、政治活動家が長く苦しい異郷での歳月の後に故国に帰るという、壮大な物語を主題としている点で、共通している。

『送還日記』はズバリいって、韓国の刑務所で長期にわたって服役してきた、北朝鮮側のスパイたちを描いている。彼らの大部分は獄中での拷問の苦痛に耐えかねて、心ならずも転向を強いられた。

出獄後は南の地に留まり、心に深い屈折を抱きながら、貧しくも孤独な生活をしている。残りの者たちは、死亡した者を除けばいずれもが鉄の意志のもとに非転向を貫き、なかには45年という服役期間が世界最長であると、ギネスブックに記録された者までいる。彼らは刑期を終えると南の地で自由の身となるが、住民登録も健康保険もないために、生活は困窮を極める。故郷の家族を訪れると、激しい拒否に出会う。誰もが出獄時にはすでに70歳、80歳と、かなりの老齢に達しているので、いきおい葬式と墓の場面が多くなる。

あるとき太陽政策を掲げる金大中大統領が、彼らを「祖国」である北朝鮮に帰還させることを提案する。はたしてこの申し出を受け、北に英雄として凱旋すべきなのか。それとも縁のできた南の地に留まって、余生を過ごすべきなのか。主人公たちは混乱し、生涯の最後に訪れたこの最大の選択に迷う。結局、帰還を受け入れる者と、最後の最後になってそれを拒否する者とに分かれる。激しい阻止運動のなかで、帰還者たちは板門店を越え、北へと渡る。やがて彼らがピョンヤンで国家の英雄として式典に参加したり、老齢にもかかわらず結婚して家庭を築いたりしているさまが、映像を通して伝えられる。

『送還日記』が主題としているのは、冷戦体制によって成立した朝鮮の二つの分断国家の間で犠牲となった人たちの物語である。苛酷な拷問。家族も知人もいない孤独。何の保証もない老後。かつての同志たちの死。だが、こうした悲惨な状況にもかかわらず、ドキュメンタリーから窺われるのは、頑固なまでに信念を変えず、獄中闘争を続けてきた老人たちが垣間見せる、さまざまな人生の相である。

かつて満洲でプロボクサーとして鳴らし、伝説上の大ヤクザの親分（その物語はいくたびも韓国でアクション映画になっている）シラソニと親交があったという老人。彼はいう。シラソニが今生きていたら、部下を引き連れて、わしを牢から出させるなんて朝飯前だよ。

38年前に北から工作船で密航してきて、海岸に辿りついたものの、空腹から付近の民家に食物をもらいに行き、発覚して逮捕されたという老人。彼は釈放されると、先に転向して梨の果樹園を営んでいる元同志に、真っ先に会いにいく。

出所後に高級マンションの警備員の職を見つけ、「金持ち」の生活をまざまざと見てしまうことになった老人。外の世界に出ても苦しい生活が待っているだけだから、むしろこのまま獄に留まって楽をしていたいと語る老人。臨終の場に際しても、自分が党と祖国への義務をまっとうできなかったことを悔い、統一の日まで生きたかったと語る老人。45年の刑期を終えて、90歳の老母と再会がかなう老人。もはや眼がほとんど見えない老母は、息子の顔を撫で摩ることでしか、彼を確かめることができない。そんな息子に、家族たちは、これ以上迷惑をかけてくれるなと冷たくいい放ち、老母が死んでしまうと、その墓参りすら許そうとしない。

非転向を貫いた老人たちは、市民団体に誘われて、郊外へピクニックに出かける。だが彼らが夢中になって合唱する歌は、北朝鮮の軍歌と抵抗歌ばかりで、周囲の誰にも理解できない。キム・ドンウォンはこうした、悲痛さばかりか、ときに飄々としたユーモアさえ感じさせる挿話を煉瓦のように積み上げながら、巨大な歴史に蹂躙された個人の人生とは何であるかという問いへとにじり寄ってゆく。

やがて非転向者の大部分は北朝鮮に向かう。ここからは監督が直接に立ち会うことのかなわない領域となる。彼らのピョンヤンへの「帰還」は公式に大歓迎され、ただちに北側の宣伝工作に格好の材料を与える。この作品の最後には、たまたまピョンヤンを訪れた監督の知人がヴィデオカメラに収録した、彼らの最後の映像が用いられている。南の地では粗末で擦り切れたジャンパーしか着ていなかった老人たちが、そこでは例外なく高級な背広とネクタイを着用し、胸にいくつものバッジや勲章をつけているさまが描かれている。彼らは一様に帰還の幸福を語り、懐かしの北朝鮮軍歌を高歌放吟する。だが監督は彼らの一見幸せそうな表情の背後に、南にいたとき以上に厳しく複雑な現実が控えていることを暗示して、フィルムを終える。

おそらくこのフィルムが終了した地点から、アンゲロプロスの『シテール島への船出』は始まるのである。だがそれを撮ることは、目下のピョンヤンでは不可能だろう。老人たちは金正日の権力機構のなかで、単にプロパガンダの材料として使い尽くされるだけのことだろう。

韓流ブームである。日本では韓国映画が次々と公開され、ハングルを勉強する日本人が次々と増えている。わたしはこれはいいことだと考えている。だが現在のブームのなかでひとつ置き忘れられていること、誰もが触れないですまそうとしていることがある。北朝鮮のことだ。韓国は面白くて、親しくて、カッコイイ。だけど北はすべてが狂気と恐怖に満ちている。こうしたステレオタイプが今の日本に蔓延している。

『送還日記』はそのなかで、これまで日本人どころか、韓国人ですら忘れよう、いなかったことにしようとしてきた分断国家の犠牲者たちに、正面からカメラを向けている。ドキュメンタリーとはかくあるべきという姿勢の正しさを、わたしは見たような気がした。それにしても監督のキム・ドンウォンの人間を見つめる眼は、なんと優しく親しげなことか。韓国映画ブームのなかでは異色の作品かもしれないが、韓国社会の複雑さを知るためにはけっして見落としてはならないフィルムだという印象をもった。

（『パブリディイ』２００６年2月28日）

韓国映画人の全集ができるまで

河吉鐘《ハキルチョン》の全集が出るという。最初に若くして李箱《イサン》賞を受けた詩集、それから死後刊行の何冊かのエッセイ集、映画脚本、書簡、映画公開時の評論などを収録し、どうやら断簡零墨までを見落とさない方針らしい。ソウルからこの報せが到来したのは昨年初めのことである。ついてはわたしが昔書いた河吉鐘論を収録したい。全集編纂者はそう求めてきた。

河吉鐘は韓国映画における不運な夭折者である。天才と呼ぶ人もいれば、狂人と呼ぶ人もいる。1941年に生まれ、ソウル大学仏文科に在学中、李承晩政権を打倒する運動に加わった。アラゴンで卒論を書くとただちにパリに留学。やがてUCLAの映画科に移り、そこで実験映画を手掛けた。その間に祖国では軍事政権が着々と築きあげられ、映画人は厳しい検閲に苦しい時を迎えていた。河吉鐘が帰国を決意したとき、同級生であったコッポラはそれを止め、アメリカでそのまま映画の道を進むように助言した。だが河はそれを振り切り帰国。かつて未来を誓いあった金芝河《キムジハ》の脚本で映画を監督することを期待しての帰国だったが、それは叶わなかった。金芝河が反共法違反で死刑判決を受け、獄中にあったためである。

１９７０年代を河吉鐘は７本の商業映画を作ることで駆け抜け、行き場のない絶望感のうちに37歳の生涯を閉じた。朴正煕大統領が暗殺される、わずか８ヶ月前のことである。

当時、ソウルに住んでいたわたしは、何の予備知識もなく映画館で彼のフィルム『続・星たちの故郷』や『炳泰《ビョンテ》と英子《ヨンジャ》』を観、その斬新さと悲痛なアイロニーに舌を巻いた。兵役時代に心変わりしたガールフレンドの英子を懸命になって取り戻す青年炳泰。高額紙幣に燐寸で火をつけ、平然と煙草を吸ってみせる大学生英哲《ヨンチョル》。そこにはアメリカのニューシネマを換骨奪胎し、韓国の現在を自嘲を込めて描こうとする監督の強い意志があった。ちなみにわたしが韓国から帰国して執筆した小説『夏の速度』では、主人公の日本人を翻弄する虚無的な青年に、この英哲の名を与えた。

河吉鐘は反骨精神に満ちていて、いたるところで官憲と対立し奇行を演じてみせた。朴正煕政権下では「長髪狩り」が公然と行われ、長髪の青年たちは街角で連行されると、有無を言わさずバリカンで丸坊主にされるのだった。あるとき河吉鐘は運悪くそれに捕まってしまった。彼は叫んだ。俺はもう35歳っすよ。もうすぐ禿になるんだから、放っておいてくれませんか。

26歳のわたしは彼の弟、河明中《ハミョンジュン》に日本語の家庭教師をしていた。彼は２枚目のメロドラマ俳優でいることに飽きていて、東京の大学で映画演出を勉強したいといった。やがてどうも河吉鐘のフィルムに夢中だという変な日本人がいるらしいという噂が映画界に流れ、わたしに彼について書くようにと依頼が来た。韓国語で書く自信がないというと、翻訳をするから日本語でいいという。そこでわたしは30枚ほどの作家論を執筆し、それは彼の遺稿エッセイ集『映画、人間救済のメッセージ』に「解説」として収められた。全集編纂者はこのときの文章を同時代の記録として全集に収録しておきたいというのである。

わたしは突然に30年前に引き戻されたような気持ちとなった。聞くところによると、現在の韓国で河吉鐘は韓国映画の偉大なる先駆者として顕彰され、精細な伝記が刊行されたり、シンポジウムが開催されたりしているらしい。コクトーやサガンの翻訳者であった田彩麟《チョンチェリン》夫人のことが思い出された。彼女は今はどうしているのだろうか。だが懸念がないわけではない。軍事政権下に韓国語で刊行されたわたしの河吉鐘論は、編集部の内部検閲によって、あちらこちらに鋏が入れられている。『花粉』というデビュー作をせっかく撮りあげたものの、フィルムが文教部の手でズタズタに切られたといった記述は削られ、金芝河の名も抹殺されている。すでに民主化運動が勝利を収めて久しい現在、何とか文章を本来の形に戻してもらえないだろうか。わたしは出版社の代理人にそう書き送った。

版元である韓国映像資料院は最初、躊躇していた。全集刊行の日が迫っており、原稿の改訂を受け入れるだけの時間がないらしい。日本に比べてこの国では、すべてが短期間のうちに、有無をいわせぬ形で進行するのである。わたしはなおも原稿の復元を主張し、ついに出版社はそれを受け入れた。その年の秋になって、突然わたしの元にドカンと3巻本の全集がソウルから到着した。全体で1200頁。よくもまあ短い時間に、映画撮影の合間を縫って書き上げたものよと、わたしはふたたび驚嘆した。調べてみると、わたしの文章は指定したいくつかの箇所がキチンと復元されていた。またひとつ傷が回復されたのだと、わたしは感じた。自由の身となって後、さまざまな思想遍歴を重ねた金芝河は、親友だった人物の全集を手にして、どのような感慨を抱くことだろうか。

(『図書新聞』2010年11月6日号)

済州島ではじめての映画

大島渚と若松孝二の話をしてほしいというので、ソウルに10日ほど行ってきた。70年代から2回にわたり長期滞在をしたわたしにとって、ソウルは北海道よりも心理的に近い場所である。にもかかわらずこの都市に到着すると、いつもドキリとする発見がある。

スマホ映画祭が開催されて、もう4年目である。この便利一方のメディアを用いてさっそくアートを制作しようというわけだ。第一回のときには、『JSA』を撮ったパク・チャヌクが作品を寄せていた。TVモニターとヴィデオをアートに仕立て上げたナムジュン・パイクの、軽々とした発想の自由さが、ここではみごとに継承されている。

ワールドカップの競技場跡地近くに建てられた、国立映像資料館に行った。建物の雰囲気が、どことなくパリの新しいシネマテック・フランセーズに似ている。ソウルはここのところ高速道路を取り外して暗渠だった河を復活し、セーヌ河のように観光名所に仕立て上げた。光化門の前の大通りをシャンゼリゼーのように設えたり、パリの景観を意識した都市計画を推し進めているように思える。この映画博物館も、その傾向の一環なのだろうか。もっとも奇妙なことにパリを意識する点にかけては平壌《ピョンヤン》が少し先輩である。北朝鮮は大同江《テドンガン》に浮かぶ羊角島《ヤンガクド》をシテ島に見立てて高級ホテルを建てたり、金日成総合大学の近くに、パリよりわずかに高い、そっくりの凱旋門を作ったりしている。

映像資料館では、収蔵しているほとんどの韓国映画を、その場でＤＶＤで観ることができるようになっている。香港や台北でもそうであるが、ソウルで特筆しておきたいのは、皇民化政策時代の朝鮮映画を次々とＤＶＤにして刊行していることだ。これは端的にいって、韓国映画史にとって屈辱の時代の作品である。しかしすべては歴史的史料であるため、万人に公開されるべきだという考えである。資料館では若い職員が流暢な英語で、いずれすべての韓国映画をコンピュータで無料で配信できるようにしますと説明してくれる。日本のフィルムアーカイヴにはこうした発想はまったくない。ＤＶＤブースがないばかりか、館長ですら外国人訪問客に対し、英語で満足に応対もできない。

昨年のサンダンス映画祭で受賞した『チスル』という映画作品を観た。監督と脚本を、オ・ミヨルという済州島出身の新人が担当している。韓国映画であるにもかかわらず、韓国語で字幕がつけられている。というのも１９４８年に済州島で生じた武装蜂起が切っ掛けで引き起こされた住民大虐殺を描いたフィルムだからだ。語られる科白のことごとくが済州方言である。

この年、南朝鮮の李承晩政権はアメリカ軍と結託し、南北朝鮮を分離したまま南だけで単独選挙を行おうとした。済州島の住民がこれに反対し、竹槍や鎌、斧を手に警察署を襲撃して抵抗を続けた。４月３日には南朝鮮労働党が武装蜂起を宣言し、一時はほとんど全島を掌握して分離選挙を阻

オ・ミヨル『ナスル』(2012)

止した。ただちに「本土」から国防警備隊と白色テロ組織が送り込まれ、パルチザンとその家族の虐殺が開始された。これを「4《サ》・3《サン》事件」と呼ぶ。10年近くにわたって続いたこの事件で、島民のうち2万五千から三万人が殺害され、数多くの者が密航して日本へ渡った。この島が「風と女の多い島」だと観光案内書に長らく書かれてきたのは、実は男たちが殺されるか、日本に逃亡していったからだ。4・3事件について語ることは、韓国史のなかで禁忌とされ、政府による公式謝罪は半世紀以上もなされなかった。その事件が、済州島に住む映画人たちの手で、初めて映画化されたのである。

『チスル』は森や洞窟に避難してきた島民たちの物語が、モノクロ画面で語られている。彼らは恐怖に怯え、やがて銃をとり、ときに冗談口を叩いたりする。家族を殺害された老女が、平然とジャガイモを火にくべて調理している。悲惨きわまりない話ではあるが、清涼なユーモアが感じられるときがある。ちなみにチスルという題名は漢字で「地実」と書くが、チシルではなく、済州方言でチスルと発音する。ジャガイモという意味だが、もちろん韓国語の辞書には載っていない。韓国の標準語では、ジャガイモは「カンジャン」だ。韓国映画はついにここまで来たのだという思いに、わたしは駆られた。

わたしは2000年に島を訪れ、済州大学校の学生たちに案内されて、三日間にわたって虐殺の現場を廻った。当時の惨状を記録した写真はあるのかと尋ねると、彼らはそんなものは何もない。写真機をもっているだけで人は殺されたからと、簡潔に答えた。彼らの誰一人として、ソウルはおろか、朝鮮半島にすら行ったことがないと話した。そのかわり親戚に会いに、子供の頃から大阪には何回もいったという。大阪の方が身近なのだ。というのも現在、日本に在住している韓国人一世のうち相当数が、今から半世紀前の虐殺を逃れて、済州島から密航してきた者たちだからである。鶴橋の焼肉屋の親父たちは、『チスル』を観てどのような感想を持つだろう。

ソウルでは大通りを歩いていると、政治集会が開かれていた。人々が金正恩の巨大な写真に火をつけ、燃やしていた。朝鮮戦争が休戦を迎え、ちょうど60年目の出来ごとだった。

（『週刊金曜日』2013年8月2日号）

高麗《こま》神社を訪れる

どんな人間にも、いつか行こう行こうと思っていて、つい機会がなく、行きそびれている場所があるものだ。ある人にとってそれはディズニーランドであるだろうし、別の人にとっては駒場の日本民藝館であったりする。わたしの場合には、それは埼玉の山奥にある高麗神社だった。もう20年以上昔になるが、金達寿《キムタルス》の『日本の中の朝鮮文化』という書物に取り上げられているのを読んで以来、ひどく気になっていたところである。そこについこのあいだ、まだ梅雨が終らない蒸し暑い盛りに、ようやく行くことができた。

「高麗」と書いて、「こま」と読む。というと気の早い人はただちに10世紀に生じた、朝鮮半島の統一国家、高麗《コリョ》のことを連想するかもしれない。だがそれは間違い。実はこの神社に関わりがあるのは、現在の北朝鮮から旧満洲国あたりにあって、紀元前1世紀から7世紀まで７００年にわたって続いた、高句麗《コグリョ》という国家なのである。この国から渡来した者たちが高麗という名前をもった村を作った。ちなみに東京の狛江もそうである。駒場、駒込、駒沢はちょっとわからないが、あるいはそうかもしれない。

高句麗は騎馬民族の国家だった。首都を現在の平壌《ピョンヤン》に置き、隋や唐といった中国の巨大な政権に対して、一歩も譲らずに独立を守った。また新興国である日本に対して、文化的先進国として絵の顔料、紙、墨などを伝えた。聖徳太子に仏教を教えたのも、高句麗から来た僧侶である。わたしは以前北朝鮮に行ったとき、高句麗時代の古墳のレプリカのなかに入ってみたことがある。室の四方に描かれた神獣の壁画は、日本の高松塚古墳のそれとほとんど変わりなかった。というより高松塚のほうが真似なのである。

7世紀も中ごろとなると、巨大国家の唐は高句麗征服を狙って、眈々と機会を窺っていた。高句麗は日本に対して緊急に救援を求め、玄武若光という若い外交官を大和に送った。若光が大和に到着した直後、高句麗は滅んでしまった。当然、多くの難民が海を渡って日本に亡命してくる。朝廷は彼らのもっている学識とテクノロジーの高さにつねづね敬服していたので、ただちに位階を与えて仕えさせた。彼らは716年、駿河、相模、常陸、下野といった関東の七国に居住地を与えられた。その頭目は当然のことながら、もはや老境に達していた若光だった。高麗神社は、その若光を高麗明神として祀るために建てられた神社であり、その名も高麗郡高麗村に置かれていた（現在では愚劣な地名変更によって、日高市という北海道のような奇妙な名前になってしまったが）。その当主である高麗氏は、明治時代まで56代にわたって修験道をよくする家柄であったという。

高麗神社までは池袋から西武池袋線の特急に乗り、飯能で降りたところで、迎えに来てくれた友人の車に乗った。このあたりまで来ると、一面の緑である。杉が高く伸び、蛇行して流れる川では子供たちが水遊びをしている。今から1300年前に、ここに大勢の渡来人が亡命者として殖民してきた。まだ江戸も東京もなく、武士階級も存在していなかった時代のことだ。そうか、武蔵野の臍というのは、このあたりを指しているのだなと、わたしは思った。

高麗神社は堂々とした風格の神社である。大鳥居の前に、朝鮮総督であった南次郎が揮毫した石碑があり、参道を進んでゆくと、朝鮮王朝最後の王子であった李垠《イウン》殿下とその妻の方子《まさこ》が手ずから植えた二本の杉が、高々と聳えている。これだけのことからも、この神社が戦前に日本の朝鮮植民地政策のさいに、朝鮮人を懐柔し融和させる目的で利用されてきた歴史が、たちどころに浮かびあがってくる。

わたしたちを迎えてくれた禰宜は高麗文康さんといい、まだ30歳代の後半くらい、いずれは60代目の当主になられる方である。氏の話によると、植民地時代には朝鮮からさまざまな人々の訪問を受けた。明治時代には李朝の両班《ヤンバン》が白の朝鮮服に黒い帽子姿で馬車に乗って到来し、曽祖父と漢詩の交換をした。天皇暗殺を企てて重刑に処せられ転向した朴烈《パクヨル》も参拝に来たし、親日派も反日独立派もひとしくここを訪れて、何事かを祈願していった。そのため特高もやって来た。往古の昔に朝鮮から到来し、日本に帰属した者たちの物語は、軍国主義下でなされた「内鮮一体」のイデオロギーにとって絶好のお手本となった。そして最後に、坂口安吾や太宰治といった無頼派の作家が到来する。坂口は独自の炯眼で神社の本質を見抜き、『安吾史談』に反映させた。

だが一方で、１９５４年までは高麗村と呼ばれていたこのあたりは、飯能あたりの農村からは、高麗村には嫁をやるなといわれ、多分に差別的な扱いを受けていた。現在、高麗郡の名が廃止されて、市町村合併で日高市が誕生した経緯にも、そうした事情が働いていたらしい。戦後になって朝鮮半島に二つの独立国家が成立すると、在日代表組織である民団と総連は、いずれもが接触を求めてきた。信じられないことであるが、文康氏のお父君は、総連からいっしょに北の祖国に帰ろうと呼びかけられたことさえあったらしい。

1965年に日本と韓国が国交を結ぶまで、在日韓国人は自在に国に戻って先祖の墓参をすることがかなわなかった。多くの在日が墓参りの代わりにこの神社を訪れた。戦後の混乱期で物資も欠乏していたが、神社の側では誰でもよい、来る者はできるだけもてなすことという先代の教えを守った。訪問客の若い世代のなかには、日本社会で体験した差別と屈辱から、ひどく気持ちが荒んでいる者もいたが、それでも高麗家では歓待を続けた。

わたしは以前、韓国の大邱《テグ》から深く山に入ったところにある、小さな村を訪れたことがある。そこは16世紀に加藤清正と小西行長の軍勢が朝鮮を侵略したとき、戦争行為を放棄して朝鮮側に帰順した武士たちの子孫だけが住んでいる集落だった。村の伝承では、戦いに義を見出せなかった武将が部下を引連れて投降し、朝鮮の皇帝が彼らに位階を授けたということになっている。もちろん日本側にはそのような記録はない。実際は名もなき雑兵たちが寝返っただけのことだろう。地方自治体としてはなんとかここを急ごしらえの観光地として売り込みたいらしく、「多文化主義の原点」だとか「国際親善の町」といった流行語がパンフレットに満載されていた。たぶんここの住民は、5世紀にわたって朝鮮の事大主義と韓国の偏狭な民族主義に苦しめられてきたのだろうなという感想しか、わたしは抱かなかった。

高麗神社ではそうした安手の宣伝臭さは何も感じなかった。この場所は近代以降、数多くのイデオロギーとプロパガンダに利用されてきたが、そのすべてを通り越して確固たる実在を示しているように見えた。かつてこの土地が亡国の民を受け入れ、彼らの子孫に繁栄を許したように、神社は戦後の分断状況にあって帰属を喪った在日朝鮮・韓国人を分け隔てなく歓待し、彼らに慰撫を与えてきたのだ。

とはいえ、そこには誰もが指摘しなかったものの、巨大な矛盾が横たわっていた。高麗神社とは何よりも神道の神社であり、神道とは日本民族に固有の宗教であるという事実である。わたしはここに心の拠り所を求めてやって来た在日朝鮮・韓国人が、そのことをどのように了解していたのかを知りたいと思った。日本統治時代に神社への参拝を強要されたことをいまだに屈辱として記憶している者たちは、高麗神社の本殿の前に立って、はたして素直な気持ちで、日本人と同じように柏手《かしわで》を打つことができたのだろうか。

実はわたしがこの神社に足を向けようとしたことには、もうひとつ動機があった。それを次に書いておこうと思う。

（『パブリディ』２００６年7月25日）

朝鮮の裏切り者　野口赫宙《かくちゅう》

高麗神社を訪れようと思ったもうひとつの理由とは、野口赫宙の足跡を知りたいということだった。といっても現在ではよほど日本文学に詳しい人でないかぎり、この名前を知っている人はいないだろう。簡単に説明しておきたい。

野口赫宙は元々の本名を張恩重《チャンウンジュン》といい、1905年に朝鮮は慶尚北道の大邱で生まれた。高校を出たあと、しばらく教師をしていたが、張赫宙《チャンヒャクチュ》という筆名で執筆した短編が1932年に雑誌『改造』の懸賞小説に当選し、一躍脚光を浴びることになった。デビュー作『餓鬼道』は、3年続いた旱害のため、慶尚北道の農民たちが絶望的な飢餓に襲われ、ついに抵抗運動に立ち上がるという物語である。いうまでもなくこの主題は、当時日本でも朝鮮でも流行していたプロレタリア文学に則ったものだった。だが簡潔できびきびした日本語の背後には、朝鮮の農民の暖かい心情が隠されており、作者の人間を見つめる目の、リアリスティックな確かさが感じられる。

張赫宙は『餓鬼道』が契機となって朝鮮での生活を畳み、東京に出て職業作家の道を歩むことになった。当然のことながら左翼陣営からの誘いがあった。しかし、もうプロレタリア文学に先はないといち早く見て取った張は、その道へ進むことを拒絶し、日本の文壇の保守的な王道を狙った。虐げられた朝鮮の農民を描く作風は、いつしかより抽象的な人間の苦悩をめぐるものへと変化していった。やがてスランプが訪れる。朝鮮を異国趣味で描くと日本の読者に受けがいいと知ると、彼はもっぱらその方面に素材を見つけた。たとえば左翼運動が原因で投獄された朝鮮人青年が、精神に異常を来たし、なんとか彼を救おうと善意の弁護士が苦労するという作品。また朝鮮人の父と日本人の母の間に生まれた混血児が、父の投獄と母の自殺を体験し、かろうじて小学校を卒業すると町工場に職を見つけるという、ただただ悲惨なだけの作品。こうした暗い作風のものを書き続けているうちに、張はしだいに朝鮮人であることに肯定的なものを見出せなくなり、あたかも自分が最初から日本人であるかのように、支配者の目から朝鮮人を否定的に描くようになっていった。

１９３９年に『加藤清正』という作品が執筆される。16世紀に朝鮮を侵略した日本人を英雄として賛美する物語である。この頃から彼は、日本の国家主義が唱える「内鮮一体」の政策に迎合する文学活動を、積極的に実践するようになった。第二次世界大戦が勃発すると、日本文学報国会の会員として中国の戦場に材を採った作品を矢継ぎ早に発表してゆく。また40歳近くになっていたにもかかわらず、みずから朝鮮人志願兵訓練所に入所して、その体験をもとに『岩本志願兵』なる新聞小説を「毎日新聞」に連載する。朝鮮人の青年が兵隊になれないことの悔しさから、つい非行に走る。彼はできたばかりの朝鮮人志願兵制度に応募しようか迷い、思い切って高麗神社に参拝する。そして「帰化人」の後裔である高麗村の人たちが立派に日本人として生きているのを見て、「内鮮一体」の尊さを知り、立派な日本兵となることを決意する。張赫宙が高麗神社と縁ができたのは、このときが最初であった。ちなみに当時の高麗神社は、こうした内鮮一体のイデオローグがことあるたびに足を向けたり、言及したりするところだった。詩人の韓植《ハンシク》なども、『詩集　高麗村』（1942）で、盛んに「帰化人」の栄光を称えている。

日本が敗戦を迎えると、張赫宙はとたんに苦境を強いられることになる。フランスでは反ユダヤ作家のセリーヌがデンマークに逃亡し、対独協力作家のドリュ・ラ・ロシェルが自殺を図った頃のことである。張には逃げるべき場所などなかった。独立したばかりの韓国でも北朝鮮でも、親日派の御用作家を歓迎するはずがなかったからだ。韓植のようにさっさと金日成賛歌を書いて、北側に寝返ることをするには、残念なことに若いころ左翼文壇を知りすぎていた。

思い余った彼は、戦時中に訪れたことのある高麗神社を再訪した。かつて1300年前、高句麗の亡国の民を優しく迎えた高麗の里に、静かに身を隠そうと考えたのである。

張赫宙が日本人の夫人と3人の男の子を連れて最初に身を預けたのは、神社の使用しなくなった古い社務所である。彼は先代の神主と親しく、よく和やかに酒を酌み交わしては、山里の平和な暮らしを始めた。やがて近くに、35坪の寺社の敷地を借りて、家を建てた。鄙びた農家がぽつぽつと並ぶだけの土地にあって、洒落た塀のあるその家は、小さいながらも風格があった。

わたしは案内されて、その家を訪ねていった。今では家は取り壊され、現在は単なる更地に戻っていたが、のどやかな雰囲気は残っていた。すぐわきを高麗川が流れている。川のせせらぎと水遊びをする子供の声とが、微かに聞こえてくる。陶淵明が漢詩に詠った理想的な隠遁所とは、ひょっとしてこんなところだったのではないかと、わたしは思った。

わたしは家の付近で、かつての彼を知る何人かの人と立ち話をした。細面で背が高く、もの静かな人だったと、ある人は語った。朝鮮人だといわれることを嫌がってましたねと、証言する人もいた。息子の就職に差しさわりがあるからというのが理由だったらしいと、彼は付け加えた。けれどもかつて朝鮮文学の星と呼ばれ、栄光のかぎりを体験した大作家が、いつまでもその身を隠しとおせるわけもなかった。

金達寿《キムタルス》の『日本の中の朝鮮文化』を読むと、1947年（あるいは48年か？）に、彼が張赫宙の家を訪問したときのことが書かれている。同行したのは許南麒《ホナムギ》と李殷直《リウンジク》など、後に朝鮮総連の幹部となる左翼系の青年たちである。張が50歳近いとすれば、彼らはまだ20歳代の後半、さあ祖国が解放されたというので意気揚々としていた。

金達寿たちはもとより張の家を訪れるつもりだったわけではない。自分たちの遠い同胞が住まう高麗村を訪れ、高麗神社に参拝したのち、旅館で酒を呑んだ勢いで、ふとかつての朝鮮文学の大先輩を訪れてみようと思い立ったのである。張夫妻は突然の珍客に驚いたが、それでも酒肴を出し、彼らを受け入れた。これはことと次第では危険な出会いになる可能性があった。なにしろ一方が元国策作家。もう一方が左翼文学陣営の活動家たちである。だが朝鮮では長幼の序をことのほか尊ぶ。若者たちは朝鮮の礼儀を守り、初めて会う大先輩にむかって野蛮な議論など仕掛けなかった。代わりにひどく酔って、好き勝手に朝鮮民謡や流行歌を歌った。

許南麒が「木浦の涙」という歌を歌いだしたとき、いきなり日本人の夫人があまりの悲しさに泣き崩れた。見ると、張赫宙もまた泣いていた。金達寿は、これは悪いことをしちゃったなと思ったが、後の祭りだった。夫婦は離別の辛さを歌った歌を聴いて、もはや自分たちが朝鮮に戻ることができないことに、今更のように思い当たってしまったのである。もっとも翌日、張赫宙は高麗家を訪れ、どうしてあの若者たちに家の場所を教えたりしたのかと抗議した。誰からも忘れられて暮すことを、望んでいたからである。その後はしばしば在日韓国人が訪問してくると、彼は居留守を使った。夫人はどうしても帰ろうとしない客を帰すため、苦労しなければならなかった。1952年、朝鮮戦争のさなかに張赫宙は名前を野口赫宙と日本風に改め、正式に日本国籍を取得した。

張赫宙は驚くべきことに、90歳を越えるまで生きた。ほぼ半世紀を高麗川のそばの家で、隠遁者として暮らした。朝鮮戦争が勃発すると、ただちに『嗚呼朝鮮』というルポルタージュ文学を発表し、朝鮮人として生きたみずからの半生記を執筆した。朝鮮最後の皇太子の伝記を書き、朝鮮の童話を日本の子供たちのために翻訳した。ミステリー小説を書き、時代小説を書いた。『ひかげの子』といって、芸者を母として生まれた娘が不幸な男性遍歴の末に再出発をするというメロドラマを書いたところ、評判となり、新藤兼人脚本、香川京子主演で映画化されたこともあった。もうこうなると在日作家というよりも、単なる大衆作家である。晩年は文明論的なエッセイに活路を見出し、『マヤ・インカに縄文人を追う』という書物まで書いている。人類史の巨大な時間を想定することで、朝鮮と日本の対立といった小さな時間のなかの出来ごとを相対化したかったのだろう。

日本の文壇は彼の屈折に満ちた経歴を忘れ去り、韓国の文壇は禁忌としてつとめて無視を決め込んだ。北朝鮮では、彼はもとより存在していなかった。というわけで現在、その書物を新刊書店で見つけることはまず不可能である。何しろ一冊も文庫本に入っていないのだから。

名前しか知らないでいた張赫宙の書物を初めて手にとってみたのは、数年前にイェール大学に学会の用事で行ったとき、アメリカ人の研究者から『嗚呼朝鮮』という、彼のルポルタージュ小説の現物を見せられたときである。ジョン・トリート教授は、日本では現在いかなる文芸評論家も言及していないが、今こそこの作家の価値を再検討しなければいけないと、わたしに語った。わたしはこれから『嗚呼朝鮮』を読んでみようと思う。祖国を裏切り、祖国を捨てた人間が、逆に祖国に捨てられる。彼はいつまでも祖国のことしか考えることができない。こうした逆理は、現在においてこそアクチュアリティをもつのではないだろうか。卑怯者の文学と呼ばれたセリーヌがフランスでみごとに復権したように、張赫宙の作家としての名誉が回復されることは、はたしてあるのだろうか？

（『パブリディ』２００６年８月１日）

ソウルの4日間

11月11日

羽田空港から飛び立った飛行機のなかで、「京郷新聞」を手にとる。二日前に北朝鮮で行なわれた核実験について、「部分的に失敗」と大きく報道されている。韓国語のリハビリを兼ねて紙面を読み解いているうちに、飛行機は金浦空港に到着してしまった。

夜、旧知の全民済《チョンミンジェ》氏と食事。彼はいつもながらに中国脅威論を熱心に主張する。北が核武装する以上、日本もそれなりの対応をしないとだめだ。核開発も重要だが、なによりも海軍を充実させなければいけないという。参ったなあ。今の盧武鉉《ノムヒョン》大統領が北を甘やかした結果が、核実験だ。大統領は太陽政策を見直すといいながら、翌日には太陽政策のどこがいけないのだと、態度を豹変させた。それが許せないと、老科学者は力説する。

11月12日

高麗大学へ行く。明日ここで開催される学会で、三島由紀夫のフィルム『憂国』を上映し質疑応答をするために、わたしは呼ばれたのだ。会場にまず足を運び、ＡＶ機材の調整をしておかねばならない。大学構内にはいたるところに、「北韓の核実験と韓半島の危機」という緊急特別講演会のポスターが貼られている。北の国旗のもと、ミサイルがずらりと並んでいる、ひどく不吉な絵柄のポスターだ。講演者のキム・ハヨンは、『国際的視角から見た韓半島』の著者だと、説明されている。どうせ、われわれの対話が足りなかったからああなったのだとか、通り一遍のことしかいわないのですよと、わたしを案内してくれた大学院生がいう。誰もが北の脅威なるものに対して、飽きあきしているようだ。無理もない。日本にとって馬鹿にしていた北朝鮮が、テポドンの国として脅威に見えてきたのはごく最近のことであるが、韓国にとって北は、そもそもの始まりから脅威であったのである。何をいまさら……という気持ちらしい。

大学院生の父親は１９７０年に東工大に留学していて、三島事件に遭遇した。あの人は愛国者だったと、ポツリと娘に語ったという。準備が終わって、大学の傍の食堂でカルビと冷麺を食べる。

11月13日

昨日ストックホルムで、ノーベル文学賞がトルコのオルハン・パムクに決定したと知らされる。ハルキ・ムラカミも、ボブ・ディランも、惜しくも落選してしまった。パムクは翻訳で『わたしの名は「紅」』を読んだことがある。恐ろしく巧みに作られた工芸品のような小説で、それなりに面白くはあったが、文学という観念を根こそぎに変えてしまうような作品ではなかった。とはいえハルキが受賞しなかったことで、韓国語の翻訳者である金春美《キムチュンミ》教授はホッとしている。もし受賞していたら、韓国中のメディアから彼女は追いかけ回されて、くたくたになっていたからだ。今から12年前、大江健三郎がノーベル賞を受けたとき、わたしはたまたまイタリアにいて、大江のイタリア語翻訳者といっしょに講演を行なったことがあった。彼女も、あの受賞以来、とにかく忙しくて忙しくて……といっていた。

三島についての講演は無事に終了する。彼の作品は7作までが韓国語になっているが、『憂国』が上映されるのは、これが最初である。無理もない。日本にしたところで、未亡人の厳命のおかげで、このフィルムは昨年まで上映できないどころか、公式的にはすべてのネガが焼却され存在しないこととなっていたからだ。高麗大学に集まった聴衆たちはひどく興奮していた。質疑応答が二時間にわたって続き、さまざまな意見と感想を知ることができた。

韓国人ならああいう場合、主人公は親友たちの起した226のクーデターの側に就くか、それともクーデターを鎮圧すべしという天皇の側に就くか、かならずどちらかを選択するだろうと、一人の若い聴衆がいう。どちらつかずで自殺するというのは逃避だと。

別の者はいう。なぜ夫婦でセックスをしたり、胸毛を見せびらかすことが「憂国」なのか、わからない。ただの「ハラキリ」で充分ではないか。

さらに別の者はいう。自分は軍隊時代に少尉だったからよくわかるが、主人公は陸軍中尉という設定なのに、どうして軍帽に星がひとつしか付いていないのか。それでは少尉ではないか。

韓国は現実にいくたびもクーデターを掻い潜ってきたし、現在もまだ男子には陸軍で26カ月の長い徴兵制がある。もし三島由紀夫が韓国に生まれていたら、私設軍隊を作ろうとしただけで国家反逆の罪に問われて、死刑となっていただろう。

二時間の討議の最後にわたしは尋ねた。もし平壌でこのフィルムを見せたら、いったいどのような反応が戻ってくるだろうか。主人公は反乱軍の側に立つべきか、金正日の側に立つべきかで、はたして迷うだろうか。司会者がただちに答える。迷う者なんているものですか。誰だって金正日と運命をともにしようなどとは思ってませんよ。全聴衆がどっと笑った。

講演が終わって学会のメンバーで、大学近くの食堂でカルビと冷麺を食べる。昨日と同じ店だった。

11月14日

『「縮み」志向の日本人』で名高い李御寧《イオリョン》教授の発表を聞く。花札の絵柄だけを素材にして、文化交流における日本と韓国の意義を一時間にわたって論じる。

韓国人は花札が大好きで、ワールドカップのシンボルに使うほどであるが、それが日本起源であることをほとんど誰も知らない。花札の原型はポルトガルから日本へと伝来してきたカルタである。だがそれが季節に応じて12カ月に対応し、花鳥風月の絵柄をそれに対応させた点は、中国、朝鮮からの影響をそこに見るべきである。つまり花札とは、ヨーロッパからの流れとアジアからの流れが、戦国時代の日本という場所で合流しあうことで生じた遊戯なのだ。そしてそれが任天堂を通して、現在の韓国では日本以上に人気を呼んできた。文化が移動し交流するというのは、抽象用語では説明のつかない、こうした具体的な過程のことなのだ。李教授の講演を縮めてみると、大体このようになる。

午後、地下鉄で金浦空港まで行き、羽田行きの飛行機に乗る。1979年に初めて韓国の地に降り立ったとき、金浦は緊張に満ちた空間だった。軍事的な意味からいたるところが撮影禁止だった。ひさしぶりにここに来て感じたのは、なんだい、こんな小さなところだったのかあという驚きである。空港の空きスペースは特売場になっている。安かったので、わたしはスニーカーを買った。

（『パブリディ』２００６年10月24日）

丁海玉《チョンヘオク》『法廷通訳人』

外国語ができるとはどのような意味だろうか。日常の挨拶がまず初歩レベル。鉄道の切符が買えるのが次のレベル。だがより高度なレベルとは、緊急事態に状況を冷静に説明できることだ。ましてや法廷で法的言語を駆使するともなると、母国語でも大変なのだから、最高度の語学力が求められる。『法廷通訳人』(港の人)は日本の裁判所で、被告人が語る外国語を二十数年間にわたり通訳してきた女性による興味深い回想記である。キャリアウーマンといえば、これ以上のキャリアを持つ女性も珍しいだろう。

だがこの要約は正確ではない。著者が担当する外国語とは韓国語のことなのであり、それを単純に「外国語」と言えない事情が、彼女を育みそだてた日本の戦後社会には横たわっているからだ。丁海玉は北海道で育った在日韓国人二世であり、ソウル大学に留学し韓国語を修めた。そして父親の後を継いで、法廷通訳官となった。

さまざまな被告人が登場する。流暢な日本語を駆使して、韓国と日本の間を偽造旅券で往復していた初老の男。彼はのっけから通訳はいりませんと宣言し、著者を当惑させる。違法な風俗営業で逮捕された韓国人男性と、ほとんど言葉が通じない中国人の妻。韓国語を話せないにもかかわらず、証人席の父親に対し、韓国語で厳しい拒絶の言葉を叩きつける在日二世の青年。あまりに長く日本に滞在していたため、韓国語が口から出てこなくなった高齢の韓国人女性……。どの挿話も身を斬られるように悲痛な短編小説のようである。だがその思いがけない状況の背後には、戦後日本社会にあって少数派であった韓国人の、離散と定住の問題が横たわっている。

ある言語を選ぶとは、その言語が携えている世界観を引き受けることだ。ソ連時代の記号学者バフチンの思想の深さが、まさに実感できた気がした。世界中の大都市でエスニシティが多元化し、難民受け入れが最大のテーマとなった現在にこそ、まさに読まれるべき書物である。

（『東京新聞』２０１６年1月31日）

〈不逞鮮人〉

「ぼくは日本語のなかで、一つだけ好きなことばがある。それはいわゆる〝不逞鮮人〟ということばだ。ぼくはこのことばを歓迎する！　そうして〝不逞鮮人〟そのものを歓迎し、これはかつ尊敬する！　なぜならばこの〝不逞鮮人〟こそは、ぼくの日ごろもとめてやまないものであり、ここにこそ、わが民族の心の故郷があるからである。」

金達寿の『玄海灘』から引いた。

1952年に執筆されたこの長編小説の舞台は、日本の敗色が濃くなった戦時下の京城である。ここに引いたのは中学校のある生徒が、皇民化運動下での禁を破って朝鮮語で書いた作文の一節である。「いうまでもなく、これは日本語である。しかしこのことばはもともとの日本語、すなわち倭語《ウエマル》にはなかったあたらしいことばである。それは……」と作文は続いたところで中断されている。朝鮮戦争の休戦直後に完成したこの作品のなかで、作者は中学生の口を借りて、日本の植民地支配に対する辛辣なアイロニーを語らせている。

２月の半ば、極寒のソウルを訪れた。寒い場所は寒いときに行かないと、その場所の本質を窺うことができないというのがわたしの主義である。若い頃に体験したソウルの冬が懐かしく、機会があればその時期に訪問することにしている。

今回はいつもの定宿ではなく、しばらく前から人気という北村《プクチョン》に宿をとってみた。ソウル旧市街の東北にあって急速に高くなる坂の上の地区で、古い朝鮮の民家を改造して人を泊めている。ひどく狭い部屋だが、オンドルのおかげで夜はとても暖かい。伝統という名のもとに過去の時間を切り売りして観光商品に仕立て上げる、巧みな商法だ。他の客はアメリカ人とフランス人だった。

『冬のソナタ』の撮影場所となった高校がすぐ側にあり、お土産屋には色褪せたスターの写真やポスターが貼られている。旅館からゆっくりと坂を下っていくと、オシャレなカフェやレストラン、小さな博物館が並んでいて、さらに坂を下って大通りを越すと、日本人観光客に有名な土産物横丁の仁寺洞《インサドン》となる。極寒だというのに若者たちが色とりどりの韓国服をレンタルして写真を撮っていた。派手派手しい色彩のチマ・チョゴリを着た女の子もいれば、ＴＶの時代劇よろしく両班の黒い帽子を被っている男の子もいる。昔は崩れかかったような古本屋と書道関係の文具店がぽつぽつと並んでいるだけの、寂しげな横丁だった。だがそんな過去の感傷に耽っているのは、わたしだけだろう。

賑やかなお土産横丁を抜けてしばらく歩くと、３・１運動の発祥地のタプコル公園に出る。今年は２０１９年だから、ちょうど百年前に独立宣言が発せられ、市民と学生が「万歳！」を叫んだ場所だ。もっとも今世紀に入ると、アニメのコスプレ会場になってしまった。もっとも政治集会が開かれていないわけではない。わたしが足を向けた時は、3・1独立運動百周年にはまだ数日間があったので、これを記念する集会は開催されてはいなかった。公園の正門前広場では代わりに、全斗《チョンド》煥《ファン》の裁判を要求し、その刑事責任を追及する抗議集会が開催されていた。

全斗煥は1980年に光州で民主化のために立ち上がった市民たちを、大量虐殺した責任者である。韓国が民主化の道を歩む中で彼はひとたび死刑を宣告され、やがて（金大中や金芝河がそうであったように）恩赦で釈放された。現在は高級住宅地延禧洞《ヨニドン》に邸宅を構えながら、厳重に監護され生き長らえている。政界がときに混乱すると、「これがあんたたちのいってた民主主義というものかねえ」といった嘲笑的な談話を新聞に発表する。わたしは一時、この豪邸からすぐ目と鼻の先に住んでいたが、周囲にはつねに私服刑事と護衛が徘徊しており、何か気配を感じるとただちに銃を手に駆け付けるという態勢が整えられていた。

全斗煥は朴正熙《パクチョンヒ》と違っていかなる政治的理念ももたず、ただ私財を蓄積し、空挺部隊を派遣して地域住民に銃を向けることしかしなかった。このかつての独裁者に対する韓国人の憎悪は深い。2012年には光州事件の際に身内を殺害された者たちが秘密裡に集まり、虐殺の責任者である人物何某の暗殺を計画するというアクション映画『26年』（チョ・グニョン）までが制作されている。ヤクザ、警察官、射撃の元韓国代表選手、財閥の中心人物……虐殺から生き延びてさまざまな人生を生きてきた者たちが、ただその張本人の殺害だけのために周到な計画を練り、それを実行に移す。まさに異常なフィルムであるが、この作品が大きな話題を呼ぶまでに、全斗煥に対する韓国人の憎悪は深い。

全斗煥糾弾集会に戻ろう。

参加者は30人あまり。冬なのでそれぞれジャンパーやコートを着込み、「全斗煥審判」と記した幟や旗を掲げている。太極旗を染め抜いたハチマキをしている者もいれば、太鼓を担いできた者もいる。そのなかに一人だけ、毛皮のコートに手袋をしている短髪の、若い女性がいた。驚いたことに、彼女は白地に紅く「不逞鮮人」と大書した襷《たすき》を肩から腰にかけていた。

いったいどこでこの言葉を知ったのだろう。日本人であるわたしには、強烈なアイロニーなくしてはとうてい口にできない類の言葉だ。集会が一段落し、全員での記念撮影が終わって列が崩れ出したとき、わたしは思い切って彼女に尋ねてみた。

「プリョンソニン？　ああ、これって大した意味ないです。映画に出てたから真似しただけ。」

映画とは大ヒットした『朴烈』（邦題は『金子文子と朴烈』）のことだ。わたしには大正時代の話なのにサムライが二人も登場するこのフィルムは、時代考証の出鱈目さしか印象にない困った作品なのだが、確かにフィルムの冒頭には、主人公のテロリスト志望の青年が、「不逞鮮人」という言葉を意図的に口にして開き直ってみせる場面があった。しばらく話してみてわかってきたのは、植民地統治下にあってこの四文字の漢字がいかに侮蔑的な意味合いをもっていたかという問題に、この集会の女性が充分な知識も関心も持ち合わせていないことだった。かかるグロテスクな熟語を考案した日本の統治者に対する怒りも憎しみも、彼女は感じていないようだった。ただカッコイイから使ってみただけなのだ。

わたしには彼女を非難する気持ちは毛頭ない。彼女の真剣なる関心は全斗煥という大量殺人者の

2019年2月、ソウルのタプコル公園正門にて（著者撮影）。

糾弾にあるのであって、襷に記された言葉は、さしたる深刻な考えもなく、ヒットした評判のフィルムから借りて来たものにすぎなかった。

　タプゴル公園が２０００年代以来、アニメのコスプレ大会の会場とされてきたという事実に、わたしははたと思いあたった。きっとこの「不逞鮮人」の女性は、軽いコスプレ感覚なのだろう。ニコニコしながら集会に参加している。周辺には李朝の両班のように鍔の広い黒い帽子を被ったり、蛍光色のチマ・チョゴリを着て、ピースサインをしながら写真を撮りあっているカップルがいる。「不逞鮮人」の襷がけもこの光景のなかでは、ちょっと変わったコスプレ以上の意味をもっていないように思われた。

ソウルを初めて訪れたのは今から40年前、軍事独裁政権の時期である。このときは1年間、滞在した。途中で朴正煕大統領が暗殺され、非常戒厳令が発動された。日本の歌舞音曲は厳しく禁止されていた。仁寺洞には数軒の古本屋と骨董屋しかなく、タプコル公園はパゴダ公園の名で親しまれ、老人のたまり場だった。

2度目の滞在は2000年、金大中《キムデジュン》がノーベル平和賞を受けた年だった。日本文化が全面的に解禁され、東大門の地下鉄駅の壁がいっせいに『風の谷のナウシカ』の画面で埋められた。あのときはちょっと感動したなあ。民主化の後で、何もかもが変わってしまったのだ。

わたしがつい今しがた訪れたソウルは、さらに変化を遂げていた。高速道路が撤去されるとともに、高架下にあった混沌とした市場は消滅し、セーヌ河を思わせるウォーターフロントに姿を変えていた。かつてはチューインガムを忙し気に嚙みながら、前を歩く人の肩をつかんで先に行こうとしていた韓国人たちは、いつしかゆっくりと歩行するようになった。観光地では日本語の代わりに中国語が飛び交っている。もはや日本人の売春観光はなくなり、ヨン様ツアーの中年女性に続いて、日本の少女たちがお目当てのＫＰＯＰのコンサートのためにソウルを訪れるようになった。

久しぶりにソウルを訪れたわたしは、若者たちの誰もかれもがコスプレに夢中だという印象だけを受けた。窓のない居酒屋でマッコリを浴びるほど呑み、ステンレスの食器を金箸で叩きながら高唱する迷彩服の学生たち、70年代の鬱屈した学生たちは、もうどこにもいなかった。だがコスプレに興じる若者たちが光化門の前に大挙集合し、大統領の退陣を実現させたことも、否定のできない事実なのだ。

２０１４年３月、台北の立法院を占拠した大学生たちは、ミュージカル映画『レ・ミゼラブル』

で見た通りに椅子と机を組み立ててバリケードを築き上げ、映画のエンディングテーマを合唱しながら、立法院から退出していった。当時、台湾師範大学に招かれていたわたしは、その一切を目撃した。サブカルチャーが提供するロールモデルと政治的活動とは、どこで交叉するのだろうか。それは今後、東アジアの諸地域で展開されるであろう民主化闘争に、どのような影を投じるだろうか。

（書下ろし　2020年3月）

研究ノートといえば聞こえはいいけれど……

1

韓国映像資料院は偉いと思う。この十年ほどの間、日本統治時代の朝鮮映画がぽつりぽつりと発見されているのだが、それにキチンと英語字幕と解説をつけ、DVDで発行している。とりわけ1940年代前半の、いわゆる皇民化時代のフィルムを積極的に発掘し、それを韓国映画史の資料として、誰もがアクセスできるようにしている。

この時期の朝鮮映画は韓国映画史のなかでは長い間、ブラックホールであると見なされてきた。韓国人が主体的に企画制作し、監督したものではない「国策映画」だと考えられてきたのが、原因のひとつ。もうひとつは、国策映画に携わった韓国の映画人が、祖国が解放されるやいなや、ただちに「抗日映画」の雄として活躍したという事実が明るみになることで、「抗日監督」の神話が瓦解することが望ましくなかったからである。

だが、２０１０年代になって、新しい世代の韓国人研究者のなかに、新しい傾向が出てきた。韓国にしたところで、祖国解放後に映画に国策を強いてきた点では、朝鮮総督府とどこが違うのだという考えである。このエッセイは映画史の専門的論文ではないから、詳しくは書かないが、一例だけを挙げておこう。

日本統治時代に制定された朝鮮映画法は、解放後もそのまま踏襲されていた。映画人の度重なる抗議と反対にもかかわらず、それは朴正熙時代が終わった後もしばらく継続していた。朝鮮総督府は朝鮮映画に志願兵と「内鮮一体」の映画を撮るように強要し、朴正熙の維新体制は韓国映画にセマウル運動と反共愛国の映画を撮るように強要した。本来は自由であるべき映画の制作体制にこうした国家主義的なイデオロギーを注入し、映画を国家に追随した宣伝媒体と見なしてきたという点で、解放前と解放後は、いったいどこが異なっているのだろう。映画史研究の立場から、こうした疑問が明確に提出されるようになってきたのである。

韓国国立映像資料院による皇民化時代の作品の公開とＤＶＤ化は、こうした研究の新傾向と軌を一にしているし、それを促進させる意味をもっている。韓国は、自分たちにとって恥と屈辱であったにもかかわらず、歴史資料としてそれを公の眼に晒すという姿勢をとっている。日本の国立映画アーカイブは、『必勝歌』（1945）のような戦争末期の国策映画を所蔵しているにもかかわらず、「著作権」を口実にこうした作業を怠っている。映画研究家であるわたしは、韓国のこうした態度に尊敬を感じるとともに、日本の文化官僚のことを恥ずかしく思う。

2

この数年、わたしが携わってきたのは、1930年代末期から40年代、つまり皇民化時代前後の朝鮮映画の研究である。『軍用列車』『志願兵』『家なき天使』『君と僕』といったフィルムを分析していくと、いろいろなことがわかってくる。朝鮮人がまだ日本の軍隊に入ることができなかった時代に、軍用列車の機関士となることがいかに名誉であるか。志願兵制度が導入されたとき、ひとたびその制度に志願した青年が、いかに前途洋々たる未来を約束されていると感じるにいたるか。日本人女性と婚約した朝鮮人男性が、晴れて日本兵となって出陣するとき、いかに自信と希望に満ちているか。この時期の朝鮮映画は、こうした感情的高揚を前面に押し出している。フィルムがまだ発見されていないため、未見ではあるが、特攻隊員となることに深く憧れる朝鮮人の少年を描いた作品も制作されている。

こうした皇民化運動下のフィルムの背景を調べていくと、映画スタッフのかなりの部分が政治的挫折者であったことが判明する。若き日に1919年の3・1独立運動に立ち会って深い挫折感を体験し、その後のプロレタリア文学運動に関わったものの、思想的転向を強いられた知的エリート層である。彼らが朝鮮総督府のイデオロギーに従い、国策映画を制作監督したとき、その心中にあったものが何であったか。日本人であるわたしには、彼らを糾弾する資格はない。ただ、もはや自国の民族的独立などありえないという諦念と絶望のなかで彼らが選び取った、植民地体制への過剰なる適合という道のことを、ある悲痛な気持ちのもとに憶測するばかりである。

もちろんこんな研究をしていても、日本では発表する場所もなければ、論文を掲載できる雑誌もない。幸いにも台北とパリ、ソウルでは口頭発表する機会を与えられたが、そうした学会には誰も日本人研究者は参加していなかった。旧知の韓国人研究家とはかなり踏み込んだ議論ができたと思ったが、やはり日本の日本映画研究家がこうした主題に無関心であることが残念だった。植民地朝鮮はなるほど終わったかもしれないが、そこで制作された映画について、日本の映画研究者は何ごとかの認識をもっておかなければならないというのに、何としたことだろう。わたしの後の世代に、誰か人が出てきてくれないだろうか。

3

しかし日本人研究家にとっては、さらになすべき宿題がある。満洲映画である。李香蘭の男性関係について、あることないことゴシップを書き立てるのはけっこうだが、彼女を育んできた満洲映画協会と、そこに関わった三人の製作者、川喜多長政、甘粕正彦、岩崎昶について、キチンとした研究がなされなければならない。わたしが歴史小説家であったなら、この三人に紅一点を配したエンターテインメント小説を書くところだろう。だが学問的研究となると、これが実に厄介なのだ。

中国共産党は1949年に満洲国を含めて、中華人民共和国を成立させた。このとき新京（現在の長春）にある満洲映画協会（俗にいう「満映」）からあらゆる機材を接収したばかりか、制作されたフィルムのすべてを押収したはずである。いや、それればかりではない、満洲国の津々浦々にあった映画館で上映されていた日本映画作品のすべてを接収した。ところが現在にいたるまで、中国映画史ではそれについて研究どころか、言及さえなされることがない。すべてはあたかも満洲映画など地上に存在しなかったかのように進行してきた。

わたしは2年前に台北で、北京の社会科学院の張泉《チャンチュワン》教授の発表に立ち会ったことがあった。彼は満映には一時は所属していながらも、その後北京に逃れて活躍した脚本家の業績について、興味深い発表をした。食事のさいに話し合ってみると、現時点では研究はここまでが限度で、それ以上は具体的にフィルムを観ることができないから何もできないといわれた。

わたしは彼の無念さを共有できた。わたしも同じだったからである。2000年に旧満映撮影所を訪問し、すでに高齢と化していた映画人たちにインタヴューをしたことがあったが、彼らもこの件に関しては知らないと答えるか口を噤むばかりだった。わたしが二冊まで続けてきた李香蘭研究をそれ以後断念しなければならなかったのは、もっぱらそのためである。

フィルムを保存するためにもっとも重要なのは、フィルムを定期的に洗浄することである。洗浄といっても洗剤をぶっかけて洗濯機に突っ込むわけではない。上映をすることでフィルムの地肌どうしの固着を防ぎ、大気に当てることで黴や汚れによる毀損からフィルムを守ることを、専門用語で「洗浄」という。今から70年前に接収された夥しいフィルムを中国共産党が定期的に洗浄してきたとは、とうてい考えられない。もしただ保存しているばかりなら、そのフィルムは酸化し、どろどろに溶解してしまっている可能性が強い。

山口淑子（李香蘭）はかつてわたしに、自分の代表作は『黄河』（1942）であり、いつかぜひ観てほしいと語った。これは「日支親善」のメロドラマではない。李香蘭は黄河のほとりに住む貧しい農家の娘を演じている。フィルムは、四季を通して大河がどのように変貌し、人々がそれに寄り添うような形で生き延びているかを、ドキュメンタリーの文体で描いている。わたしはダニエル・ダリューに似た彼女の美貌を、悠久の大河を背景にして見てみたいと思うが、おそらく生きている間にその夢はかないそうにないだろう。

4

わたしは朴正煕時代の最後の一年をソウルで過ごし、さらに金大中時代に半年あまりを過ごした。1979年と2000年である。滞在のたびに自分の見聞を纏め、それに思索を加えて、文章を綴った。この21年のあいだに消滅してしまったものと、変化をどこまでも拒み、そこに頑強に止まっているものとを見比べ、二冊の書物の主題とした。

もっとも最初の本、『われらが〈他者〉なる韓国』を刊行するには、少し躊躇があった。韓国とは何かという問いにまだ自分が答えられずにいたからである。それを中上健次に話すと、「馬鹿だなあ。日本人には一生かかってもわからないんだから、今まで考えてきたところだけでも、途中経過として出しておけよ」と一喝された。この忠告に従っておいてよかったと思う。韓国については最終的な結論を本にしようなどと、思い上がって考えない方がいい。とりあえず今まで考えたこと、今考えていることを纏めておくことしかできないのだ。

実は2度目のソウル滞在から現在の間には、わたしは途切れとぎれではあったが、1年半ほどを台北で過ごしている。長らく奉職してきた日本の大学を60歳をもって退官し、時間的に余裕ができたので、台北と新竹にある二つの大学に客員研究員として赴いたのだ。これは実に有意義な体験であり、やはり書物の形にしておこうと思って、『台湾の歓び』という本を書いた。となると論理的に考えられるのは、ソウルと台北を比較する本を書くことである。といっても、わたしは大上段に植民地政策の違いを原理的に解き明かすといった、大層な書物を書く気持ちはない。わたしは観念的な書物が苦手なのです。とはいえ東アジアの二つの首都に長期滞在したもの好きな（？）日本人というのも、たぶんそれほど多くはないと思うから、具体的な生活感覚から語り起こした形の、比較文化論になればいいと思っている。

市場の形態はどう異なっているか。モノの値切り方にはどう違いがあるか。日常生活において、仏教と民間信仰はどのような影を落としているか。中国料理と日本料理は、どのような形で生活に入り込んでいるか。デモの形態はどう違うか。温泉はどう違うか。ヴァレンタインとクリスマスにおける女子と男子の態度はどうであるか。漫画とコスプレといった、日本のサブカルチャーの浸透ぐあいはどうであるか。

思いつくままに書き出してみたが、台湾と韓国という二つの社会に共通していることが、ひとつだけ存在している。いずれもお互いのことに、ほとんど関心を抱いていないという事実だ。韓国と台湾は、かつての宗主国である日本と、すぐ間近に控えている脅威たる中国に対し、きわめて屈折した複雑な感情をもっているが、お互いどうしはというと、無視しあっているようにわたしには感じられる。これは実に残念だ。わたしは韓国人の台湾観が知りたいし、台湾人の韓国観にも強い関心をもっている。台湾では日本の敗戦後、日本人が追放されてしまうと、その空隙を一時的に「韓僑」が埋めたという現象が生じた。韓国では朴正熙時代に「自由中国」（中華民国の呼称）人の法的権利を徹底して制限し、多くの中国人が台湾と日本へ移った。韓国は長い間、世界で唯一チャイナタウンのない国となった。

ポスト植民地主義の考えは、この奇怪な現象を分析するのに、何か示唆を与えてくれるだろうか。台湾は親日だが、韓国は反日だという、日本のメディアが作りあげてきたステレオタイプの認識に対しても、その認識の起源を歴史的につきとめ、批判的な検討を行わなければならない。

ともあれ最後にソウルに滞在してから、もうそろそろ20年が経廻ってこようとしている。近いうちにまたソウルに滞在し、この城市のさらなる変貌のあり方を、台北との比較という形で見つめ直しておきたいものだと思う。その機会を探している。

（『中くらいの友だち』2号　２０１７年９月）

Ⅳ

趙世熙《チョセヒ》　ピョンシンの眼差し

1

趙世熙の『こびとが打ち上げた小さなボール』が斎藤真理子さんの日本語で、完璧な形で読めるようになったのはすばらしいことである。ソウルで原著が刊行され、ほぼ40年が経過したが、韓国語に拙いわたしにとって、この連作はつねに遠いところにあった。斎藤さんは日本人で最初に、韓国語で詩集を刊行するという快挙をかつて成し遂げた、恐るべき語学の達人だ。この作品集は幸運な形で翻訳されることになった。

わたしは李元世《イウォンセ》が『こびと』を安聖基《アンソンギ》主演で映画化（1981）したとき、ただちにソウルの劇場で観ている。李元世は河吉鐘《ハキルチョン》や崔仁浩《チェイノ》とともに映画雑誌『映像時代』を創刊した映画人で、わたしは彼が1979年に撮った『南京豆のなかのラブソング』という、いかにも微笑ましいメロドラマを気に入っていた。だが『こびと』の映画化はまったくタッチが異なり、強烈な暴力と抒情の交錯がわたしに鮮烈な印象を与えた。これは原作をしっかりと読んでおかなければいけないと思ったが、短くない歳月の後に今、ようやくその願いが叶ったことはうれしい。

とはいえ、何の前提もなしにこの原作を読みだした読者は、そのあまりの過激さに当惑してしまうのではないだろうか。なにしろ冒頭の短編は、「せむし」と「いざり」がテロリストよろしく健常者を襲い、金品を強奪しようとする話なのだ。村上春樹が『1Q84』のなかで「こびと」という単語を使用できず、「リトル・ピープル」と英語風に記さなければならなかったというのが、日本という立派な管理社会である。仮に作者が日本で新人作家としてこの連作を出版社に持ち込んだとすれば、はたして文芸誌の編集者と校閲担当者はそのまま雑誌に掲載しただろうか。ただちに思い出されるのは、メキシコに亡命して『忘れられた人々』(1951)を撮ったスペインのルイス・ブニュエルのことだ。盲の老人が少女を凌辱し、不良少年たちが寄って集《たか》って一人の「歩行障害者」に暴行を加えるというこのフィルムが完成したとき、メキシコの観客たちはいっせいに怒りを顕わにし、監督を恥知らずと呼んで憚らなかったのだ。

そこでわたしは趙世熙のこの作品に立ち入って論じる前に、いささか個人的な感慨をまじえ、解説めいた文章を少し綴っておこうと考えてみた。第一に記しておかなければならないのは、この短編連作が執筆された1970年代の都市ソウルの雰囲気である。次に身体障碍者をめぐって韓国文化が伝統的に携えてきた想像力の深さについても、若干の註釈が必要だろう。とりわけ趙世熙と同時代の文学者たちが、「病身《ピョンシン》」、つまり日本語でいう片輪者、因果者の像を媒介とすることで、どのような社会批評的認識に到達するにいたったかという問題については、キチンと記しておくべきである。『こびと』が本来の韓国の文化史的文脈を離れ、日本の地で作品として正当に評価されるためには、蛇足であることは重々承知していても、何かしら解説めいた文章を書いておきたいと、わたしは考えたのだ。以上を前口上として、拙文をお読みいただければ幸いである。

2

1970年代がまさに終わろうとしていた年を、わたしは外国人教師としてソウルで過ごした。韓国については軍事独裁国家であるという以外に、ほとんど何も知らなかった。というより日本にいるかぎり、知るすべがなかった。

勤務先の大学は市街の東の涯《はて》にあり、広々としたキャンパスのなかには家畜病院と軍事教練所があった。街路樹の間には「精神維新」の垂れ幕が張り廻らされていて、学生たちはその下を潜って教室へ通った。正門前の通りには学生相手の簡素な食堂が何軒か、それに書店とビリヤード場があり、小さな賑わいを見せている。だがその裏に廻るとただちに道は細かく分岐し、練炭の灰の溶けた地面と汚れた煉瓦壁が続いている。壁にはときおり二番館の映画ポスターが貼られ、「間諜通報」の掲示があった。狭く曲がりくねった凸凹道をしばらく行くと市場となり、かたわらに歓楽街がある。夕方には羅《うすもの》を着た女たちが外に出て、客を呼び止めていた。

どこか市内の遠いところに、地下鉄が通っているとの話だった。もっとも数駅だけのことで、わたしの周囲にはそれを用いているという人はいなかった。主たる交通機関はバスだった。バスはいつも満員で、真っ黒な排気ガスを吐き出しながら、のろのろと進んでいる。わたしの韓国語は、すべてハングルで記された、掌に入るほどのバス路線帳を読み解くことから始まった。

大学の裏側には広大な路地が展がっていた。貧し気な平屋建ての家々が土埃に塗れ、どこまでも並んでいる。細い径を辿っていくと、思いがけないところで石畳の広場に出る。散髪屋があり、自転車屋がある。駄菓子屋があって、汚れたガラス箱をいくつも陳列している。狭く薄暗い店のなかでは、何人かの男たちが豚足を肴に黙って焼酎を呑んでいる。人間が確実に生きているという気配がした。

もっとも無限に続くかと思われた路地は、あるとき突然に中断される。家々が取り払われ、土が荒々しく剝き出しにされている。土地の再開発計画が進行中で、高架道路が建設されようとしていたのだ。工事現場の向こう側には、漢江《ハンガン》が何も知らずに悠々と流れていた。

今日では都市が二倍以上に膨張してしまったため、漢江はソウルの南北を分かつ河川と化した感がある。だがわたしが最初にこの都に滞在したころには、それはソウル市を周辺の農村地帯から隔てる境界線として機能していた。河幅は広く、ほとんど一キロ近くある。徒歩で横切ろうとすれば、橋の両側に立つ警備兵にしばしば誰何された。橋を渡り切ってしまうと、街角の賑わいを感じさせるものは何もない。建設途上の高層アパート群を除くと一面の空き地であり、真っ直ぐに走る道路のところどころにバス停の標識が置かれているだけである。真新しい郵便局を別にすれば、建物は皆無だった。要するにこの「川向う」とは、伝統的な村落を潰し、平坦に整地した直後の土地だったのだ。

わたしはさしたる考えもなく、この「川向こう」に建てられたばかりの7階建てのアパートに居を定めた。窓からは漢江の土手越しに、ソウルを取り囲む山々が見えた。入居をした時点では周囲に店舗がなく、ひどく粗末な購買部の建物が設けられているばかり。三か月後にスーパーマーケットが開店したときにひと騒ぎが起きた。近隣の村から農民たちが見学に来たまではよかったのだが、彼らは何十匹もの黒山羊を同行していたからだった。この落差はそのまま、韓国の高度成長の速度とそれによって生じる歪みを表わしていた。わたしは毎朝、広大な空地の前の停留所からバスに乗り、大河を渡って大学へ通った。学生たちの大部分は河の西側に住んでおり、わたしはいつも一人、バスに乗って、夜の河を眺めながら帰路に就いた。

わたしが住んでいたアパート群の場所は、趙世熙の『こびとが打ち上げた小さなボール』に一度だけ顔を覗かせている。主人公の一家が貧民窟から追放されたとき、ソウル市が代替住宅として準備した集合住宅のある江南区蚕室四洞《チャムシルサドン》のことだ。今回、読んでみて、そのことに気が付いた。そうか、わたしが住んでいたアパートの隣人たちは、追放された者たちから入居権を買って、この新開地に住むことになったわけだったのか。

朴正熙大統領が暗殺され、非常戒厳令が発動された。もとよりそれ以前から政治的緊張状態にあった大学は、これを機に休校となった。凋落の秋が終わり、冬の厳しい寒さが訪れたころ、わたしはこの都を去った。

ソウルはその後、急速に変化していった。わたしは最初の滞在が契機となって、それ以降、ほぼ一年に一度の割でこの都市を訪れているのだが、足を向けるたびに街角の光景の変貌に唖然とさせられた。そこで2000年に再度の長期滞在をしたときには、ちょうどいい機会だから、徹底して新都市の変貌ぶりを確かめてみようと決意した。まず以前に勤務していた大学にブラリと足を向けてみた。20年ぶりの再訪である。以前であるなら市の中心部から満員バスで40分ほどかけなければ到達できなかったところが、何としたことか、市内から地下鉄で、ものの10分ほどの間に到着できる場所に変わっていた。

キャンパスからは騒々しい政治スローガンの垂れ幕が一掃されていた。だがそれより驚いたのは、大学の背後に展がっていた広大な路地が完全に消滅していたことだ。高架道路の下にはこぎれいな住宅が整然と並んでいるばかりである。駄菓子屋も、歓楽街も、二番館の映画館も、わたしがノスタルジアを覚えるはずの対象は、きれいさっぱりとなくなっていた。わたしは地下鉄にふたたび乗り、大河を潜って蚕室へ向かった。ソウル・オリンピックの会場として脚光を浴びたこの地では、なんと完璧なばかりに高度消費社会が実現されている。わたしが住んだ高層アパートは早くも汚れて老朽化し、すでに時代遅れの雰囲気を湛えていた。空腹を覚えたわたしは寿司屋に入った。店先にはsince 1975と、堂々と記されているではないか。何をいってるんだい、そのころここは雑草しか生えていない空地だったのだぞ、わたしは心のなかで苦笑した。

3

わたしがソウルに最初に滞在していた1970年代の終わりとは、無名の趙世熙が『こびとが打ち上げた小さなボール』の連作をコツコツと書き上げ、文学賞を受けた時期である。もっともわたしは彼の存在を知らず、作品集を手に取ることがなかった。わたしがその時期に読んで強い印象を受けたのは、李清俊《イチョンジュン》の『書かれざる自叙伝』（1972）であり、崔仁浩の『馬鹿たちの行進』（1975、邦題は『ソウルの華麗な憂鬱』）である。この二冊は韓国文学に何の知識もないわたしに強烈な印象を残し、それに言及せずには、70年代のソウルについて語ることができないほどである。少し脱線を許していただいて、この二篇の小説に触れておきたい。

『書かれざる自叙伝』はドストエフスキーの決定的な影響のもとに執筆された独白体の長編である。主人公は勤め先の会社を馘になり、失意のうちに通勤バスのなかで「大審問官」の幻を見てしまう。もうこれ以上大脳を酷使して思考をすることをやめないかぎり、お前は十日後に死刑に処せられるぞと、審問官は託宣する。十日の猶予を与えられた主人公は行きつけの喫茶店《タバン》で、さまざまに奇妙な性癖をもった人々と出会う。だが彼らはいちように時代閉塞の囚人であり、精神の飢餓を満たす術を見つけられないでいる。また揃って自嘲の名人であり、人生が始まる前から人生に疲れきっているかのように見える。喫茶店はうす暗い窖《あなぐら》のようで、巨大な水槽に熱帯魚が泳いでいる。この構図はあまりに外界との接触を制限されてきたため、知らずとみずからに抑圧を招き寄せてしまった70年代韓国の知識層をめぐる、痛切な戯画であるように思われた。

『馬鹿たちの行進』の方は、もう少しお気楽な雰囲気をもった青春小説であった。大学生の男の子が合コンで知り合った女の子にキスを迫って拒まれ、ジーンズの尻ポケットに突っ込んだ『かもめのジョナサン』に慰められるといった、たわいない挿話が続く。だがそこには、自分たちの一挙一動を「馬鹿たちの行進」だと平然と眺めてしまう、冷たい視線が横たわっている。軍事クーデターから十数年、もはやいかなる意味でも理想主義の高邁を信じられなくなった大学生たちの、行き場のない、鬱屈した感情が、全篇にわたって流れている。

わたしが『馬鹿たちの行進』で着目したのは、主人公の青年が「炳泰《ビョンテ》」と名づけられていたことだった。これは韓国人としては不自然ではない名前ではあるが、同じ発音で「病態《ビョンテ》」と書くと、病気の者、身体の不自由な者、ダメな奴といった意味をもってしまう。「病態」とほぼ同義で、より強い言葉に「病身《ピョンシン》」があり、これは辱説《ヨクソル》、つまり人を差別して侮辱するさいに用いられる罵倒語である。あえて日本語に直すならば、片輪もの、虚《うつ》けもの、ちんば、いざり、めくら……といった類の、身障者を嘲笑するさいに用いられる表現である。

とはいえ現在の日本文化にあって公的に使用が禁止されている不快用語が、韓国でも同じ扱いを受けているかというと、話はそれほど単純ではない。韓国は日本とは比較にならないほど、文化人類学でいう〈冗談関係〉が柔軟に成立している社会であり、日常の会話にあって差別用語の意図的な使用が親密さの相互確認であるといった場合が、けっして少なくないからだ。罵倒語を投げかけると同時に、同じ罵倒語を受け入れることで成立するコミュニケーションが、この国ではきわめて一般的に実践されている。さすがに21世紀ともなれば、よほどの高齢者の間でしか用いられなくなったと推測するが、慶尚道では男どうしがすれ違うときに、お互いを「ムンドゥンイ（癩病野郎）」と呼び合って、親密さを確認しあったと聞いた。

李清俊と崔仁浩はまったく異なったスタイルをもつ作家ではあったが、「病態」「病身」という観念において少なからぬものを共有していた。

李承晩独裁政権を倒した栄光の学生運動世代に属していた李清俊は、その名も『病身と痴呆』（1967）という短編をもって文壇に躍り出た。彼は『書かれざる自叙伝』に続いて、『あなたたちの天国』（1976）という長編を発表し、そのなかでハンセン氏病療養所のある離島を舞台に、理想と救済、背信と偽悪をめぐる壮大な観念世界を築きあげた。崔仁浩はといえば、『馬鹿たちの行進』に続く青春小説『鯨狩り』（1984）で、主人公の大学生にふたたび炳泰という名前を与え、何をしても充足感を得られない内気な青年がみごとに通過儀礼を果たし、理想主義に到達するという物語を描いた。それは少しずつ解凍されてきた韓国社会にあって、絶望のすえに「病態」を自称してきた70年世代が、自嘲の終焉と理想の回復を宣言する作品であった。

1970年代の作家たちはどうしてかくも「病身」に拘泥していたのだろう。そこには少なくとも二つの要因が働いていたように、わたしには思われる。一つは韓国社会に横たわる伝統的想像力に関わるものであり、もう一つは70年代に固有の、きわめて政治社会的な認識に由来するものである。

先にも触れたことであるが、韓国文化は人間の身体的異常と逸脱をめぐり、日本とは比較にならないまでに、豊かな想像力の語彙を備えた文化である。路上の喧嘩言葉における複雑な修辞法に始まり、政治的示威行動の場でのパフォーマンス性、仮面舞踏《タルチュム》における奇怪な祝祭性を帯びた仮面と猥褻な身振り……そのどれをとっても、そこに常軌を逸した身体が生み出す、不均衡にして滑稽な運動が基調とされている。

身体表象の最たるものとしては、その名もズバリ「病身舞《ピョンシンチュム》」という舞踏が存在している。崔承姫《チェスンヒ》の弟子であった孔玉振《コンオクチン》が編み出した舞で、身体障害者であった実弟を悦ばせるために、彼の身振りを真似てみたのが契機となったと伝えられている。病身舞では盲人や亀背をはじめ、さまざまな身障者の身振りが模倣され、そのしぐさの連続を通して、逆に健常者が抱いている無意識的な傲慢が批判されることになる。わたしも一度、孔玉振が東京池袋のスタジオ200で公演をしたさいに観劇したことがあったが、聞きしに勝る壮絶な舞台であった。そのさい楽屋で聞いたところでは、個人的にお座敷で演じるときには、身障者どうしの性行為を真似た演目もあるとの話だった。彼女はこの舞踏で得た収入のかなりの部分を身障者施設に寄付していた。韓国にあってはこのように、病身の表象とは文化の基層に横たわる何ものかであり、それはしばしば時の権力に対する鋭い諷刺と嘲笑の武器だと見なされてきた。

だがもう一つ忘れてはならないのは、朴正熙の抑圧的な軍事政権が二十年近くにわたって続いていた韓国社会とは、それ自体がグロテスクな病身であったという認識のことである。１９７０年代に生きることを余儀なくされた知識人と芸術家は、透明な健常者の視点のもとに社会を描くことの困難に向かい合うことから、創作を開始しなければならなかった。彼らは意図してみずからを「病身」と見なし、片輪者と畸形のみが持ちうる孤独を引き受けることで物語を綴ろうと試みた。意識して選ばれた自嘲的な言動。世界のもっとも下層に置き去りにされた弱者たちの声。この時代にしばしば唱えられた、「低き処《ところ》に臨みたまえ」という託宣は、今日的な言葉に置き換えるならば、つねに沈黙を余儀なくされてきたサバルタンを前にして、彼らの声をいかに再組織していくかという問題に深く関わっている。片輪ものの視座のもとに、障碍者の身振りをなぞることでしか表現が可能とされなかった時代というのが、韓国の１９７０年代だったのである。

4

趙世熙の『こびとが打ち上げた小さなボール』は、冒頭で数学のトポロジー理論に言及されていることからも判るように、バラバラに執筆されはしていても、結果的にきわめて周到な構成をもつことになった短編集である。結末部に至って物語は冒頭に回帰する。その結果、作品全体がちょうどメビウスの輪のように、内側も外側も定かでないままに閉じてしまう。これは登場人物の側から眺めてみるならば、彼らがどのように足掻こうとも、脱出を希求しようとも、けっして現実の世界から飛び出せないことを物語っている。だがそれは逆に、外部から到来する者が、いつしか内部の存在になり代わってしまう状況をも意味している。この両義的な事実を念頭に置きながら、登場人物の一人ひとりに焦点を合わせてみることにしよう。

まず旧市街の中心から郊外のプチブル住宅地へ越して来た家族が登場する。夫は知識層ではあるが生活に疲れ切っており、妻は水の出の悪い水道に苛立っている。彼女は社会の周縁に置き去りにされてしまった自分たちの状況を、「こびと」という言葉によって表現している。そこへ偶然ではあるが、本当の矮人《こびと》が登場する（平仮名の字面が続くと読みにくいので、以後は漢字を用いることにする）。彼は工具袋からさまざまな器具を取り出し、水の問題を解決する。妻は彼に親密な気持ちを抱くが、矮人は通りかかったポンプ店の作業員によって手酷い暴行を受ける。妻は矮人への共感から、作業員に向かって出刃包丁を振り回し、「私たちもこびとです」と矮人に話しかける。

ここで物語が切り替わり、矮人とその家族の話となる。

矮人は52歳だ。彼は債券の売買から高層ビルの窓拭き、そして水道修理まで、さまざまな仕事を転々としてきた。どぶ川のわきに密集した貧民窟に無許可の住居を築き、差別と屈辱に塗れながらも、妻と三人の子供を養ってきた。皮肉なことに「幸福洞」と名づけられたその一角は、現在、再開発事業の対象となり、一家は立ち退きを強く勧告されている。

ここで語り手は長男のヨンスに移り、彼の口から家族の来歴が語られる。ヨンスは貧困ゆえに中学を途中で退き、印刷所で苛酷な労働の日々に明け暮れている。だが持ち前の向学心から検定試験に合格し、放送通信高校で学んでいる。社会と自我をめぐる葛藤を、ドストエフスキーの登場人物のように手記に書き綴ってもいる。

この一家にはチソプという青年が入り浸っている。チソプはどうやら学生運動で大学を追放された過去を持っているらしい。彼は抗日運動家であった祖父の血を引いてか、理想主義を信奉し、先に引いた「低き処に臨みたまえ」という言葉を文字通り実践しようとして、貧民窟を訪れている。だがその一方でブルジョワ家庭に出入りし、父親の厳命で有名大学合格を目指す少年ユノの家庭教師をしている。

ユノは幼いながらに階級的終末観に囚われており、こっそりと拳銃を隠し持っている。どこかジッドの『贋金づくり』の主人公を思わせるこの少年は、みずからに取りついた破壊衝動を持て余している。チソプは彼にユートピア的な空想を説くが、一家に怪しまれ、お出入り禁止となる。彼が矮人の一家を訪れ、ともに食事をしているとき、いよいよ強制執行がなされ、かつて一家全員で手作りで築き上げた家屋は、たちどころに取り壊されてしまう。チソプはこの破壊に抗議して暴行を受け、どこかへ連行される。矮人は長男のヨンスに自殺の決意を打ち明けると、無人と化した工場の煙突に上る。ほどなくして煙突の底に、彼の死体が発見される。これまで抑制されてきた深い悲しみが一気に噴出する場面だ。

家長を失った一家はソウルを出、重工業地帯であるウンガン市に移る。ウンガンは悪徳と危険に満ちた巨大な都市である。三人の兄妹はそれぞれ、自動車工場、電機工場、紡績工場で働くが、苛酷な低賃金労働に心身を消耗させる。彼らは教会を通して、しだいに労働運動に目覚めてゆく。一方、富裕な家庭の子弟であったユノもまた父親の軛《くびき》を逃れ、一労働者としてウンガンに辿り着く。

だが彼はここでも孤立感に苛まれる。

ヨンスは労働争議に関わり、資本家から危険人物と見なされる。そこに変わり果てたチソプが現われ、二人は励ましあう。暴行が原因で顔に深い傷を負い、工場の事故で指を失ったチソプは、文字通り「病身」そのものである。だが同時に彼は、救済の可能性を説くため、一家の前に突然に出現するという意味で、天使のごとき存在でもある。ヨンスが工場の社長の殺害を企て、官憲に逮捕されたとき、チソプは裁判の席で堂々と彼の弁護にあたる。

ここで話は冒頭のせむしといざりに回帰し、彼らが高速道路に侵入し、資本家の殺人を意図している場面となる。だが結局、計画は放棄される。高校では、かつてメビウスの輪について生徒たちに説明していた教師が、今度は宇宙人に逢ったという話をしている。ただちに利発な生徒が手を挙げ、そうした空想が生じるのは、社会的ストレスから自己を防衛するためではないかと意見を述べる。こうしてある苦い捩れを抱えながらも、語りが冒頭に回帰することで、この短編連作はメビウスの輪のごとき終わり方を見せる。

作者の趙世熙は後書きのなかで、ここに語られていることの少なからぬ挿話は、彼本人が見聞し、体験したことであったと述べている。無許可住宅が強制撤去されるとき、たまたまその場に居合わせ、そのいっさいを見届けたのは、みずから体験したことであった。その意味で、ここに登場するチソプなる青年は、まだ作家となる前の作者の、かぎりなく自己に近い分身であることが判明する。チソプは社会のもっとも下層に位置する矮人の一家と、頂点に位置するブルジョワジーの一家の間を往き来する〈知恵ある道化〉であり、物語のなかでみごとな媒介者として機能している。彼は高みにあっては低きところを臨めと説き、低きところにあっては、時空を超えた空想の世界を思考することの意味を説く。そして最後にはみずからも病身として、殺人を犯したヨンスを理解しようと努める。

『こびとの打ち上げた小さなボール』では、このようにして、1970年代の韓国社会に横たわっていた数多くの問題が取り上げられている。貧困と身障者差別。土地の再開発と強制執行。劣悪な労働条件と自然破壊。キリスト教信仰と労働争議。ここでは明確には語られてはいないが、矮人の一家が身を寄せ合うように生きてきた貧民窟の来歴がもし語られることがあったとすれば、おそらくそこには朝鮮王朝時代から続いている被差別民問題や、朝鮮戦争時における北からの難民の問題も、当然言及されることになるだろう。ちなみにいうならば、半世紀前に大島渚がソウルを舞台に監督したフィルム『ユンボギの日記』の原作となったのは、こうした貧民窟に生きる少年が綴った手記であった。推測するに、このユンボギ（潤福）もまた、1970年代のどこかで家屋を破壊され、追放の身となったことだろう。彼は矮人の長男ヨンスとほぼ同年齢であるはずだ。

作家としての趙世熙の面目とは、こうした悲惨な現実を〈病身〉、つまり身体障碍者という視座を通して描いてみせたところにある。知識人が次々と連行され、恐怖が社会を支配していた軍事政権時代に、小さなノートブックに少しずつ書き溜められたこの作品が、身体障碍者の表象を忌避し、いたずらに言語表現を管理することで成立している今日の日本において訳出されたことの意味は、けっして小さいものではない。いうまでもないことだが、この作品は単に社会の悲惨を描くリアリズム文学の範疇に収まるものではない。趙世熙が差し出してみせたのは、サバルタンと身体表象の間の象徴学に関わる問題であったといえる。

文学研究の現場ではこのところ、ディアスポラ、つまり本来の土地から追放され、離散と消滅の危機のさなかにある者たちをいかに表象するかという議論が続けられている。ディアスポラとはユダヤ人に限ったことではない。今日ではあらゆる少数派がこの悲惨な状況のもとに置かれている。『こびとの打ち上げた小さなボール』は、朝鮮戦争時の離散家族小説とはまた別の角度から、韓国文学においてこの問題を取り上げた作品として、これからも読み継がれていくことだろう。

5

韓国では思いがけないところで、矮人《ナンチャギ》を見かけることがあった。

あるとき全羅北道《チョルラブクド》の南原《ナムウォン》を旅行していたわたしは、市場の一角にトレーラーが横付けにされ、そこから一人の矮人を中心に、芸人たちが降りて来るのを見かけた。彼は派手な衣装を身に着けており、否が応でも通行人の目を引いた。全員が整列をすると、端の一人がトランペットを鳴らし、リーダー格の矮人がおもむろに口上を述べ始めた。漢方薬の効用のことだった。彼らは町から町へと旅を続けていく薬売りの一団だったのである。

別のとき、わたしはソウルの繁華街である明洞《ミョンドン》の一角で、真紅のミリタリールックをした別の矮人が、言葉巧みに通行人たちに話しかけているのを見かけた。彼はキャバレーの呼び込みだった。いっしょに歩いていた友人が、この矮人は明洞の名物なんだぜと、わたしに教えてくれた。彼は声が枯れていいて、相当の年配のように思われた。

李元世のフィルム『こびとが打ち上げた小さなボール』を映画館で観たのは、それからしばらくしてのことである。わたしはまだそれが、評判を呼んでいた短編集の映画化だとは知らなかった。

いくつかの場面が強烈に印象に残った。

とりわけ衝撃的だったのは、近隣の住民のあらかたが他所へ移ってしまい、がらんとした集落に残された家のなかで一家が食事をしているところである。突然に強制執行のブルドーザーが出現し、家の壁を突き破って、食卓を囲んでいる家族たちの眼前へ迫ってくる。わたしはそれ以前に小川紳介のドキュメンタリー映画で、三里塚の農民たちが機動隊によって根こそぎ排除される光景を観たことはあったが、かくも直截的に描かれた家屋と生活の破壊を映画のなかで目の当たりにしたことはなかった。

もっともはるか後になってパレスチナ自治区の西岸側にあるヘブロンを訪れたとき、わたしはかかる破壊が現実に行われた跡を、嫌というまでに見せられることになった。ユダヤ人入植者のために一方的になされた道路拡張計画によって、パレスチナ人の伝統的な住居がまさに半分のところで断ち切られ、内部が剥き出しにされたまま放置されているところがいくらも見受けられた。強烈な陽光のもと、台所に散らばる食器や家具に土埃が被さっているさまを見るのは傷ましい気持ちがした。

李元世のフィルムに戻ると、そこで主人公を演じていた矮人には見覚えがあった。明洞でキャバレーの呼び込みをしていた人物である。そうか、韓国の映画界はエンターテイナーとしての彼に注目していたのだと知ると、なんだかうれしい気持になった。今度、あの店の前を通ることがあれば、映画を見ましたよと声をかけてみよう。わたしはそう思ったが、差し迫った帰国のため、それはなされなかった。数年が経ってわたしは久しぶりに明洞に足を向けてみたが、もはや矮人は姿を消していた。キャバレーもなくなっていた。

あの矮人は映画出演の後、どうなったのだろうか。わたしはかつて寺山修司の芝居に客演した何人かの矮人たちが、寺山の死後も彼を深く慕っているという話を思い出した。李元世に見出されたあの矮人にしても、それを契機として、その後も映画や演劇の舞台で活躍していてほしいなあと、わたしは空想した。本書の翻訳者である斎藤真理子さんの話によると、彼はその後も林権澤《イムゴワンテク》の離散家族映画『キルソドム』に、赤い水玉模様の衣裳を着て太鼓をたたいている薬売りの道化として出演していたらしい。芸名は『こびと』の父親役をそのまま用いて、キム・ブリであったという。今度、ソウルに行ったとき、誰か年配の人に、そのあたりのことを尋ねてみたいと思っている。

（チョ・セヒ『こびとが打ち上げた小さなボール』〔斎藤真理子訳、河出書房新社、2016〕解説）

T・K生　池明観《チミョングワン》さんのこと

1

「最初はね、一年間のつもりだったのですよ。1972年のことです。東京大学の政治学科に留学しました。それが翌年に金大中の拉致事件が起きてしまい、もうあの国には帰れないなと思いました。それでもまあ何年か待てば帰れるだろう。朴正熙のあんな政権がもつわけがないと思ってましたからね。それがいつの間にか、20年にわたって亡命生活をすることになってしまった」

老人はにこやかに語った。もう何も隠すことはないのだという確信が、81歳の小柄な身体に満ちている印象があった。自分の物語を居丈高に語るというのではなく、生来の謙虚さが言葉の端々に感じられた。そうか、この人が15年間にわたって全世界を震撼させてきた、あの有名な匿名文書の作者だったのだ。わたしは感嘆の気持ちを抱きながら、彼の言葉に耳を傾けた。

池明観さんは1924年に現在の北朝鮮に生まれた。祖国が解放されると、故郷で小学校の先生となったが、やがて分断線を越えて南に逃げ、ソウル大学で宗教学を勉強した。60年代には『思想界』という雑誌の編集長となり、政府批判の論陣を張った。1965年の日韓基本条約に対しては断固批判的で、その年に初めて日本を訪れた。韓国とはまったく違って、政治の臭いのしない平民社会がどこまでも続いている。これは日本を研究しなければと思ったという。それが図らずも7年後から、朴正熙軍事政権時代に始まる20年の亡命生活のきっかけとなってしまったのである。

池明観さんに会っておきたい、話を伺っておきたいと思うようになったのは、最近のことである。先生がT・K生は実は自分だったと、カミングアウトされたことを知って、大きな衝撃を受けたのがきっかけだった。私事になるが、少し昔話をさせてほしい。

わたしは1970年代にソウルで最初の就職をした。日本語教師である。だが大学でとりわけ韓国のことを勉強したわけではなく、日本を出発する前ににわか勉強で書物を読むことになった。そのなかに岩波新書の『韓国からの通信』があった。当時は第三集までが刊行されていた。

この書物は著者名がなく、奥付には「T・K生」とだけ名前が記されていた。雑誌『世界』に毎月連載された文章を纏めたものである。軍事政権下の韓国で民衆に対しどのような非人道的弾圧が行なわれているか。どのような抵抗運動が工場で、大学で、また街角で繰り広げられているか。政治家たちの腐敗と頽廃の度合いはどうであるか。知識人に対する諜報組織の暗躍ぶりはどうなのか。およそそうした情報が月ごとに逐一報告され、ときに民主化を求め地下に潜った活動家の宣言文や、政治集会の決議文が挿入されている。読み進めていくうちに、自分が足を向けようとしている国が、いかに政治的に恐怖に満ち、社会的に矛盾を抱えたところであるかが、説得的に語られていることがわかった。

いったいどのような人物が執筆しているのだろうと、わたしはいぶかしく思った。国内では政権を諷刺する詩を発表したという理由から、詩人の金芝河《キムジハ》に死刑の判決が下され、国外では反政府運動の中心人物である金大中が拉致され、暗殺されそうになるといった国である。もし作者が実名でこれを発表していたら、多分生命は危ういものだっただろう。

ソウルに住むことになったわたしは、日本から書物が小包で送られてくるたびに、バスを乗り継いで国際郵便局に出頭し、係員の目の前で、到着したばかりの書物について説明をしなければならなかった。彼らはイワナミとセカイを、あたかも何か危険な病原菌であるかのように極度に怖れていた。理由は簡単で、『韓国からの通信』が掲載されているからである。そこには国内ではけっして公にしてはならない事件の数々がこと細かに報道されていて、もし反体制派の手にわたれば、彼らをいっそう勇気付けることになったからである。

『韓国からの通信』は、どのようにして可能となったのだろうか。

基本的に母体となったのは、韓国国内にいるキリスト教徒を中心とした民主化勢力の人たちである。彼らがインフォーマントとなって政治集会の情報を集めたり、街角の噂や風評を拾い集めた。それが旅行者や宣教師といったさまざまな人の手を通して、キリスト教組織に届けられ、いくつかの径路を辿って池明観さんのところに集められた。氏がその真偽の程度を測定し、事実だと判断したものをモンタージュして原稿に起こした。『世界』編集部では、池さんがT・K生だと知っていたのは、編集長の安江良介だけだった。彼が原稿に手を入れることは絶えてなかった。

作業は徹底して秘密のうちに行なわれた。ＫＣＩＡは躍起になってT・K生を探し出そうとしていたが、15年かかってもそれはできなかった。国内にいる情報提供者のなかには逮捕され、拷問を受けた人もいたが、彼らはけっして自白しなかった。というよりほとんどの情報提供者は、自分が手渡した情報がどのような経路を辿って、誰のもとに到達することになるのかを知らなかったのである。

「KCIAは、わたしがT・K生であると、うすうすは感づいてましたね。ただ確証がなかった。大使館の者ですといって、わたしに親しげに近づいてきたりして、何とか情報を聞き出そうとしてくるのですが、こちらもトボけ通した。まあ、あんなこと、一人じゃ無理ですよねえとかいってね。向こうも金大中の拉致が失敗しているから、手荒なことはできなかったのでしょう」

池明観さんは静かに語った。その小柄な身体のどこに、15年にわたって強い緊張のなかであの『通信』を執筆した知識人の強靭さが隠されているのだろうと、わたしは考えていた。

2

1973年から88年まで、池明観さんが「T・K生」の筆名のもとに書き続けた『韓国からの通信』は、日本では雑誌『世界』に毎号掲載されたが、その傍らでただちに英語をはじめとする外国語に翻訳され、世界中に軍事政権下の韓国の悲惨と暴力を告げ報せることとなった。朴正熙政権は国内でいかに苛酷な言論弾圧を行なっても、つねに誰かしらが情報を日本に運び、それが日本を通して全世界へ発信されてゆくことを、苦虫を嚙み潰す思いで眺めていた。

『韓国からの通信』は平壌で、朝鮮語にも翻訳されていた。北朝鮮系の組織である朝鮮総連が、韓国の政権に批判的な池明観氏を利用できるのではないかと考えて、接近してきたこともあった。しかし池さんは、断固として彼らを拒絶した。自分は南の独裁政権に批判的ではあるが、だからといって北を受け入れるものではないというのが彼の立場だった。もちろん北側は、彼がまさかあのT・K生であるとは知らなかった。

日本人は、亡命をしないことで有名である。第二次大戦中、ドイツやイタリアの知識人や芸術家があいついでファシズムの故国を捨てて、新大陸へ逃げたり、中国の作家が共産党政権を嫌って香港からアメリカに逃げたりしたことはよく知られている。だが日本人は、国家が軍国主義の狂気のさなかに突入しようとするときでさえ、亡命という発想をもたず、そのまま国内に留まった。彼らは戦争に協力するか、シニカルな眼差しを交し合いながら不承不承に戦争を受け入れるかした。だから日本人には、スパイ小説でしか亡命を理解することができない。

わたしは亡命ということに以前から強い関心をもっていた。もっと端的にいうと、国を捨てるということである。学生時代から現在までずっと語学の勉強を続けてきたのも、日本語の通じない世界に生きることができる可能性を、自分のどこかに残しておきたかったからだ。だから池明観さんに尋ねたのは、亡命者としての生活のことだった。

亡命を決意した池さんは、まず職を見つけることが第一だと考えた。そこで東京女子大で韓国文化を教えることで、非常勤講師の資格を得た。やがて彼はここで教授となり、定年になるまで20年あまりを勤めあげた。二年目からは、ときどき家族が来てくれるようになった。子供はアメリカに行かせた。時間が経過するうちに、いつまで経っても祖国に戻ることができない自分に、苛立ちを感じ始めた。ひょっとして自分は日本で死ぬことになるのだろうか。だが、在日韓国人社会と自分との間には大きな距離があった。未来を思うと不安になった。しだいに諦めの気持ちが強くなった。そのとき思いがけないことに、宿敵だった朴正熙大統領が暗殺され、独裁体制に終焉が訪れた。

亡命者の心理は複雑である。彼はまず暴虐の祖国を逃げおおせたことで、ひとまず安堵を感じる。だが、この安堵感はやがて罪悪感に変わる。国内に留まって抵抗運動を続けている同志たちに比べて、安全な外国で惰眠を貪っている自分とはいったい何なのか。体のいい傍観者にすぎないのではないだろうか。亡命の時間が長くなるにつれて、国内派との溝は開いてゆく。池明観さんのように、必死の気持ちを抱きながら祖国の窮状を訴える仕事に従事していた人物においてすら、こうした立場の違いから来る罪悪感を逃れることができなかった。

国内に残留した活動家との距離は、池さんが20年にわたる日本滞在を切り上げて、1993年に韓国に戻ったときに、いっそう明らかとなった。かつての同志たちと言葉を交わすことになった池さんは、お互いに全然言葉が通じなくなっていることに気付いたのである。

かつて民主化運動を担った活動家たちは、逮捕と拷問の連続という、恐ろしい日々を過ごしてきていた。彼らは充分に齢をとり、疲弊しきっていた。新しい政治改革の主体となっているのはより新しい世代だった。活動家たちの集団は自己閉鎖的になり、細かく分裂して孤立しあい、偏狭さを帯びるようになっていた。

とりわけ日本をめぐる考え方において、池さんと国内の元活動家たちは異なっていた。20年にわたる滞在は、氏を充分に知日家（親日家ではない）に変えていた。彼は韓国と日本を含めて、東アジア全域の未来を考えようと提言したが、活動家たちはどこまでもナショナリズムに拘泥し、韓国と日本を対立関係において思考することしかできなかった。

もう昔の友情とか信頼というものはなくなってしまったのですよと、池さんはいった。「みんな、離れ離れになってしまった。それにソウルという都市があまりに巨大になりすぎて、人と人とが気楽に出会って話をするどころではなくなってしまった。といって新しい友情ができる年齢でもない。わたしが韓国語でモノを書こうとすると、それは1960年代の韓国語になってしまい、現在の韓国語にはならない。日本語でモノを書くほうが、ずっと楽になってしまった」

韓国と日本の指導者は、いずれもが自国の眼前の利益しか考えず、東アジア全体の調和や秩序のことを考えていない。彼らがいい争ったとき、それを仲裁する超越的な人物が、もはやいなくなっている。自分は盧武鉉大統領が就任するときにはいささか助言をしたが、現在の彼にはもう何も期待できないと、池さんは語った。「うれしかったこと？　そうですね。わたしの書いた『通信』を読みたいという理由だけから、何人かの学生が獄中で日本語を学ぶことを決意したと後で教えられたことかもしれません」

20年にわたる流浪が終わった池さんを待っていたのは、すっかり大衆消費社会へと変貌した韓国社会であり、新しく権力を手にした世代だった。それは彼が後にし、またそのために戦ってきた韓国社会とは、まったく異なっていた。自分はこんな人たちのために、危険を冒して孤独に執筆を続けてきたのだろうか。

池さんは迷い、第二次大戦後にアメリカから故国ドイツに戻って深い失望に囚われた哲学者アドルノのことを思いだした。眼前に拡がる野蛮に対して、どうふるまえばいいのだろうか。その問いは彼を越えて、傍らで話を聞いていたわたしをも深く捉えるように思われた。

（『パブリディ』2005年4月26日、5月3日）

朴裕河《パクユーハ》を弁護する

1

比較文学は人文科学の領域にあって、ひどく効率の悪い学問である。

まず自国語のみならず、複数の外国語に精通していなければならない。少なくとも自在にそのテクストを読み、学会の場で意見交換ができなければならない。自国語で書かれたテクストだけを、自国の文脈の内側だけで解釈する作業と比較するならば、はるかに時間と労力、そして情熱が必要とされる。にもかかわらず、人はどうして比較文学なる分野に魅惑され、それを研究することを志すのだろうか。比較文学は人に何を与えてくれるのだろうか。

ごく簡単にいう。それは人をして（政治的にも、文化的にも）ナショナリズムの頸木《くびき》から解放するという効用をもっている。『源氏物語』の巻名である「総角《あげまき》」の一語が、韓国で未婚男子を示すチヨンガーと表記において同じだと知るならば、人は日本でしばしば口にされている文化純粋主義なるものが、稚拙な神話にすぎないことを認識できる。朝鮮の李箱と台湾の楊熾昌を中原中也のかたわらにおいて読むことは、１９２０年代から30年代にかけて、東アジアもまた世界的な文学的前衛運動の圏域内にあったと理解することである。それはともすれば一国一言語の内側で自足した体系を築き上げているかのように見える文学史が、実は他者との不断の交流のうちに成立した、偶然の現象にすぎないことをわれわれに教えてくれる。一国の文学こそが民族に固有の本質をすぐれて表象するという前世紀の素朴な神話の誤りを、告げ知らせてくれるのだ。比較文学がわれわれに教えてくれるのは、文化と文学をめぐるナルシスティックな物語の外側に拡がっている、風が吹きすさぶ領野を指し示してくれることである。

だがその一方で、比較文学者はしばしば、思いもよらぬ偏見の犠牲者であることを強いられるようになる。コロンビア大学でこの学問を講じていたエドワード・Ｗ・サイードを見舞った受難が、その典型的な例であった。

大学でヴィーコとアウエルバッハを篤実に論じていたサイードが、ある出来ごとが引き金となって、出自であるパレスチナ問題について発言を開始した。何冊かの著書がアメリカの狭小なアカデミズムの枠を越え、国際的な影響力をもつにいたったとき、彼は大きな誹謗中傷に見舞われることになった。サイードを非難攻撃し、ありえぬゴシップを振りまいたのは、もっぱらユダヤ系アメリカ人の中東地域研究者である。彼らはサイードが中東史の学問的専門家ではないと断定し、アマチュアにはパレスチナについて論じる資格がないというキャンペーンを展開した。サイードを誹謗中傷したのはイスラエル人ではなく、主にアメリカ国籍をもち、合衆国に居住するユダヤ人であった。

イスラエルには冷静に彼の著書を紐解き、その果敢なる言動に共鳴するイラン・パペ（後にイスラエルを追放される）のようなユダヤ人の中東史専門家がいた。しかし反サイード派はサイードのことを、著書が事実を歪曲する反ユダヤ主義者だと主張し、彼がパレスチナでインティファーダに賛同し、石を投げている写真なるものを捏造して、平然とテロリスト呼ばわりをした。彼らの多くは、いうまでもなく政治的シオニスムの賛美者であり、国家としてのイスラエルこそ離散ユダヤ人の究極の解決の地であるという信念において共通していた。

こうした事実を知ったとき、わたしはかつて自分がテルアヴィヴ大学で教鞭をとっていた時期に見聞したことを思い出した。わたしが知るかぎり、イスラエルに生まれ育ったユダヤ人の多くはパレスチナ人の存在を自明のものと見なし、事態の悲惨を前に肩を竦ませながら、状況をプラクティカルに眺めていた。それに対し、アメリカから到来したユダヤ人は両民族の対立をきわめて観念的にとらえ、パレスチナ人に対し常軌を逸した憎悪を向けているのだった。

わたしは狂信的ユダヤ系アメリカ人学者たちがサイードに向けた攻撃性の深層が、漠然とではあるが推測できなくはない。彼らはこのパレスチナ出身の比較文学者を自分たちの「専門領域」から排除するという作業を通して、合衆国にあってしばしば希薄になりがちな、ユダヤ人としてのアイデンティティーを構築したかったのである。現実にイスラエルに居住せず、ヘブライ語もできないがゆえに、逆にイスラエルを約束の地として純化して夢見ている者にとって、サイードとは自分がユダヤ人であることを確認させてくれる貴重な媒介者であったのである。

朴裕河の『帝国の慰安婦』はまず韓国で刊行され、しばらくして日本語に翻訳された。それは少なからぬ日本の知識人、それも日本で支配的な右派メディアに対しつねに異議申し立てをしてきた知識人の側から共感をもって迎えられ、二つの賞を受賞した。この賞賛・受賞と時を同じくして、彼女は韓国で挺対協から元慰安婦を侮辱したという理由で訴えられた。彼女は調停委員会の席上で、韓国語版を全面的に廃棄し、日本語版は絶版にするように要求された。また在日韓国人の「慰安婦研究家たち」が彼女に激しい攻撃を加え、その著作が事実無根な記述に溢れているというキャンペーンを開始した。わたしは彼らが専門家としての怨恨や嫉妬から、またアイデンティティー危機の回避のために朴裕河を中傷したなどといった情けないことは、ゆめにも思いたくない。とはいえ彼らが、日本帝国主義に郷愁を抱いている日本の右派を悦ばせるために『帝国の慰安婦』は執筆されたといった口吻をもし漏らしたとすれば、それは意図的になされた卑劣な表現であろうと考えている。それは彼らの積年の研究をみずから侮辱するだけに終わるだろう。

とはいえわたしがただちに想起したのが、サイードが体験した受難のことであったと書いておきたい。朴裕河とサイードは歴史家ではなく、文学の専門的研究者である点で共通していた。また朴は初期の著作である夏目漱石論や柳宗悦論に顕著なように、『オリエンタリズム』の著者から理論的な示唆を受け、社会に支配的な神話を批判するための勇気を受け取っていた。そしてサイードが「アマチュア」という名のもとに誹謗されたように、朴裕河もまた慰安婦問題の専門家ではないのに発言をしたという理由から、熾烈なる非難攻撃を受けた。

わたしは以前に自分が受けた嫌がらせと脅迫のことを思い出した。1995年のことであったが、映画が考案されて百年になるというので、NHK教育TVがわたしに12回連続で世界映画史の番組を作るようにと依頼してきた。わたしはそれに応じ、黒澤明やジョン・フォード、フェリーニといった、いわゆる世界の名画を紹介することを続けた。ただ最終回だけは、もうこれで最後というので、思い切って16ミリの個人映画をTV画面で放映することにした。取り上げたのは山谷哲夫が1979年に撮った『沖縄のハルモニ』という作品で、監督の手元にある一本しか存在していないというフィルムを、好意的に貸していただいた。そのなかで元慰安婦であった女性は、日本にはやっぱり戦争に勝ってほしかったと繰り返し語り、美空ひばりと小林旭がいかに素晴らしいかを語った。今さら国になど、とても恥ずかしくて帰れないよという言葉が、わたしに強い印象を与えた。現在のNHKではまずありえないことだとは思うが、番組は割愛されることなく放送された。

公共放送でこの16ミリ映画の一部が2分ほど放映された直後から、すさまじい抗議がNHKと当時わたしが奉職していた大学宛に寄せられた。手紙には「非国民」「売国奴」といった表現に加え、韓国人と（なぜかは理解できないが）被差別部落民をめぐるさまざまな罵倒語が連ねられていた。「故郷のソ連に帰れ」という支離滅裂な文面もあった。わたしは恐怖こそ感じなかったが、手紙に記された表現の貧しさに驚きを禁じえなかった。どうして誰もが均一的な語彙に訴えることしかできないのだろう。この時の体験が契機となって、5年後にソウルの大学で教鞭を執ることになった時、わたしは挺身隊問題対策協議会（「挺対協」）が主催している水曜集会に参加し、和菓子をリュックサックに詰めてナヌムの家を訪れ、元慰安婦たちといくたびか話をすることになった。

もっとも朴裕河への誹謗中傷は、規模とその後の性格において、わたしのそれとはまったく異なっている。それは比較にならぬまでに深刻であり、はるかに大掛かりなものだ。（韓国語でいう、あまりいい言葉でないが）「無識」な者によってなされた突発的なものではなく、一定の知識層の手で体系的に、そして戦略的に準備されたものである。中傷者は元慰安婦の名のもとに彼女を刑事犯として告訴し、国民レヴェルでの世論を操作して、彼女が「大日本帝国」を弁護しているという悪意あるデマゴギーに終始した。彼女が韓国に居住するかぎり、孤立と脅威を感じるように、集団的な行動に訴えた。その迫害の激しさは、日本のあるドイツ文学者に、アイヒマンを論じたハンナ・アーレントの名を口に出させるほどであった。

なるほど彼女はこれまで慰安婦問題を生涯の主題として研究してきた歴史家ではない。先に記したように、一介の文学研究家である。だが、彼女を「アマチュア」という名のもとに断罪しようとする動きに対しては、わたしは反論を述べておきたい。知識人とは専門学者とは異なるものだと前提した上で、それは本来的にアマチュアであることを必要条件とするというサイードの言葉を引いておきたい。サイードは『知識人とは何か』（大橋洋一訳、平凡社、1995）のなかで、次のように記している。

「アマチュアリズムとは、専門家のように利益や褒章によって動かされるのではなく、愛好精神と抑えがたい興味によって衝き動かされ、より大きな俯瞰図を手に入れたり、境界や障害を乗り越えてさまざまなつながりをつけたり、また、特定の専門分野にしばられずに専門職という制限から自由になって観念や価値を追求することをいう。」

もしわたしが朴裕河事件をサイードの受難に比較することが正当であるとすれば、これからわたしが書くべきことは、『帝国の慰安婦』が提出している「より大きな俯瞰図」について語ることである。それは、些末な事実誤認や資料解釈の相対性の次元を越え、日本と韓国におけるナショナリズムを批判しながらも、日本がかつて行った歴史的罪過を批判的に検討するヴィジョンを提出することに通じていなければならない。わたしがこの著書から学びえたことを、以下に記しておきたい。

2

歴史的記憶にはいく通りもの層が存在している。単なる事実と統計の列挙が歴史認識とは異なることを知るためには、まず記憶とそれを語る声の多層性という事実を了解しておかなければならない。とりわけそれが戦争や革命といった動乱時の記憶である場合、いかなる視座をとりうるかによって、いくらでも異なった（能動的な、反動的な）評価がなされうる。

記憶のもっとも頂点には、国家的な記憶、つまり現政権である体制が承認し、メディアにおいて支配的であるばかりか、教科書の記載を通して教育制度の内側にまで深く食い込んでいる物語が存在している。この物語は「神聖にして侵すべからず」といった性格をもっている。

この国家記憶に準じるものとして、特権的な声が造り上げる定番《ヴァナキュラー》の言説がある。それは社会において充分にカリスマ化された人物、神話化された「当事者」の証言であったり、メディアに決定的な影響力をもつ著名人の発言であることが多い。ヴァナキュラーな言説はつねにメディアの関数である。それはメディアによって戦略的に演出され、記録され、イデオロギー的形成物として公共に投じられる。正確にいえば、それは歴史というよりは、ロラン・バルト的な意味合いで「神話」と呼ぶべきであろう。神話が携えているイデオロギー的権能の強さは、この言説を国家記憶とは別の意味で、社会に支配的な言説、公式的と呼べる言説として機能している。

三番目に、記憶の下層にあって、その時代を生きた名もなき人間、忘れ去られてしまった人間、不当に貶められ、その声に接近することが困難となってしまった者たちの声がある。それはまさに

「生きられた時間」の「生きられた体験」（ミンコフスキー）による、生々しい証言であるはずなのだが、メディアを経過していないため、論議も継承もされることなく、ヴァナキュラーな記憶によって抑圧されるがままになっている。知識人やメディアに携わる者を濾過器として通過しないかぎり、この声は立ち現れることができない。

だがこの声はまだ困難を克服していけば到達できる可能性をもっているだけ、そのさらに底辺に拡がっている最後の、第四の声よりはましであるかもしれない。第四の声とは文字通り沈黙である。世界のもっとも低い場所に生きることを強いられたサバルタンが生きているのが、そのような状況である。彼らはけっして語らない。語るべき声をもたない。いかなる啓蒙的な契機を前にしても、牡蠣のように口を閉ざし続ける。

現下に問題とされている従軍慰安婦問題に即していうならば、最頂点にある国家の言説とは、2016年に朴槿恵《パククネ》大統領と安倍晋三首相が取り交わした日韓の合意がその最新ヴァージョンにあたる。そしてこの問題は、日本が十億円を韓国に払うことで決着をみたというエピローグまでが添えられている。

ヴァナキュラーな声とは、挺対協とその周辺にいる同伴者的歴史学者の手になる、韓国で支配的な言説のことである。慰安婦はつねに民族主義的な精神に満ち、日本軍に対して抵抗することをやめなかったと、彼らは主張している。彼女たちを慰安婦に仕立て上げたのはもっぱら日本軍であり、いかなる韓国人も、いかなる場合にあっても被害者であった。慰安婦はいかなる場合にも高潔であり、無垢であり、模範的な韓国人であった。こうした主張のもとに、声は特定の映像を造り上げる。そして挺対協は自分たちが元慰安婦の声の、唯一にして正統的な表象者であることを主張している。

第三の声は、1990年代に次々と名乗りを挙げた、元従軍慰安婦の女性たちのものである。それはどこまでも個人の声であり、本来はきわめて多様かつ雑多な要素に満ちたものであるが、先に記したように、残念なことにもっぱら第二の声、すなわちヴァナキュラーな声によって秩序付けられ、ノイズを取り去った状態でしか、われわれの眼に触れることができない。

では、第四の声はどこにあるのだろうか。それは韓国で名乗り出なかった元慰安婦たちの記憶である。また韓国と異なり、みずから名乗り出ることが皆無に等しい、日本の元慰安婦たちの内面に隠された記憶である。奇妙なことに慰安婦問題を口にする者たちは、もっぱら韓国におけるそれを論じるばかりで、夥しく存在していたはずの日本人慰安婦の存在を、当然のように無視している。その原因は、彼女たちの声が存在していないからだ。

朴裕河はなぜ誹謗中傷の対象とされたのか。簡単にいって、彼女がヴァナキュラーとされた支配的な声に逆らい、ありえたかもしれぬ（alternative）今ひとつの声を、膨大な元慰安婦証言集から引き出すという行為を行なったからだ。慰安婦物語の絶対性に固執する者たちの逆鱗に触れたのは、彼女のそうした身振りであった。

朴裕河は彼女いうところの「公式の記憶」が近年長きにわたって、いかに慰安婦神話を人為的に築き上げてきたかを丹念に辿り、勇敢にもその非神話化を試みた。この記憶＝物語がこれまで隠蔽し排除してきた慰安婦たちの複数の声に、探究の眼差しを向けた。そのさいに参照テクストとして、韓国人と日本人が執筆した小説作品から韓国の映画、漫画、アニメに言及し、韓国社会における慰安婦神話の形成過程を分析する手がかりとした。

誤解がないように明言しておくと、こうした作業はどこまでも比較文学者の手になるものである。彼女はひとつの言説をとりあげるとき、それを絶対的な事実としてではなく、ある視座（イデオロギー的な、文化的な）から解釈された「事実」と見なしている。ここで『道徳の系譜学』のニーチェを引き合いに出すのは（なんだか大学の初級年度生を前に講義をしているようで気が引けるが）、いかなる事実もその事実をめぐる解釈であるという認識論的な前提を了解しておかないと先に進めないことを、まず断っておくことにしたいからである。朴裕河とは朴裕河の解釈の意志のことである。彼女は先にわたしが述べた三番目の声に向かいあった。さまざまな多様性をもち、個人の生涯をかけた体験に基づくものでありながら、ヴァナキュラーな支配原理のもとでは不純物として排除され、切り捨てられてきた声のなかにそっと入り込み、そこから公式記憶と相反する物語を引き出すことに成功した。

何が彼女のこうした作業を動機づけているのか。それは慰安婦問題をより大きな文脈、すなわち帝国主義と家父長制を基礎として形成されてきた、東アジアの近代国民国家体制の文脈の中で認識し、それをより深い次元において批判するためである。この大がかりなヴィジョンを理解することなく、その著作にある資料的異同をあげつらい、歴史実証主義者を僭称してみたところで、不毛な演技に終わり、彼女を批判したことにはならない。歴史的と見なされてきた「事実」とは、つねに特定のイデオロギーに携わられて「事実」として定立されるという、古典的な命題が確認されるだけにすぎない。

3

朴裕河が従来の公式的な慰安婦神話に対して突きつけた疑問は、大きくいうならば次の二点に要約される。

ひとつは慰安婦たちがかならずしも民族意識をもった韓国人として、日本軍に対し抵抗する主体ではなかったという指摘であり、もうひとつは、彼女たちを幼げで無垢可憐な少女として表象することで、その悲惨にしてより屈辱的であった現実が巧妙に隠蔽されてしまうという指摘である。慰安婦たちは日本兵のために、ただ性を提供したばかりではなかった。彼女たちは故郷と家族から遠く離れ、残酷な戦場で生命を危険に晒している若者たちのため、文字通り慰安を与えるべき存在であった。慰安婦と日本兵の違いは、前者が性を差し出したのに対し、後者が生命を差し出すことを強要されたというだけで、いずれもが帝国にとっては人格的存在ではなく、代替可能な戦力にすぎなかった。朴裕河は慰安婦の証言のみならず、多様なテクストを動員しながら、慰安婦が日本軍に協力しなければ生き延びることができなかった苛酷な状況を想像せよと、われわれに求める。この一節を読んだだけでも、彼女が元慰安婦を売春婦呼ばわりし、侮辱したという韓国での起訴状が事実無根のものであり、明確な悪意のもとに準備されたものであることが判明する。

朴裕河の分析が秀でているのは、被植民者である朝鮮人慰安婦が、その内面において日本人に過剰適合し、しばしば外地において日本人として振る舞ったことを調べあげた点である。これは従来の公式記憶からすればあってはならない事実であった。だが朴裕河は彼女たちを非難するわけではなく、逆にこうした帝国の内面化こそが帝国のより赦されざる罪状であると指摘している。日本軍兵士と慰安婦を犯す／犯されるといった対立関係において見るのではなく、ともに帝国主義に強要された犠牲者であると見なす視点は、今後の歴史研究に新しい倫理的側面を提示することだろう。それは日本帝国主義による強制連行が朝鮮人・中国人にのみ行使されたのではなく、長野県や山形県の農民が村をあげて満洲国開拓に動員された場合にも指摘しうるとする立場に通じている。

　朝鮮人慰安婦たちはチマ・チョゴリといった民族服を着用することなど、許可されていなかった。彼女たちは少しでも日本人に似るように、名前も日本風に改め、着物を着用することを命じられていた。これはその姿を一度でも目撃したことのある韓国人にとっては、これ以上にない屈辱であろう。ソウルの日本大使館の前に建立され、現在では韓国の津々浦々にレプリカが並ぶことになった少女像に対し、朴裕河が強い違和感を覚えるのは、その像が現実の慰安婦が体験した屈辱の記憶を隠蔽し、理想化されたステレオタイプの蔓延に与っているためである。この少女像は、たとえ韓国がいかに日本に蹂躙されたとしてもいまだに処女であるという神話的思い込みに対応する形で制作された。その意味で、敗戦後アメリカに占領された日本で、原節子が「永遠の処女」として崇拝され、現在でも日本を代表する表象であり続けていることを思い出させる。

　だが、なぜ少女像なのか。朴裕河を非難攻撃する者たちは、慰安婦の平均年齢の高さからしてこの彫像は不自然であるという彼女の主張に対し、なぜにかくも目くじらを立てて反論するのか。問題は統計資料をめぐる解釈の次元にはない。慰安婦が純潔な処女でなければならないと狂信している韓国人の神話の側にある。だがここで朴裕河を離れて私見を語れば、歴史的な犠牲者を無垢なる処女として表象することは、何も慰安婦にかぎったことではない。３・１独立運動で虐殺された柳《ユ》寛順《グワンスン》も、北朝鮮に拉致されて生死が定かでない横田めぐみ（日本では「ちゃん」か「さん」をつけなければいけない）も、沖縄の洞窟で大部分が殺害された「ひめゆり部隊」の面々も、すべて少女であり、それゆえに悲劇の効率的な記号として喧伝されてきた。これは政治人類学的にいって東アジアに特有の病理にほかならない。朴裕河の少女像批判は、戦後の日本人までが無意識下において、このステレオタイプの象徴法に操作されてきたという事実へと、われわれを導いてゆく。

『帝国の慰安婦』の著者が主張したいのは、かかる問題が戦時に独自のものではないという事実である。慰安婦問題の究極の原因として糾弾されるべきなのは帝国主義であり、そのかぎりにおいて兵士も慰安婦もひとしく犠牲者に他ならない。このヴィジョンは日本と韓国を永遠の対立関係におき、日本側が一方的に歴史を歪曲したと主張する「慰安婦の代表者」の不毛なナショナリズムを、論理的に相対化することになる。韓国における公式記憶が歪曲し隠蔽してきた慰安婦の真実を探求するためには、朴裕河が提出した見取り図の大きさを理解しなければならない。

4

朴裕河は『帝国の慰安婦』の最後の部分で、鄭昌和《チョンチャンファ》が1965年に監督した『サルビン河の夕焼け』なるフィルムを取り上げている。この書物のなかで映画への言及がなされている、唯一の箇所である。舞台はミャンマーの日本軍駐屯地である。朝鮮人慰安婦の女性が、彼女が配属された部隊の、「親日派」の朝鮮人学徒兵に話しかける。自分は看護婦になるというので、ここに個人的に騙されてきた。あなたはまだ日本帝国主義が紳士的だと信じているのかと、彼女はいう。

この映画の場面から判明するのは、フィルムが制作された１９６０年代には、韓国人は慰安婦をめぐって、１９９０年代に確立された公式的記憶とは異なった記憶を抱いていたという事実である。この慰安婦はすべての悲惨の根源に日本帝国主義が横たわっていることは充分に認識していたが、その一方で自分がここにいるのは、いわゆる集合的な強制連行の結果ではないと主張しているのである。『サルビン河の夕焼け』は（今日では「芸術的映画」の範疇に入れられていないため、韓国の映画研究家がそれに言及することはないのだが）こうして、強制連行の神話が集合的記憶として人為的に形成される以前の、一般韓国人の歴史認識を知るために、貴重な資料たりえている。

朴裕河が韓国のＢ級映画に言及したことを受けて、映画史家であるわたしは、その後の韓国映画がいかに従軍慰安婦を描いてきたかを、日本映画と比較しつつ補足的に記しておこうと思う。

韓国では１９７０年代から80年代にかけて、何本かの慰安婦映画が制作されている。１９７４年

ラ・ブンハン『女子挺身隊』（1974）の新聞広告。

の時点で、まずラ・ブンハン監督（不詳）によって『女子挺身隊』なる作品が撮られている。フィルムはもはや現存しておらず、映画研究家の崔盛旭氏が最近発掘した新聞広告を通してしか、目下のところ手掛かりがない（図版参照）。英語題名を*Bloody Sex*といい、「慰安婦8万の痛哭。映画史上最大の衝撃をもった問題の大河ドラマ」と、宣伝文句が記されている。朴正煕軍事政権下では、女性のヌードを含め、エロティックな映画表現は厳しい検閲の対象とされていた。そこで制作者と監督は、日本軍の歴史的蛮行を糾弾するという道徳的口実のもとに、エロ描写をふんだんに盛り込んだフィルムを作ることを思いついた。韓国人による強姦場面はけしからんが、日本の狂気の軍隊が強姦をするのなら歴史的事実として表象が許されるという、韓国人の民族感情を逆手にとった制作姿勢が、ここに窺われる。

わたしが実際に韓国の劇場で観ることのできた慰安婦映画は、李尚彦《イサンオン》監督の『従軍慰安婦』である。1980年代初頭のことであった。李監督は野球選手の張本勲の伝記映画を撮った人で、フィルモグラフィーから判断するかぎり、どうやら素材を選ばずに注文次第で監督する人という印象がある。『従軍慰安婦』は好評だったので、シリーズ化されていると聞いた。製作意図は先の『女子挺身隊』の延長上にある。朝鮮人の無垢な処女たちが拉致され、慰安所に押し込められると、日夜、日本兵に凌辱される。しかし途中から日本兵だということはどうでもよくなってしまい、単なる男女の性行為だけが何組も続くことになる。この手のフィルムが韓国で社会的に糾弾されず、堂々と制作されてきたのは、おそらく慰安婦問題に関わる知識人が自国の映画というメディアを徹底して軽視していて、その存在に気が付かなかったか、学問的対象として論じるに値しないと軽蔑していたからだろう。

とはいえゼロ年代になり、韓国でも本格的に（植民地時代を含めて）自国の映画を分析的に研究しようという機運が盛り上がってきた。だが寡聞にして、こうした慰安婦もの映画が論じられたという話をきかない。解放後の韓国に公式的記憶があり、慰安婦についても公式的記憶が形成されていくなかで、韓国映画史も公式的記憶を作り上げてきた。そこではドキュメンタリー『ナヌムの家』が模範的作品として喧伝されることはあっても、おそらくそれよりははるかに大量の観客を動員したはずの『女子挺身隊』に始まる慰安婦映画には、けっして言及されることがない。それは言及すべきではない、恥辱のフィルムだということなのだろう。

それにしてもわたしに納得がいかないのは、この手の韓国エロ映画を、韓国の男性観客はいったいどのような気持ちで観ていたのだろうかという疑問である。彼らは男性として日本兵士の側に同一化して、女性を犯すことの疑似快楽を得ていたのか。それとも同じ韓国人として、犯される慰安婦の側にマゾヒスティックな感情移入をして観ていたのか。

いずれにしてもここで視覚的にも、物語的にも得られる快楽とは倒錯的なものである。わたしは以前に上海の街角を散歩していたとき、荷車のうえに「南京大屠殺」（中国では「虐殺」という語を用いない）についての、毒々しい表紙のゾッキ本が積み上げられているのを見て、きわめて複雑な感情に駆られたことを思い出す。いうまでもなくそれは、歴史的事件を隠れ蓑とした、残虐行為についてのポルノグラフィーであった。おそらくこうした例は世界の他の場所でも存在していることだろう。それを分析するのは歴史学ではなく、メディアの社会心理学である。人はなぜ、自民族の被害者を主題としたポルノグラフィーに快感を感じ、それを商品化してきたのか。

わたしはかつて黒澤明から鈴木清順、そして16ミリの山谷哲夫までが、朝鮮人従軍慰安婦をスクリーンに表象しようとしていかに努力してきたかを辿ったことがある〔四方田犬彦「李香蘭と朝鮮人慰安婦」、『李香蘭と原節子』〔岩波書店、2014〕に収録〕。GHQによる検閲下であったにもかかわらず、黒澤は谷口千吉と組んで、田村泰次郎の『春婦伝』を映画にしようと企て、そのたびごとに脚本を許可されず、突き返された。この企画は、谷口が朝鮮人慰安婦を日本人慰安団の女性歌手に置き換え、『暁の脱走』〔1949〕を監督することで決着がついたが、黒澤の正義感はそれでは収まらなかった。日活の鈴木清順は彼らの挫折を踏まえた上で、1965年、ついに野川由美子主演で『春婦伝』の映画化に成功した。そこには主人公ではないが一人の朝鮮人慰安婦が登場している。彼女は最後まで一言もモノをいわないが、主人公の男女が絶望して死に急いだのを知ると、初めて口を開き、「日本人はすぐ死にたがる。踏まれても蹴られても、生きなければいけない。生き抜く方がもっと辛いよ。死ぬなんて卑怯だ」と語る。これは重要な役であり、重要なセリフだ。清順は彼女を、いかに悲惨な状況にあっても主体性を失わず、世界を透徹した眼差しのもとに眺める存在として描いている。

日本の志をもった映画人たちが困難にもめげず、慰安婦問題に真剣に向かい合おうとしていたとき、韓国の映画人はそれを単なるエロ映画の素材としてしか見ようとしなかった。この落差は大きい。韓国の研究者のなかでこの問題に答えてくれる人はいるだろうか。

5

日本が中国を侵略していた時代のことである。上海では国民党によるテロが横行していた。

あるとき魯迅の弟が、いくら犬が憎くても、水に落ちた犬をさらに打つことは感心しないねといった。別の人物がそれを支持して、中国人には昔からフェアプレイの精神が欠けていると論じた。犬と戦うには、犬と対等な立場に立って戦うべきであり、苦境にある犬を攻撃するのは卑怯であるという考えである。

魯迅は烈火のごとく怒った。たとえ水に落ちたとしても、悪い犬は絶対に許してはいけない。もしそれが人を噛む犬であれば、陸上にいようが水中にいようが関係ない。石を投げて殺すべきだ。中国人によくあるのは、水に落ちた犬をかわいそうと思い、つい許してやったために、後になってその犬に食べられてしまうという話ではないか。犬が水に落ちたときこそいいチャンスではないか。恐ろしい言葉である。つねに国民党政権に生命を狙われ、友人や弟子を次々と殺されていった知識人にしか口にすることのできない、憎悪に満ちた言葉である。

だが最近になって、わたしは魯迅のこの考えにいくぶん距離感を抱くようになった。なるほど彼をとり囲んでいた状況は苛酷だった。だからといって敵に対し熾烈な憎悪を向け、その殲滅を願うだけで、はたして状況を好転させることができるのだろうか。わたしがこう書くのは、70年代に新左翼の各派が相互に殺し合いを続けてきたのを、どちらかといえば間近なところで眺めてきたからである。わたしは尊敬する『阿Q正伝』の作者にあえて逆らっていいたい。今こそ犬を水から引き揚げ、フェアプレイを実践するべき時なのだ。少なくとも憎悪の鎖を断ち切るためには。

1930年代の上海から2000年代のソウルと東京まで、人は何をしてきたのだろうか。

誰もが水に落ちた犬を目ざとく見つけると、ただちに恐ろしい情熱を発揮して、溺れ苦しむ犬に石を投げることをしてきた。彼らはもし犬が普通に地上を徘徊していたとしたら、怖くてしかたがないものだから、けっして石を投げなかったことだろう。ところが、いかに罵倒の言葉を投げかけ石を投げようが、わが身の安全は確保されたとひとたびわかってしまうと、態度を豹変させてきた。ここには純粋の憎悪がある。だが魯迅の場合とは違い、その憎悪には必然的な動機がない。それは集団ヒステリーと呼ばれる。

朴裕河が従軍慰安婦問題をめぐる著作を韓国で刊行したとき何が起きたかを、ここで冷静にもう一度考えてみよう。ずさんで恣意的な引用をもとにして刑事訴訟がなされ、彼女は元慰安婦の一人ひとりに多額の慰謝料を払うことを命じられた。そればかりか、勤務先の大学からは給料を差し止められ、インターネットでの嫌がらせはもとより、身の安全においても危険な状況に置かれることとなった。文字通り、心理的にも生命の危険に晒されているといってよい。

だが、まさにその時なのだ。韓国人と在日韓国人によって熾烈な攻撃が開始されたのは。これこそ、水に落ちた犬に投石する行為である。

彼らの一部は、日本において朴裕河が高く評価され、少なからぬ知識人がその著作に肯定的な態度を示したことに疑義を感じ、それを揶揄し、その「殲滅」を求めて行動を起こしている。朴裕河が慰安婦の証言資料を恣意的に解釈し、歪曲していると主張して、彼女がこの問題をめぐって永久に口を閉ざすことを求めている。朴裕河を支持する者たちは彼女が韓国にあって被った法的受難と社会的制裁をまず解決し、フェアな議論の場が成立したことを待って、大日本帝国の罪状と被植民者の状況について討議探究を開始すべきであると友好的に考えているのに対し、彼女を非難する側は勝ち負けの次元において声高い扇動を重ね、事情に通じていない日本の無邪気なメディアに働きかけている。

では仮に彼らが「勝利」を獲得したとして、彼らは何を獲得したことになるのか。慰安婦問題に誠実な関心を寄せてきた日本の知識人の多くは、それを契機として問題への無関心を示すことになるだろう。この問題を植民地支配と女性の人権蹂躙の問題として見つめようとする者たちがいっせいに後退してしまったとき、日本の世論に残るのは慰安婦の存在を否定し、植民地支配を肯定的に賞賛する右派の言説である。今日でさえ圧倒的な力をもつこの右派の扇動によって、「嫌韓」主義者はこれまで以上に跳梁跋扈し、さらなるヘイトスピーチの嵐が巻き起こることは目に見えている。当然の成り行きだろう。慰安婦問題をめぐる日韓の相互了解は、いかに両政府が金銭的な補償による合意に達したとしても、それとは無関係に、これまで以上に困難で錯綜したものと化すだけだろう。朴裕河が果敢にも提示を試みた「より大きな俯瞰図」と、韓国の公式的記憶の相対化が排除されたとき、生じるのがそうした事態であることは目に見えている。

水に落ちた犬を打つな。

追記

わたしが本稿を執筆したのは2016年8月のことであった。その後、朴裕河は元慰安婦を侮辱したかどで、韓国の法廷において懲役三年を求刑された。2017年1月の判決では無罪を勝ち取ったが、検察側はただちに上訴を行なった。これは端的にいって、司法権力による個人への低劣な嫌がらせである。事態はいまだに決着を見ておらず、一部の韓国人の間に朴裕河への糾弾行為がきわめて不幸な形で蔓延し、それに日本の一部メディアが追随している。

本稿は朴裕河の『帝国の慰安婦』を支持する15人の共著に収録され、韓国語版がソウルでも刊行された。

2020年5月になって状況が変わった。「正義連」と名前を変えた「挺隊協」の抑圧的構造に対し、元慰安婦の一人、李容洙《イヨンス》が抗議を行い、水曜集会への参加を拒否したのである。彼女は「正義連」の中心人物である尹美香《ユンミヒャン》が、不透明な形で寄付金を使用していると糾弾し、この運動団体への疑問を明言した。

この追記を執筆している2020年8月の時点で、朴裕河はペ・チュンヒ元慰安婦との足掛け2年にわたる対話の刊行を準備中である。彼女に対するバッシングは6年目を迎え、本人の精神的かつ物理的苦痛には想像を絶するものがある。最高裁の判決はまだ出ていない。

（浅見豊美・小倉紀蔵・西成彦編『対話のために「帝国の慰安婦」という問いをひらく』クレイン、2017年）

金明仁《キムミョンイン》『闘争の詩学』

わたしはなぜこの韓国の文芸批評家の書物に関心をもったのだろうか。3つほど、理由を考えてみた。

ひとつには、1970年代を日本の大学で、学生運動の凋落頽廃期（同志殺し、内ゲバ、爆弾闘争）に学生生活を過ごした者として、わたしはこの10年間、台湾、中国、タイでかつての学生運動活動家たちに会い、彼らの体験に耳を傾けてきた。なかには8年にわたって武装闘争に従事していた者もいた。日本のみならず東アジアというより大きな文脈のなかで、1968年問題を思考できないかと考えてきた。

二番目には個人的なことであるが、1970年代後半、朴正煕軍事政権の「維新末期」を、わたしはソウルで一外国人教師として過ごした。学生たちはいつも薄暗いタバン（茶房）、つまり喫茶店に集まり、行き場のない閉塞感に囚われているという印象があった。韓国全体が巨大な、閉鎖的なタバンであるような気がした。李清俊の『書かれざる自叙伝』と崔仁浩の『馬鹿たちの行進』に描かれている鬱屈と自嘲が、そこには充満していた。

あのときの学生たちは、あれからどうなったのだろう。朴大統領暗殺から全斗煥による軍事クーデター、さらに光州民主化闘争……、わたしが勤めていた建国大学校でも１９８６年に大がかりな学生運動が生じ、金日成の主体思想に共感する学生たちが校舎の屋上に立て籠もって、火焔瓶を投げつつ最後まで抵抗した。こうした時代を政治的に生きた学生たちは、当時どのように世界を認識していたのだろうか。また文民政権が成立し、民主化が達成された現在、その認識にどのような変化が生じているのだろうか。わたしはそうした問題に関心があった。ちなみに本書の著者、金明仁は１９７９年、大統領緊急措置９号で、また80年には反共法と戒厳令布告違反で投獄され、３年を獄中で過ごしている。

わたしが２０００年に二度目のソウル滞在をしたとき、もはや学生運動の興奮はキャンパスから去っていた。いつのまにか「運動圏」という曖昧な言葉が生れていて、一般学生はこの言葉を通して活動家を切り離し、政治的なるものに無関心な態度を示すようになっていた。１９７９年の最初の滞在から20年が経過し、オリンピックの開催国にもなった韓国では、すべてが変わったかのように見えた。かつて民主化闘争に関わった者たちは「３８６世代」と呼ばれ、社会の中心を構成していると教えられた。だが、それですべてが解決され、ハッピーエンドに到達したかのようには、とうてい思えなかった。イ・チャンドンの『ペパーミント・キャンディー』といったフィルムを観ると、韓国社会が70年代、80年代の体験に直面することをいかに回避し、遠ざけてきたかが理解できた。遠ざけておいたものは、やがて形を変え、より脅威的な矛盾として回帰することになるだろうと、わたしは推測した。

『闘争の詩学』には著者のこれまでの行動と思索の歩みへの反省的記述と、韓国文学一般の問題、3人の文学者をめぐる作家論がアンソロジーとして収録されている。その全体について批判的に論じることは韓国文学の専門的研究者ではないわたしの能力を超えている。そこで第4章「ふたたび批評を始めて」を中心にして内容を紹介し、感想を述べておきたい。

このエッセイで著者は1997年の時点から、1992年、1983年、さらにそれ以前へと思考の跡を遡行して、最後にもう一度1997年に戻る。これは『ペパーミント・キャンディー』の語り口を、それが制作される3年前に、すでに先取りしている。韓国現代史を語るには、こうした遡行の手法の方が、律儀に編年体的に語るよりも説得的であるのかもしれない。なぜならそこには短期間とはいえ、あまりに多くの分断があり、非連続性が基調となっているからだ。時間を安定した連続性のもとに認識することが困難であり、また無意味であるという状況が、韓国の現代史であった。

1997年の著者は、1992年に放棄してしまった文芸批評を再開しようとしている。ふたたび啓蒙批評を回復させようと、強く意志している。だが92年に抱いていた問題、すなわち「動揺する精神が、いかにして堅固な客観的説得体の文章に自ら耐えていけるだろうか」という問いに、彼はいまだに答えられないでいる。

かつて信じえた絶対的客観性は、今では無惨にも崩壊してしまった。それに依存し、それを神の託宣として予言的な言辞を口にしていた「わたしの主体性」も、崩壊してしまった。現在の自分は、憑依を待ち望んでいるというのに、神がなかなか憑依してくれない巫女に似ているのではないかという自覚に囚われている。かつてギリシャ悲劇に登場するカッサンドラには、迫害され捕囚の身でありながらも、狂気を通して少数派の真実を口にするという能力が与えられていた。ジョージ・スタイナーはそこに、現代に生きる知識人のあり方を求めた。だがそうした理想はもはや成立しなくなってしまった。１９９７年の著者は、いまだに回帰すべき場所を見つけられず、しかも自分の生きているポストモダンの現代がもはや自分の時代ではないという、不幸の意識に囚われている。現在では批評家とは専門的な知の管理者にすぎず、無難な解釈者に成り下がってしまった。思考が政治的なるものから分断されてしまったのだ。

著者は１９８３年、25歳で獄中で執筆した文章を読み直す。獄中にあって彼は、文学は科学を含むあらゆる知の代弁者であり、内側に隠された鋭い刃を持ち、その刃を柔らかい外皮で包み隠すことができるという認識に立っていた。科学は世界の必然の原理を提示する。しかし文学は、世界と人間をめぐる解釈である。なるほど科学は現実を正確に認識し、現実に変革をもたらすべきものかもしれない。ただ惜しむらくは、現下の状況にあってそれは未分化であり、充分に発達していない。文学が必要とされるのは、その科学の欠乏を補塡することができるからだ。しかし、これは逆にいえば、文学とは革命思想と意志を成熟へと導くために要請される戦略であり、どこまでも科学に対し副次的な存在でしかない。

とはいえ、著者の考えをさらに遡行してみよう。そもそも彼の認識の起源にあっては、文学と科学という二項対立はなかった。ただ戦いだけが現実であった。１９７０年代後半に大学に入学した著者は、原初の正義感に突き動かされながらも、いつ何時、突然に権力によって連行されるかもしれないという不安な予感をも生きていた。この時点では闘争とは、つねに倫理的決断に迫られた実存的闘争ではあったが、だからといってまだ民衆と民族のレヴェルには到達していなかった。

　１９８０年代中盤になって、状況に変化が見られた。科学と文学の間に転倒が生じ、科学は過剰と化してしまった。その結果、著者の批評は転倒を余儀なくされた。過剰となった科学は、もはや文学による科学の内包と庇護を必要としない。そこで両者の関係を再定義する必要が生じてきた。文学は科学や変革のための道具であることをやめ、文学に固有の心理の探求を目指すようになった。ところがこのとき同時に、科学は絶対的客観性の準拠の場を見失ってしまったのである。絶対基準の消滅は、認識する自己の主体の消滅に通じている。１９９０年代に著者は、文学批評を書き続けることの困難に遭遇してしまった。

　では、それでも批評を書き続ける原因と動機とは何だろうか。著者はそれを、時代への負債の意識であるという。

　自分の言動が同時代に与えた傷跡と苦痛、希望と絶望を、著者は背負っていかなければならない。１９７０～80年代の「維新・光州抗争世代」に対して、彼は永遠の負債を抱えている。それはけっして無視することのできない、自分の運命の表象であるともいう。

　１９９０年代には批評行為はひどく細分化され、瑣末主義に陥ってしまった。それは変革を怖れ、ミクロ的な解釈の多元化と洗練化を目指したために、知の専門的管理作業に成り下がり、社会的分業に従事するだけとなってしまった。

　著者にとって１９９０年代とはいささかも自分の時代ではない。１９８０年代こそが、「私が生涯で本当に生きたといえる時間」である。現時点において必要なのは、「私が生きていた時代に根を下ろすこと、その時代に根拠地を確保すること」である。その時代が抱いていた、世界と人間に対する観点を回復することを通して、はじめて批評行為は回復されるのだと、著者は説いている。彼は解放の物語の終焉を説くポストモダン思想を拒絶し、啓蒙的言説の復元を主張する。その言説のなかではすべての批評は政治的であり、政治性を隠蔽することは許されなくなるだろうと、彼は語る。


　もっともこれは２００２年における著者の立場である。２００５年に文学の批評から退いた彼は、大学のアカデミズムに帰属し、ともするうちに、大学の持つ抑圧的構造に幻滅を抱くに到った。彼は２０００年代の文学には、もはや幻滅しか抱いていない。１９９０年に『希望の文学』を刊行した著者は、２００７年には『幻滅の文学、背反の民主主義』なる著書を刊行している。

『闘争の詩学』のなかでわたしに強く印象付けたのは、〈同時代への負債〉という著者の考え方である。この負債ゆえに現実の韓国社会は、彼にとって疎外と違和の対象にほかならない。かかる違和感が彼にさらなる批評的視座を準備していることは了解できる。

　自分を傷つけた者を信じるわけにはいかない。だが、自分に残った傷は信じることができる。かつて中国文学者の竹内好が書き付けたこの言葉が、ふいに思い出される。傷跡があるとは、死に至らなかった、つまり生き延びたことの証拠であり、表現を変えれば生存の勝利と克服の記号であると見なすべきなのだ。

わたしは1970年代末にソウルの大学で出会った学生たちの世代からこうした認識をもつ知識人が輩出したことを知って、学ぶところが少なからずあった。わたしの生まれた1953年とは、内ゲバの死者がもっとも多い年代であり、わたしは大学の同学年に二人の死者を記憶している。それは翻ってみれば、わたしの年代が一番多く、同世代の学生運動家を殺害してきたことをも意味している。もしわたしに個人的な負債があるとすれば、それは70年代に大学で同学年であり、セクト間の争いに巻き込まれて殺害された者たちに対するものである。

韓国の場合はどうであったか。はたして対立セクトのメンバーの殺害はあったのか。わたしの印象では、韓国では日本とは違い、むしろ倫理的自己強迫による自傷行為のほうが目立っているような気がする。だが実際はどうだったのかを、著者に訊ねてみたい気持ちがある。

韓国の学生運動と日本や台湾、タイのそれを比較し、それに運命的に関わってきたと自覚している人たちが、今日どのような世界認識と行動原理を抱くに到ったのか。この問題を比較検討するさいに、「民族に固有の心象」やら「民族性」という抽象的な概念はどこまで通用するのか。またすべてを歴史的状況の違いという言葉に還元できるのか。いまだどの国でもなされていないこの試みを始めるにあたって、『闘争の詩学』が提示するものは重要であるように思われる。

〔金明仁『闘争の詩学』〔渡辺直紀訳、藤原書店、2014〕をめぐる討議
〔藤原書店にて2014年9月〕での口答発表の後、『環』61号　2015年〕

面罵論　金時鐘《キムシジョン》について

1

金時鐘の文章を引くには覚悟がいる。エッセイの一節どころか、詩の一行を引用するにも、つねに見えない方角から声が聞えてくるからだ。それで、お前はどうなのだ。この文章を読み、書き写しているお前は、どのような場所に立っているのか。声はそう語る。お前がそれをわがこととして引き受けるという覚悟を持ち合わせていないとしたら、どうしてそうした文章を書き写すことができるのか。

金時鐘は永久不滅の原理に鑑みて語っているのでもなければ、その場その場の辻褄を合わせるために書いているのでもない。彼は他人について論じるときにも、それをつねにわがこととして語っている。書くということは引き受けることである。

「語られていることは、まさにその時点において、その時点のために、その時点に生きる人間によって語られつつあるものである。」かつてサイードが知識人としてのスウィフトを論じるにあたって書きつけたこの一節（『世界・テクスト・批評』、1983）が、まさにその通りだと首肯できるのは、金時鐘を読んでいるときだ。

面罵について書いておきたい。金時鐘は1970年代の前半、面とむかって人に罵倒されることの意味について、二つの注目すべき文章を書いている。人はその罵倒をどう受け止めるか。罵倒を受けたあとに、どのような行動に移るか。また思索を行なうか。

最初の面罵は金嬉老《キムヒロ》に対してなされたものであり、金時鐘はそれを解釈する立場にある。二番目のものは直接に金時鐘本人に対してなされたものであり、彼はそれを受け止めると同時に、罵倒の主体を何とか理解しようと試みている。

2

在日朝鮮人の金嬉老は1968年、暴力団員を射殺したのち、ダイナマイトと猟銃を持って温泉旅館に閉じこもった。彼は以前、静岡県警の刑事小泉勇から朝鮮人への蔑視に満ちた激しい罵倒語を投げつけられたことへの怒りを忘れず、みずから警察署に電話をすると、小泉にTVで謝罪することを要求した。彼は88時間の籠城の末に逮捕され、7年後に最高裁で無期懲役が確定された。

金時鐘は金嬉老とは一面識もなかったが、特別弁護人の一人として1971年に出廷し、法廷で陳述をした。本書、『金時鐘コレクションⅦ』にはその時の証言の速記録が、一般書として初めて収録されている。彼はその2年後の1973年、「ライフル魔」と綽名されたこの人物について、改めてエッセイを執筆している。法廷陳述とエッセイの間には、けっして無視することのできない差異が横たわっている。法廷にあって被告金嬉老を外側から眺め、ある距離のもとに彼と自分との類似と相違を測定していた金時鐘は、エッセイのなかでは金嬉老をより近くにまで引き寄せ、ほとんど自分の上に重ねあわせることで、彼を、そして自分を審判にかけようとしている。

金時鐘は法廷の場でまず、被告の金嬉老と自分とがともに42歳、つまり同い年であることを述べ、日本の法廷が朝鮮人に対し公平平等であったためしがないと指摘する。彼らはともに皇民化の時代に、自分が天皇の赤子であるという教育を受けて育った。朝鮮人でありながら、朝鮮語から疎外され、日本人である自分を疑うことなく、日本の敗戦を迎えた。とはいうものの、戦後の日本社会における二人の生き方はきわめて対照的である。金時鐘は自分の身体にこびり付いている日本を懸命に振り落とし、喪失した朝鮮人性の回復に向けて懸命なる努力を重ねた。だが金嬉老はその逆に、苛酷な日本社会において生き延びるため、「日本人的に生成することが自分を蘇生させる道」だと信じ、にもかかわらず市民社会から脱落して、犯罪者としての道を歩むことになった。彼は無学であり、金時鐘のように知識人として日本と「祖国」の政治の間に自分の身を置くことができなかった。

金嬉老は籠城の末に自決を予定していた。その金嬉老を金時鐘は、法廷にあって批判する。

金嬉老はけっして英雄ではない。彼は自分の悪がすべて、日本人社会という外部からもたらされたものだと考える人物だった。なるほど彼は朝鮮人差別を声高く訴えてはみせたが、はたしてどこまで「本当の朝鮮、朝鮮固有の朝鮮人だけが持っている独自性」に到達していたというのか。自分はといえば「日本というものをかいくぐらないと」「自分の朝鮮に出合えない」という自覚を抱きながら、これまで生きてきたし、「朝鮮語がかなり習得はできたといって」「朝鮮人になりきれるとは思わない」。では、金嬉老にこれまで、そうした内面の葛藤はあったのか。金時鐘のこうした論法のなかでは、小泉刑事による面罵はさほど重大なことであるとは見なされていない。それはどこまでも外部からもたらされた、偶然の事件にすぎない。

金時鐘は大胆な提案をする。金嬉老が彼の朝鮮に到達するためにもし手立てがあるとすれば、それはこの裁判を闘い抜くことでしかない。法廷を単に殺人傷害事件の刑事裁判の場としてではなく、民族差別のなかで喪失を強いられてきた朝鮮人のアイデンティティー回復の場として捉えたとき、金嬉老ははじめてみずから朝鮮人性をわがものとすることができるだろう。

だが現実の裁判は、きわめて不本意な結果に終わる。そこでは「権禧老《クォン》」という名を持った犯罪者が、刑事事件の被告として無期懲役を宣告されただけであって、法廷は在日朝鮮人の民族問題を探究することを巧みに回避してしまった。日本国家は当事者としての歴史的責任を法廷で果たすことをしなかった。金時鐘はそのことに大きな落胆を覚える。1973年、「日本語のおびえ――閉ざされた金嬉老の言葉を追って」というエッセイが執筆されるのは、こうした経緯においてである。

金時鐘はまず「私は言い尽くして終ったのではなく、あまりにも言い尽くすことの大きさに立ちすくんでいる」と、法廷陳述の感想を率直に述べる。彼の心中にあるのは「うしろめたさ」である。金嬉老の行為に密かに共感し、そこに「私自身の内部にも古くからうずいていたもの」を見て取った自分は、「金嬉老に対する負目」をどのように処理していけばよいのだろうか。

金時鐘は法廷陳述のときとは打って変わって、詩的な隠喩に訴える。「金嬉老が持ち得たあの爆薬だけが、言葉に魅せられた聾唖者の渇えた表現行為のように美しかった。」聾唖者？　地声の言葉を奪われた者？　それは金時鐘の詩のなかで、しばしば「唖蝉」という語のもとに描かれてきた自画像ではなかったか。金嬉老とは「私の無念さを具現したテロリストであり、私自身の骨肉的分身であった。」

こう宣言したとき、もはや金嬉老問題は、かつて法廷にその討議を期待していた民族問題であることすらやめる。金嬉老とは金時鐘が人間の実存に直接向かい合うときの本質的な契機と化す。それを民族の受難史一般という平板な物語に「拡散」してしまってはならない。「私との類似相によって金嬉老の行為が推し測られるのではなくて、私との類似相が私を明かしてゆく関係、つまり私だって『金嬉老』たりうるという未知の可能性に『金嬉老』を置くのではなく、私がすでに『金嬉老』であることの意味づけを提示してゆくこと。民族感情にくるまれてあることが『金嬉老』の有効な存在証明であるというよりは、無数に存立する『金嬉老』の群落へ、『金嬉老』そのものを見分けがたく存立させてしまうアクティブさを、意志的にものしてゆく創造性こそ問われるべきだ。」

こうした文脈において、金嬉老が犯罪を犯す直接の動機となった小泉刑事による面罵事件が、ふたたびクロースアップされてくる。小泉刑事は金嬉老を日本語で侮辱した。金嬉老はその侮辱にい い返そうとしても、日本語を用いるしかなかった。それは彼を貶め、抑圧している小泉刑事の言語であった。彼は自分を社会の周縁へと排除し、抑圧を続けてやまない言語を通してしか、自分を訴えることができなかった。

「それが『金嬉老』には、小泉勇刑事の居丈高な侮辱発言となってかぶさった鉄の爪だ。心に刻まれた傷痕から、開かれたことのない彼の『言葉』が、初めて己れの自由な表現を求めて噴出したのだ。抑圧と差別に押し込められたぎりぎりの生が、どたん場で上げた肉声を彼は自分の耳で聞き取ったにちがいなかった。その『声』が、私と同じ『日本語』であったことに私がおびえ、彼がのたうったのだ。」

小泉刑事の面罵は、金嬉老にとって一回性のものではない。その背後には、40年の時間にわたり、彼の身に数限りなく浴びせかけられてきた罵倒と嘲笑、その屈辱の記憶が横たわっている。耐えがたきものに耐え、心を鎮静させるために払われた限りない努力があり、その努力を跳ね除けて噴出してくる怒り、突き上げてくる感情がある。

「長い時間帯の中で堆積した記憶・体験が、符合する外在物に投影されるとき、言葉は対象化された『物』としての情念を押し出してくる。言葉が吐きだされる裏には、その言葉を生ましめた記憶・感情の錯綜した層があるのであり、その言葉はとりもなおさず、常に記憶し、蓄えられてきたところの思想の露出にほかならないのである。」

金嬉老の犯した事件は、こうして面罵の言語が前景化されることで、殺人傷害という犯罪の側面を離れ、他者の言語でしかみずからを表現できない者の、自己探求の困難と矛盾という問題へと移っていく。金嬉老はダイナマイトによる自決に対置させることで、ようやく自己表現に到達した。とはいえそれは彼を抑圧してやまない日本語を媒介としたものであった。それでは自分にとって、同じ日本語とはいったい何なのか。金時鐘はそう自問する。自分の日本語は小刻みに震え、脅えている。それは「私にとって日本の震えなのか、朝鮮のうずきなのか。」

「どだい私に『言葉』はあるのか。」

この際限もなく大きな問いによって、エッセイは幕を閉じる。

3

「どだい私に『言葉』はあるのか。」

金嬉老事件のため法廷で陳述してから2年後、1973年9月に、金時鐘は兵庫県立湊川高校の定時制学級で朝鮮語を教授することを引き受ける。授業は週にひとコマ。生徒のなかには多くの被差別部落民と在日朝鮮人、それに身体障害者、さらに「著しく基礎学力の落ちている生徒」が含まれている。彼はこの困難な作業をどうして、またどのように引き受けたのか。

かつて日本人は朝鮮人から朝鮮語を奪い取った。金時鐘はまずそう考える。

だが、奪い取ったものなら、どこかに痕跡があるはずだ。何かに使ってやろうと、隠し持っているはずだ。だが日本を見回しても、いかなる朝鮮語の痕跡もない。ただひとつの例外は、警察畑の朝鮮語だけだ。これは奪うよりもさらに凄惨な事態である。日本人は朝鮮語を朝鮮人からもぎ取って、虚空に散らしてしまった。言語の剝奪によって、民族の尊厳を扼殺してしまった。

わたしはなぜ朝鮮語を教えるのか。在日朝鮮人ばかりではない、被差別部落民から身体障碍者まで、およそ日本社会のなかでもっとも周縁に置かれている若者たちの前で、なぜ彼らにとって直接的に役に立つとも思えない朝鮮語を教えるのか。日本の公的な教育体系の外側に放置されている朝鮮語の教鞭を、週にわずか一時間、蝸牛のごとき速度にもかかわらず、握り続けることになぜ拘泥するのか。

湊川高校に赴任した日の夜、金時鐘は新任式の演壇で、あたかもこうした自問に答えるかのように生徒たちにむかって語り出す。湊川高校は解放教育の先陣を切っている。同僚の教師たちは進歩的で、自分の講座を開講させるためにさまざまな努力をしてくれた。必修正課としての朝鮮語。幼いころより差別を身に染みて知っている数多くの生徒たちにしてみれば、よもや今一人の被差別者である自分を拒否することはあるまい。彼らはこぞって自分を迎え入れてくれるであろう。44歳の新任教師はそう期待する。彼は理想主義的な口吻にいくぶん酔っている。

だが彼を見舞ったのは満場の拍手ではなく、一筋の攻撃的な叫びであった。

「〈私〉は容赦なくひっぺがされたのだ。思いあがった朝鮮のインテリが、講堂の演壇で立たされたまま面罵された。

『何しにきてんチョウセン帰れえ！』」（「さらされるものと、さらすものと――朝鮮語授業の一年半」）

赤いジャンパーを着た一人の生徒が、いきなり前列に飛び出してきた。彼は新任教員を紹介した校長を見上げながら、「わしらに何せえいうんじゃ、昔、日本が朝鮮にわるいことをした。だから朝鮮語やれというのか？　朝鮮も日本もあるかい」と怒鳴った。そして壇上に上がると、着席している金時鐘にむかって絶叫した。学期明けの初日は、こうして大荒れになってしまった。金時鐘はこの騒ぎの後、一人の在日朝鮮人の生徒が泣きじゃくっている場に立ち会うことになる。彼は新任教師を見るや、狂ったように飛びかかり叫ぶ。「なんでさらしものにになんのや！」

金時鐘はこのとき、何を考えていただろうか。

「正直に言おう。私に勇気があって、その場を耐えたのではない。しいたげられてきた者のひとりとして、本当におこったときの怒りが何であるかを、私は知っていただけなのだ。君達のあれは怒りではない。虚勢だ。その程度の虚勢で『朝鮮語』が追いたてられてたまるか！」彼は自分が生徒たちの前に、「思いもよらない」形で出現してしまった人物であることを、明確に自覚した。生徒Yはこの事態に対し、同じく「思いもよらない」形で反応したのだ。金時鐘の就任演説は、そこに居合わせた部落出身の生徒たちに、「いわば理屈をこねて神経を逆なでたのだ。」

Yがとった行為は、はたして朝鮮人への軽蔑の表現だろうか。いや、そうではないはずだ。この生徒を苛立たせたのは、何よりも自分がこの場で知識人として紹介され、高邁な演説を述べたという事実だった。だが、自分にはこの程度の覚悟はすでに出来ていたはずではないかと、金時鐘は考える。「信じられないことだが、自分でも不思議なくらい、私は冷静でいられた。」と、彼は後になって回想する。金時鐘はこの生徒の「体ごと弾んでいる純粋な意志体」のようなあり方に、ある感動を覚えたのである。

Yという生徒は被差別部落の出身だった。小柄で、「ブルース・リーの大ファン」の苦学生だった。「土方仕事」で病弱の家族を養う一方で、空手に熱中し、自分の腕力だけを信じて生きていた。そのYがいつしか金時鐘に、詩を書きつけたノートを、含羞《はにか》みながら見せるようになった。暴力の虚しさを周囲に漏らすようになったと、金時鐘は記している。

ブルース・リー！　わたしはここに唐突に出現した固有名詞に、ある感動を覚える。学生時代、『燃えよドラゴン』に夢中になり、その後、香港の電影資料館に通って、彼の評伝を書き上げたことがあったからだ。

サンフランシスコのチャイナタウンで生まれた李小龍は、32歳で生涯を閉じるまで、中国語（北京官話）を話すことも、書くこともできなかった。日本占領下の、そして英国植民地下の香港で、喧嘩とダンスに明け暮れる少年時代を過ごすと、アメリカに戻り、苦学して大学に通った。やがて日系人が経営するスーパーマーケットの地下駐車場を借り、中国拳法の私塾を始めた。最初の弟子たちは日系、アフリカ系、ギリシャ系、フィリピン系の、貧しい青年たちばかりだった。彼らは強くなることが屈辱を跳ね返すことだと信じていた。白人の誰もが中国拳法など馬鹿にしていた、1960年代初頭のことである。

李小龍は連続TV活劇で日本人柔道家を演じ、ハリウッドに足掛かりを見つけた。だが映画界のアジア人差別に耐え兼ね、不本意ながら活動場所を香港に移した。彼は母親に向かって書き送る。「ぼくは東洋人なので、映画のなかでは白人を全員やっつけなければならないのです。」だがアメリカ国籍であったことが災いして、香港映画界でも彼は疎んじられた。

李小龍が主演し完成させた功夫《クンフー》映画は、わずか4本にすぎない。それらは全世界の若者、とりわけ貧困と差別、屈辱の生を強いられている者たちに、勇気を与え続けた。彼の最初の弟子たちは、それぞれに武道家として成功した。

わたしには金時鐘を罵倒した生徒Yが、李小龍を崇拝していたということが、よく理解できる。他ならぬ李小龍も、腕力だけを信じて少年時代を過ごしたのであり、映画俳優になってからは、Yのような青年のために、スクリーンのなかで闘い続けてきたからである。だが同時に、湊川高校で朝鮮語の教鞭を執りはじめた金時鐘もまた、スーパーの地下で拳法を教授しだした李小龍に似ていると思う。李小龍にとって中国拳法が、植民地下で生きる香港人の誇りであり、武闘家としてのみずからの根拠であったように、金時鐘にとって朝鮮語とは、植民地下でひとたび奪われながらも、何とかその回復を通して自分の民族的矜持を確立したいと願った、まさにその根拠であったからだ。彼らはいずれも第二次大戦後に成立した冷戦体制にあって、本来の土地と言葉から引き離され、シアトルと大阪という寄る辺ない異郷に辿り着き、身一つで生きる手立てを見つけ出さなければならなかった。ディアスポラという状況を生き延びるために、一人は武道に、もう一人は詩に向かった。

李小龍がアメリカ社会で差別されている民族的少数派の若者たちを教えたように、金時鐘は在日韓国人や被差別部落民、そして正規の教育体系から排除されてきた身体障碍者を生徒とした。湊川高校の解放教育を、彼は「ちょっとしたミニ共和国」と呼んだ。朝鮮語の授業はときに大きく荒れることもあったが、「多様な親しみが蜂のようにまといつくようになった。」もっとも熱心で成績のよい生徒の一人は、聴覚障害をもち、中途で編入してきた女性だった。

在日朝鮮人に朝鮮語を教えるということならば、その意図は理解できる。在日社会であれ、南北を問わず朝鮮半島の社会であれ、朝鮮語は意思疎通のため決定的な意味をもつであろうし、そうした実利を別にしても、在日朝鮮人の内面に強い誇りを回復させてくれるだろう。だが、なぜ朝鮮語を必要としない日本人、とりわけ被差別部落出身の生徒が、それを正課として受講しなければならないのだろうか。

金時鐘を動機づけているのは、言語をひとたび奪われた者の復讐心や怨恨ではない。現在の日本社会においてただちに実利に結びつく外国語、すなわち英語を習得するのではなく、あえて実利から大きく逸脱した朝鮮語を学ぶこと。それは生徒たちに、他者の言語を知ること、というより、言語なるものが本質的に他者性に由来するものであるという認識を期待したところに拠っている。「押しのけられ、踏みつけられている人間の痛みを、痛みとして分かち持てる魂」を創り上げるためにも、朝鮮語は教授されなければならないのだ。彼は自分を面罵した生徒Yに語りかけるように書きつける。

「私のがんばった理由は一つだ。再度『朝鮮語』をはずかしめる側の『日本人』に、君達を入れてはならなかったのだ。」

4

たしかあのとき
君は伍長どまりだったな?!
ぼくは少尉で
木刀吊っていた。

このぼくを知らないってか?!
そんなことないだろう
同じ隊列の端と端にいた

あのはしこい君とぼくだ。

ハヤシといえば思い出すかい?!
オカモトミノル中尉があの方で
君はまだ兵卒のホシヤマだったんだ。
三期もへだたりゃあ　それほどの違いがあった時代さ。

日本人には説明を施さないといくぶんわかりにくいかもしれないが、１９８０年5月、韓国の光州の民主化闘争において市民と学生が大量虐殺されたとき、金時鐘の手で書かれた詩「めぐりにめぐって」である。現在は『光州詩片』に収録されている。

語り手はよくわからない。推測するに、戦時下の志願兵制度に応募して、朝鮮人でありながらも満洲国を護持する関東軍で、陸軍少尉にまで上り詰めた人物なのだろう。この人物の直属の上官にオカモトミノル中尉がいる。「共匪」殺しで名をはせた岡本実、朝鮮名を朴正熙《パクチョンヒ》と呼ばれる青年将校である。配下にはホシヤマ。彼も朝鮮人だが、まだ一兵卒でしかない。

詩のなかで語り手は、満洲国時代、朝鮮人兵が軍曹になるまでには恐ろしい時間がかかったと述懐する。「君」にしても帝国崩壊時には少尉までしか進めなかった。だがたいしたものだ、あれから40年経って、「君」は初志貫徹して、ついに大将にまで上り詰めた。

ここまで読めば、日本人にもこの「君」が誰だか、見当がついてくる。朴正熙が暗殺された直後に軍人として権力を掌握し、光州に軍隊を派遣して虐殺を命じた全斗煥《チョンドファン》大統領のことだ。

光州事件の直後、北朝鮮の新聞メディアは首謀者全斗煥大統領を非難して、「人間白丁《インガンペクチョン》」という最低の罵倒語を見出しに用いた。「白丁」とは屠業を生業としていたため、李朝時代に社会の最下層に追いやられた被差別部落民を意味する言葉である。いまではまずメディアが用いることはない強力な差別用語なのだが、「北」はよくもまあ古徽の生えたこのような辱説《ヨクソル》（罵倒語）を見つけ出してきたものだと、奇妙に感心した覚えがあった。かくも大量の同胞を「屠殺」した軍人に対し、満身の憎悪と侮蔑を凝縮させた表現を投げかけることは、「北」の政府として考えられないことではない。

金時鐘もまた、たとえようもない怒りに突き動かされていた。だが彼は詩のなかに、一行たりとも罵倒語を記さず、ただいくぶん達観したところから、虐殺の首謀者にむかって静かに語りかけた。いや、そもそも罵倒語を使おうにも、彼はどの言語で彼らを罵倒すればよかったのか。日本語を用いても、朝鮮語を用いても、いずれにしても彼は帰属をめぐる不幸で不自然な二項対立に組み込まれてしまうだけだろう。罵倒語とはそれを発する者と、それを受け取る者との間に、言語的、社会的共同体が成立していないと、意味を持たないものなのである。金時鐘と全斗煥の間に、いったいどのような共同体が成立するというのか。

「めぐりにめぐって」の終わり方は次のようである。

君が幼くて
ぼくが無知で
ともに八・一五を

泣きじゃくっていなければならなかった
子どもの兵隊の
そんな時代が昨日のようだよ。
国がまだ日本であったころの
あのなつかしい語り草がさ。

なあ、
ゼントカン。

最後の最後にいたって、語り手はようやく「ホシヤマ」と呼ばれた朝鮮人に向かって、本来の韓国名、全斗煥で呼びかける。だが、それは日本風に、あえて「ゼントカン」と発音される。彼は詩の作者である金時鐘が「キムシジョン」と発音されるように、真正の朝鮮語で名前を呼ばれることがないのだ。日本軍隊時代の「ホシヤマ」か、でなければ日本風に読み替えられた朝鮮名でしか、話しかけられることがない。

わたしはここに、詩人としての金時鐘の最大の罵倒を見るような気がしている。彼は朝鮮語と日本語のどちらにも帰属せず、その境界線の上に立ちながら、「ゼントカン」と静かに呼びかける。君のしていることは満洲国の延長だよ。君は今でもみごとに関東軍の一兵卒で、岡本実中尉の忠実な部下だ。だけど、韓国は一応独立してしまった。君は朝鮮名を回復したのだ。だから君の今回の業績を讃えて、ぼくは君を、日本語読みした朝鮮名で呼んであげることにしよう。

事後は沈黙である。怒りの代わりに押し寄せてくるのは、夜の波のように重い悲しみだ。

生涯に数々の面罵に耐え、他人の面罵に立ち会ってきた金時鐘が、もし罵倒を思い立ったときに示す仕種とは、このようなものである。

（『金時鐘コレクションⅦ　在日二世にむけて』〈藤原書店、２０１８年〉解説）

羅英均《ナヨンギュン》の二冊の著作

以下に記すのは、韓国の英文学者、羅英均氏が著した二冊の自伝の書評である。

羅英均は水原《スウォン》を本貫とし、1929年に満洲奉天（現在の瀋陽）に生まれた。父親の景錫《ギョンソク》は東京留学中に朝鮮独立運動に参加し、大杉栄に私淑していたこともあって、当局から危険人物であると睨まれていた。彼は（少なからぬ反日的知識人がそうであったように）家族とともに満洲に逃れ、そこで娘英均の誕生を見た。父親は毎年秋になると、先祖の霊に祈るため、危険を冒して水原に戻った。憲兵が二重にも三重にも監視をしているなかを巧みに潜《くぐ》り、一家の墓の前で厳粛に儀礼を執り行った。

景錫は朝鮮は政治的独立を果たす前に、なによりも民間資本を発展させ、産業を拡充させることだという理念を抱いていて、幼い娘の英均に英語の個人授業を行なった。後には家庭教師として、李光洙《イグワンス》が彼女に英語を教えた。韓国が光復を迎えると英均は梨花《イファ》女子大学校に進み、梨花で最初にサングラスとミニスカートを着用した学生と呼ばれた。大学院では英文学を極め、やがて母校で教鞭を執り、韓国英語英文学会の会長となった。彼女はコンラッド、ジョイス、ヴァージニア・ウルフ、そして英国文化研究の祖ともいうべきレイモンド・ウィリアムズを翻訳し、その合間にウィットに満ちたエッセイを表した。

わたしと羅英均先生とは、40年以上にわたって親交を温めてきたが、その切っ掛けとなったのは英文学者由良君美氏である。わたしの最初の渡韓に際し、氏は丁寧な紹介状を執筆され、専門を同じくする隣国の教授へと紹介してくださった。それ以来、わたしたちは家族ぐるみでソウルと東京で、お互いの家を訪問しあうようになった。ジョイスの『フィネガンズ・ウェイク』の日本語訳者である柳瀬尚紀さんに紹介したところ、二人が自己紹介などさておいて、夢中になってジョイスの話を始めた日のことを、わたしは鮮明に記憶している。

羅英均先生が大学を退官されたとき、御尊父の伝記をお書きになるよう勧めたのは、わたしである。それは最初、東京のみすず書房から２００３年に、少し遅れてソウルで韓国語版が刊行された。『日帝時代、わが家は』（小川昌代訳、みすず書房、2003）がその本である。その後、彼女は今度は英文学者としての自分の学究人生を回顧した続編を執筆し、それは『わたしが生きてきた世の中』（堀千穂子訳、言叢社、2015）として日本でも刊行された。

怡堂全民濟《チョンミンジェ》氏は羅英均先生の夫君である。江原道旌善《チョンソン》を本貫とし、京城帝大で応用化学を専攻、解放後は名を改めたソウル大学工学部で博士課程を終えると、韓国で石油化学産業構築のために生涯を捧げた科学者であった。氏は２０２０年に98歳の天寿を全うされた。ここに故人の思い出を記しておきたい。

『日帝時代、わが家は』

植民地主義は、きわめて長い目で見るならば、植民地化された側よりも、植民地化した側により道徳的破局をもたらすことになるだろう。インドの精神科医にして政治学者であるアシス・ナンディが『親密なる敵』のなかで記したこのテーゼが、長い間気になって仕方がない。彼は書いている。「理性に対立しているかぎりにおいて、抑圧者と被抑圧者とは、ともに犠牲者なのである。」

アイルランドに生を享けたスウィフトを最初に勉強したこともあって、わたしは機会あるたびに、植民地に生を享けた者の自己認識をめぐって、少なからぬ自伝的書物を紐解いてきた。ファノン、デリダ、そしてマリーズ・コンデまで、二〇世紀にフランス領植民地に生れた知識人が、宗主国の文化と言語を斜めの角度から受けとめ、それを通していかに自己形成をなしとげてきたかに関心があったためだ。彼らが、支配者の側からはけっして到達できない歴史的認識に到達する過程を見据えることで、先に引用したナンディの指摘を理解する手立てとしたかったのである。

本書は、長く梨花女子大学校の教壇に立ち、英文学者として著名な人物の手になる一族の肖像である。千年に及ぶ歴史をもつ大地主の息子として一八九〇年に生れた父親の羅景錫は、日韓併合の年に東京に留学。東工大の前身にあたる東京高等工業学校に入学すると、まもなく社会主義サンディカリズムの洗礼を受ける。次に大阪に大量に流入してきた朝鮮人労働者のため、社会運動を開始する。一九一九年三月一日に朝鮮半島全土で生じた独立運動のさいには、千枚の独立宣言書をもって満洲の地に飛び、その直後に日本官憲に逮捕される。出獄後はウラジオストックに移り、「東亜日報」に記事を書く。関東大震災で数多くの同胞のみならず、私淑していた大杉栄が虐殺されたと知ると、危険を顧みずただちに東京に駆けつけ、真相糾明に努める。その頃、彼の婚約者は新宿の中村屋で、インド人から英語を習っていた。やがて二人は奉天で所帯をもち、本書の著者が長女として生れることになる。奉天の家にはひっきりなしに、日本人の刑事が訪問してくる。やがて父親と刑事は胸襟を開くようになり、いっしょに入浴しながら親しげに対話を始める。「植民地主義」という言葉さえ知らない幼い娘は、その光景を不思議そうに眺めている。

今ひとりの登場人物である父親の妹はといえば、東京の美術学校に通っていたが、一九一九年の独立運動に先立って留学生たちが行なった独立宣言に参加。その後、モダニズム画家として、また新進女性小説家として活躍し、恋多き人生のさなかにパリに向う。後に最初の韓国女性美術家として名を残すことになる羅《ナ》蕙錫《ヘイソク》である。本書では画筆を捨て、栄光の身から凋落して無惨な姿となった彼女の晩年までが、幼い姪の視点を通して、痛々しく描かれている。

ここでもう一人、本書に登場する人物を挙げるとすれば、それは韓国近代小説の祖として名高い李光洙であろう。父親の友人であったこの天才肌の青年は、ただちにその妹とも親しくなる。彼は、三〇年代後半に逮捕されると転向し、皇民化運動の主唱者として活躍する。祖国解放後、民族反逆者として糾弾された彼から、幼い著者は英語を学び、その英語はやがて彼女にジョイスやコンラッドを翻訳させることになった。いずれもが故郷喪失者であることに、ここでは注目するべきだろう。最後に著者は、抗日の一家の物語であるにもかかわらず、未来において韓国と日本とが、互いに相手と抽象的な対立の認識に留まることを警戒して、本書を閉じている。

けっして感傷やノスタルジアに堕することなく、どこまでも調子の高さを喪わずに執筆された書物である。植民地下に生を享けた朝鮮の貴族・知識人の心情と世界観を綴った記録としても、また朝鮮文学史の思いがけない側面を物語った証言としても、どこまでも興味のつきない細部に充ち満ちた書物である。だが、以上を認めたうえで、さらに一言付け加えるならば、矢川澄子が森茉莉のために造りあげた言葉に倣って、これは優れて「父の娘」の書物であるということができるだろう。波乱万丈の描写の要所要所から窺われるのは、その渦中にある父親を見つめている娘の眼差しであり、この眼差しに共感をもって別の眼差しを重ねるところから、われわれが歴史と呼ぶものが導き出されるのである。

『わたしが生きてきた世の中』

本書はかつて『日帝時代、わが家は』を著したソウルの英文学者による自伝であり、前著の続編にあたる書物である。前著が大杉栄に私淑しながら韓国の近代化と独立のため腐心した父親、羅景錫の伝記であったとすれば、本書は祖国が解放されたのち、その娘である著者が梨花女子大を卒業し、結婚と出産、そして母校の教授としてコンラッドからジョイス、ヴァージニア・ウルフまでを翻訳し、さまざまな知的遍歴を重ねていくさまを物語っている。登場人物も多岐にわたり、文学者でいうならば、抒情詩人として高名な鄭芝《チョンジ》溶《ヨン》に始まり、パール・バック、スティーブン・スペンダー、ヤン・コットまで、著者が同時代の世界文学の担い手たちと間近に接し、対話と文通を重ねた思い出が、興味深い形で書き記されている。

だが、本書は天賦の才能に恵まれた文学者の回想録であるだけではない。書物全体を貫いているのは、朝鮮戦争からクーデター、そして民主化へと目まぐるしく変貌していった韓国社会を、大統領官邸からわずか2キロほどしか離れていない住宅地、新橋洞《シンギョドン》から、ある距離のもとに眺めている批評的な眼差しである。夫である全民濟は、京城帝大で応用化学を学び、韓国において石油産業を最初に立ち上げた人物であり、歴代の大統領から活躍を期待される立場にあった。著者は彼らをイデオロギーによって単純に裁定することを避け、夫との関係を通して、冷静に彼らの人物評価を行っている。ここにその細部を写すことはしないが、日本の読者にとってこうした記述は、韓国の政治史を理解する上でまことに貴重である。

本書にはさまざまに印象深い人物が登場するが、もし一人を挙げるとすれば、朴正熙軍事政権下の困難な日々において梨花女子大を支えた金玉吉《キムオッキル》総長である。1964年、女子大生たちが反政府デモを行ない、8時間にわたって機動隊と対峙して一歩も譲らなかったとき、彼女は勇敢にもその間に一人で割って入り、夜を徹して学生たちと講堂で話し合った。その結果、一人の逮捕者も出さずにすんだという。いったい日本にこのような大学総長がいただろうか。

ここで私事を告白しておくと、わたしは全斗煥政権の時代に、著者に随行して、山中で隠遁生活を送られている金氏を訪問したことがあった。政府に睨まれてしまうことを怖れず、多くの人々が彼女を訊ね、歓待を受けていた。不屈の知識人という評判とは違い、実に和やかな、親しみやすいお人柄の方であったことを記憶している。

わたしがもう一つ、本書で興味をもって読んだのは、著者がみずから築き上げた家庭について語る部分であった。父親である羅景錫とその妹で女性画家の羅蕙錫の、それぞれ最晩年の挿話にはじまって、四人の子供たちの渡米体験とその後まで、著者を基軸として、合計して四世代の物語が綴られている。その物語の拡がりはさながらバックの『大地』三部作のごとしである。もっとも水原郡守の旧家の裔である羅家を、徒手空拳で家を興した王龍と比較するのはいささか不適当かもしれない。わたしは個人的には本書を、イタリアのナタリア・ギンズブルグが著した家族年代記、『ある家族の会話』と比べてみたい誘惑に駆られているところである。

（『読者人』２００３年3月21日号、２０１５年11月27日号）

樫の巨木の悲しみ　全民濟《チョンミンジェ》

２０２０年３月、全民濟氏が98歳の高齢で逝去された。わたしはただちに葬儀に駆け付けたかったが、新型コロナウィルスが猖獗を極めているさなかであり、それが叶わないでいる。そこでここに一文を草し、彼の追悼としたいと思う。わたしは最初にソウルに滞在した１９７０年代末から、この科学者とは40年にわたる親交があった。

大きな樫の木のような風格をもった人物だった。言葉巧みに流暢に喋るというのからはほど遠い。一歩一歩確実に、しかもどこか遠いところを見つめるような感じで語るという人だった。

わたしが昔、月島に住んでいたころ、夕暮れどきに予告もなく訪問を受けたことがあった。全さんは東京での雑事のため、勝鬨にマンションを借りていたから、散歩がてらに運河をひとつ越えれば、わたしの家に来るのは雑作もないことだったのだろう。

大正時代に建てられた長屋の一階は、午後ともなると日が差さず、うす暗くなってしまう。慌てて電気を付けようとすると、いや、これでいい、このままでいいから、お水をくださいといった。さしたる用事があるというわけではなかった。彼はわたしが出した麦茶をうまそうに呑み終わると、ぽつりといった。僕が通っていた学校は、小学校も、中学校も、高校も、みんな今ではなくなってしまったんですよ。

どうして彼がそんな話をし始めたのか、わたしにはわからなかった。ただ、誰かに話しておきたかったのだろう。わたしたちは薄暗い四畳半でしばらく話した。

全民濟は1922年、ソウルに生まれた。本貫は江原道旌善である。京城帝大で応用化学を専攻し、助手として研究室に勤めた。朝鮮戦争が勃発すると人民軍に連行されたが、隙を見て下水道に飛び込み、九死に一生を得た。戦時下に東京大学を訪れ、京城帝大時代の恩師に再会。1950年代、アメリカの四大石油会社が世界の石油供給をほぼ独占していた時期に、韓国に独立した石油化学工業を興すことを宿願とし、李承晩《イスンマン》大統領に進言した。

朴正熙軍事政権は全民濟の提案を積極的に推進した。蔚山《ウルサン》には日本統治時代、朝鮮石油の工場が立てられていた。解放後、その広大な土地はアメリカ軍に接収されたままになっていたが、全さんは孤軍奮闘してそこに新たに石油工場を建設した。国営企業としての「大韓石油」である。全民濟は理事を務め、副社長となったが、あるとき思いもよらぬ讒言に遭い、朴正熙大統領の不興を買った。金載圭《キムジェギュ》中央情報部部長（後に朴正熙を暗殺）が全民濟を擁護したが、それも虚しく、全さんは1970年に辞職を強いられた。

石油化学産業に寄せる情熱は消えることがなかった。翌1971年には「全エンジニアリング」

を創建すると、国内のみならず、中東からインドネシアにわたってアジアの広範囲な地域に製油工場、淡水化工場を次々と建設し、工業団地の設計を行なった。73年のオイルショックに当たっては韓国の特使団に参加し、サウジアラビアでファイサル国王への拝謁を得た。その後もサウジには足繁く通い、オイルダラー借款を受けるために腐心した。日本のいくつかの企業の技術顧問を務めていた時期もあり、東京では勝鬨に一室を設け、寄り来る雑務を片付けた。日本の業界誌は彼を「栗原玲児に似た美男子」と紹介した。

１９８０年に軍事クーデターで成り上がった全斗煥は、公職者から新聞記者までを大量に解雇し追放した。全エンジニアリングもその煽りを喰らって免許を剝奪され、多大な損害を被った。全民濟は汝矣島《ヨイド》にある十階建ての社屋をさる大企業に譲り、ふたたびゼロからやり直さなければならなかった。59歳のときである。

最後に彼が起こした「全インターナショナル」は、社員わずかに6名。以前に彼が携わった二つの組織と比べると、豆粒のように小さな会社だった。それでも彼は光化門近く、世宗文化会館の裏側にあるビルの一室を拠点として、先端材料問題の最新動向に目を光らせ、応用化学研究の国際組織の委員として活躍した。１９９６年には国際学会をソウルで開催することに成功した。これは彼の人生最後の「大事業」だった。夫人である羅英均さんが助言者兼通訳として彼を支えなければ、とうてい実現できなかっただろう。

90歳近くなって、彼は夫人の助けを得て、『韓国石油化学工業の曙　全民濟の挑戦』という回想録を執筆した。それは今では日本でも、柘植書房新社から翻訳が刊行されている。

わたしが知っている最晩年の全民濟さんは、毎日定刻に、運転手に迎えられて自宅から事務所に向かい、そこでただ新聞や資料を熱心に読んでいるだけのように見えた。秘書の女性が一人いたが、何をしているというわけでもない。90歳を越えてもこの日課には変わりがなかった。夏はいつも娘や息子たちを連れてハワイで過ごし、それがときに日本の湯布院になったりした。

ソウルに行くたびに、わたしは何回、ご夫妻の住む新橋洞の邸宅に泊めてもらったことだろう。わたしが訪問するといつもプルコギが食卓に並び、最後に中国の朝鮮族出身のメイドさんがサツマイモのデザートを出した。晩餐の席では全さんはわたしに向かい、日本の若者たちは高度成長を必死に支えた先行世代に対し、充分な敬意を払っていないのではないかといった。日本海軍がもっとしっかりして東シナ海の秩序を守らないと、東アジアの国々は覇権を唱える中国に圧倒されてしまうと口にしたときもあった。金大中が大統領に就任したときには、「あの一番汚い偽善者が」と、吐き捨てるように嫌悪の表情を示した。書斎の本棚には『日本書紀』の文庫本の傍に、夫人である羅英均の著書『日帝時代、わが家は』が並べられていた。そっとその本を取り出してみると、鉛筆で日本語の書き込みがあちらこちらになされていた。「感傷的すぎる」とか「不充分」といった文面だった。

2000年はわたしが客員教授として中央大学校で教鞭を執った年である。半年近い滞在を終えたわたしは別れの挨拶をしに新橋洞の家に向かい、一晩を泊めていただいた。翌朝の飛行機が早いので、わたしは夕食が終わると早々に客室に引き揚げた。

翌朝、まだ誰も起き出してこない昏いうちにわたしが食堂に行くと、全さんが一人、すでに卓に就いていた。彼は朝の挨拶も抜きで、従軍慰安婦のことはねえと、いきなり切り出した。

あれは誰もが日本人が悪い、韓国人は被害者だといっているけれど、日本人だけで田舎の村から若い娘を連れだすなどということができるわけがない。実際には数多くの韓国人が間に入って利益を得ているはずなのに、誰もそのことを話そうとしない。約束したかのように口を閉ざしている。日本人が悪いといっておけばいいという態度は、まさに韓国の恥そのものなのですよ。落ち着いた、ゆっくりとした口調だったが、そこには悲嘆と諦念を差し置いて頑強なものが感じられた。

前夜の食事の席のことが思い出された。わたしは今回の滞在中に水曜集会に出掛け、元慰安婦だった女性たちと話をしたと、そのときに話している。もっともこの話題はそれで立ち消えになり、全さんが何かを発言するというわけでもなく、話は別の方へと移ってしまった。おそらく全さんはそのことが気になって、翌朝、わたしが出発する前にどうしても自分の考えを話しておこうと決意し、早く起きてわたしを待ち構えていたのである。

やがて羅英均夫人が起き出し、朝鮮族のメイドさんが朝食の準備に取り掛かったので、話はそこまでになった。だが、どうしてもこのことだけは話しておきたいという強い意志を、わたしは全さんに感じた。

どうしてもこのことだけは。この頑強な意志が彼の生涯を支えてきた。それはアメリカの覇権を破り、日本に先んじて石油化学工業を韓国で創設し、その興隆のさまを自分の目で確かめておきたいという情熱でもあった。挫折するたびにいくたびも出発点に引き戻され、それでもただちに新しい構想のもとに活動を開始する。まさに不屈の活力としかいいようがない。

葬儀は家族だけの内輪でなされたと伺った。李承晩と朴正煕という二人の大統領に信頼され、韓国の石油化学産業を独力で築き上げた全さんの葬儀をもし本格的に行なうとすれば、大変な準備と費用がかかったことだろう。また出自にふさわしい格式の葬儀を伝統的に行なうともなれば、さらに大掛かりなことになったはずである。折からのウィルス騒動のせいもあって、それは見送られた。わたしは夫人である羅英均先生の心痛を思った。

今度ソウルを訪れるときにはまず墓参りをしなければいけないと、心に銘じたのである。

（書下ろし　２０２０年）

後記

かつて中野重治は友人の秋山清が「朝鮮の人」という表現をつい口にしたとき、それを叱責して、朝鮮人はきちんと「朝鮮人」と呼ぶべきであると語った。当然のことである。ドイツ人がドイツ人であり、ユダヤ人がユダヤ人であるように、韓国人は韓国人であり、朝鮮人は朝鮮人である。だが日本人はこうした呼称に向かい合うことを避けてきたし、現在でも避けようとする。韓国と朝鮮に関するかぎり、何ごとにおいても直面することが怖いのだ。

『広辞苑』は1970年まで、「鮮人」という見出し項目を平然と立てていた。これは蔑称である。だが日本人は自分たちが蔑称を用いていることに、長い間、あまりにも無自覚であった。

現在ではどうか。日本人はいとも気楽に「在日」という略称を使用したりする。だが彼らは、その言葉が在日韓国人・朝鮮人にとって、どこまでも外部から制度的に与えられた他称であり、みずから好んで選びとった自称ではないという事実を知らない。一人ひとりの、それぞれに固有の生を実存として生きている者たちが、ザイニチという粗雑な言葉によって強引に範疇化されることでいかに傷ついているか。日本人はこの事実に、驚くまでに無頓着である。「韓国」「朝鮮」という言葉を日本語で口にするたびに、実のところ語る主体は（日本人であれ、韓国人であれ、朝鮮人であれ）言葉が携えてきた意味の重力圏に捲き込まれることを余儀なくされ、風荒ぶ言語の境界に立たされているはずである。発語をする側の立ち位置が問われてしまうのだ。だがその意識は現代日本社会にあってはつねに回避され、どこか遠いところに置き去りにされてしまう。この二つの単語のもつ〈政治〉が隠蔽されてしまう。

独島（竹島）、従軍慰安婦、強制連行……今日、日韓関係はあまりにも多くの困難を抱えている。巷にはヘイトスピーチが氾濫し、「嫌韓本」が書店に平積みにされている。いったいどうしてこうした愚劣な事態が起きたのか。簡単にひとつの原因を見つけることはできない。だが不幸な現象の根底には、日本人の植民地統治期以来の朝鮮人蔑視と、それに対応する形で醸成されてきた、韓国人の反日ナショナリズムが横たわっている。わたしは後者については語らない。「親日」「反日」とはつまるところ韓国の国内問題にすぎず、それは韓国人が解決すべきことだからだ。わたしは日本人であるから、もっぱら日本の内側の問題について考える。考え続ける。それが本質論的なものではなく歴史的に形成されたものであるとしたら、背後に横たわる力の構造を冷静に見つめなければならない。

2000年から2020年までに韓国について書いた文章から約半数のものを選んで、本書を編んだ。もっとも古いものの一つは、北朝鮮の日本人拉致事件をめぐって、2002年に「ニューヨーク・タイムズ」に寄稿したものであり、新しいものは、アカデミー賞を受けて国際的話題を呼んだ映画監督ポン・ジュノについてのものである。

本書は四部から構成されている。

最初に日韓の歴史的事件をめぐる考察があり、次に21世紀にあって発展目覚ましい、ニュー・コリアン・シネマを中心とする映画論が続く。第三部は比較的短い、スナップショットのような文章で、偶発的に執筆されたものである。もっとも人は短い文章のなかで馬脚を現すこともあれば、知らずと本音を語ってしまうというベンヤミンの指摘が正しいのであれば、こうした小さな文章にも収録の価値がないわけではあるまい。最後の部分には、著者がこれまでに出会った、何人かの忘れがたき韓国人、朝鮮人の肖像を収めた。

本書の表題である「われらが〈無意識〉なる韓国」という言葉については、少し説明をしておいたほうがいいかもしれない。

いうまでもなくこれは、わたしが最初に世に問うた韓国論集『われらが〈他者〉なる韓国』（PARCO出版局、現在は平凡社ライブラリー）と対になる題名である。読者によってはここで、「無意識とは他者である」という、ラカンの有名なテーゼを想起される人もいるだろう。とはいえわたしは、昨今の現代思想との照合性を期待して題名を採用したわけではなく、厳密な意味での精神分析の書物を執筆する意図もない。わたしの関心とは、韓国人と日本人が互いをどう認識しあっているかという問題だからだ。

韓国人は、日本を連想させる一切が気になって仕方がない。納豆が大好きなのだが「ナットー」

という日本語が氾濫するのは国是に反するというので、わざわざ「生《セン》チョングッチャン」なる新語を発明し、TVを通してせっせと普及に努めた。かつての日本海軍の旭日旗をデザインしたTシャツが話題を呼ぶと、すかさずメディアで騒ぎ立て、大問題に仕立て上げた。小学校の校歌の作詞家が「親日家」だったと判明すると、ただちに校歌を変更させた。韓国人にとって日本とは、意識の頂点にある自尊心を苛立たせてやまない虻や蝿、蚊のごとき存在である。うるさくて仕方がない。韓国人は眼前に日本が露出していると、ただちにそれを否認する。しかしこの否認の強さによって、逆に自分たちが日本にいかに拘泥しているかを証し立ててしまう。

日本人にとっての韓国はどうだろうか。韓国的なるものは食品から服飾品、電化製品から歌舞音曲まで、いたるところに遍在している。日本人はそれにいささかも苛立つことなく、平然と日常生活を送っている。『愛の不時着』のごとき北朝鮮を舞台にした韓流TVメロドラマに熱中し、KPOPのコンサートに通う僕たちはキムチと焼肉を食べて育った、それで何か？　というわけだ。別に日本風に独自の命名を施したり、韓国製であることを隠蔽するわけでもない。ただ韓国という言葉が意識に上らないだけなのだ。日本人が韓国を拒否しているという意味ではない。事態は逆で、韓国とは日本人の無意識の深いレベルに横たわっているのだと、わたしはいいたい。

歴史を振り返ってみよう。日本はアイデンティティーの危機を感じるたびごとに、朝鮮半島への侵略を企ててきた。韓国を鏡像として見立てることで、自国の安心立命に到達しようと努めてきた。西洋から強引に開国を迫られると、その傷痕を解決せんと、あたかも自分が西洋列強であるかのように振舞い、朝鮮王朝に開国を迫った。これは無意識の次元における反復強迫であり、韓国が日本の心理深層において、自覚はされないまでも大きな存在であることを示している。韓国にとって日本は、どこまでも意識の水面に浮かぶ氷塊である。しかし日本にとって韓国とは、いつもは意識されることのない不可視の存在である。いい直すならば、それはより深い無意識の水底に眠っていて、何かことあるたびにゆっくりと起き上がって姿を現わし、日本にあるべき方向を指し示してみせる何ものかである。

重ねていうが、本書は厳格な意味での精神分析の啓蒙書でも、症候分析でもない。日本にとって韓国とは、心の奥底にあってその存在を気付かされることはめったにないが、ときに心の水面に顔を覗かせる巨魚のような存在であると、わたしは主張したいだけなのだ。本書の表題は、そのように理解していただきたい。

一冊の書物に纏めるにあたっては、小説『夏の速度』に続いて、作品社の高木有氏にご尽力していただいた。感謝の気持ちを申し上げたい。

二〇二〇年八月

著者記す

著者略歴

四方田犬彦（よもた・いぬひこ）

映画誌・比較文学研究家。エッセイスト。東京大学で宗教学を、同大学院で比較文学を学ぶ。明治学院大学教授、コロンビア大学客員教授、ボローニャ大学客員研究員などを歴任。ソウルの建国大学校、中央大学校で客員教授として、日本語、日本映画の講義を行う。映画と文学を中心に、演劇、漫画から料理まで、多岐にわたる文化現象について批評を執筆。著書は『ハイスクール1968』『モロッコ流謫』『先生とわたし』『見ることの塩』『ルイス・ブニュエル』『親鸞への接近』『詩の約束』『愚行の賦』など多数。詩集に『人生の乞食』『わが煉獄』が、翻訳書に『パゾリーニ詩集』などがある。サントリー学芸賞、伊藤整文学賞、桑原武夫学芸賞、芸術選奨文部科学大臣賞、鮎川信夫賞などを受賞。1979年にソウルの建国大学校で日本語を、2000年に中央大学校で日本映画の講義を客員教授として行なう。韓国関係の著書として、『われらが〈他者〉なる韓国』（平凡社、2000年）、『ソウルの風景』（岩波書店、2001年）、『大好きな韓国』（ポプラ社、2003年）、『ため口韓国語』（共著、平凡社、2005年）、『夏の速度』（小説、作品社、2020年）がある。

われらが〈無意識〉なる韓国

二〇二〇年一一月二〇日第一刷印刷
二〇二〇年一一月二五日第一刷発行

著者 四方田犬彦
装幀 小川惟久
発行者 和田肇
発行所 株式会社 作品社
〒一〇二-〇〇七二
東京都千代田区飯田橋二ノ七ノ四
電話 (〇三)三二六二-九七五三
FAX (〇三)三二六二-九七五七
http://www.sakuhinsha.com
振替 〇〇一六〇-三-二七一八三

本文組版 (有)一企画
印刷・製本 シナノ印刷(株)

ISBN978-4-86182-829-4 C0095